Renner/Sachs

WIRTSCHAFTSSPRA

Deutsch/Englisch · Englisch/

ECONOMIC TERMIN

German/English · English/German

RÜDIGER RENNER / RUDOLF SACHS

WIRTSCHAFTSSPRACHE

Deutsch/Englisch · Englisch/Deutsch

Systematische Terminologie und alphabetisches Wörterbuch mit Übersetzungsübungen

ECONOMIC TERMINOLOGY

German/English · English/German

Systematic and Alphabetical Vocabulary with Translation Exercises

MAX HUEBER VERLAG

WIRTSCHAFTSSPRACHE

Deutsch/Englisch · Englisch/Deutsch

Systematischer und alphabetischer Wortschatz mit Übersetzungsübungen

von

Dr. RÜDIGER RENNER

Ehem. Dozent am Sprachen- und Dolmetscher-Institut München und Mitglied der Prüfungskommission für die Bayerische Staatsprüfung für Dolmetscher und Übersetzer

RUDOLF SACHS

Dozent am Sprachen- und Dolmetscher-Institut München

ECONOMIC TERMINOLOGY

German/English · English/German

Systematic and Alphabetical Vocabulary with Translation Exercises

by

Dr. RÜDIGER RENNER

Former Lecturer at the Sprachen- und Dolmetscher-Institut München and Member of the Board of Examiners for the Bavarian State Examination for Interpreters and Translators

RUDOLF SACHS

Lecturer at the Sprachen- und Dolmetscher-Institut München

4. Auflage

5. 4. | Die letzten Ziffern
1987 86 | bezeichnen Zahl und Jahr des Druckes.

Alle Drucke dieser Auflage können, da unverändert, nebeneinander benutzt werden.

Satz: Gebr. Parcus KG, München
Druck: Allgäuer Zeitungsverlag GmbH, Kempten
Printed in Germany

ISBN 3-19-006201-3

Preface to the first edition

The purpose of this book is to provide all who have to deal with English and German economic terminology in any way with a first, systematic guide to this difficult and complex material. In particular, it is intended to present a selection of the enormous wealth of economic terms and phrases to future commercial correspondents, translators and interpreters.

The authors are fully aware that every selection of expressions and every attempt at classification must necessarily be imperfect and subjective. Nevertheless, they hope that their practical experience has enabled them, by and large, to choose those expressions which are most important for the student. It is also hoped that the subdivision of the material into various special fields will help colleagues to supplement their knowledge in one sphere or another, or facilitate rapid preparation for dealing with a given set of problems (e. g. a rush assignment). Most of the chapters are followed by English-German and German-English translation exercises, so that the book can also be used for tuition at language schools, training institutes for interpreters, commercial schools, economics colleges, etc.

To facilitate practical work, this guide to the boundless reaches of economic terminology has been provided with an index which gives all important expressions in alphabetical order and

Vorwort zur 1. Auflage

Das vorliegende Werk will all denen, die sich in irgendeiner Form mit deutscher und englischer Wirtschaftsterminologie zu befassen haben, eine erste systematische Einführung in diese schwierige und komplexe Materie geben. Es will insbesondere künftigen Korrespondenten, Übersetzern und Dolmetschern eine Auswahl aus dem ungeheuren Reichtum der Terminologie und Phraseologie der Wirtschaft bieten.

Die Verfasser sind sich darüber klar, daß jede Auswahl von Ausdrücken wie auch jeder Versuch einer Klassifizierung zwangsläufig lückenhaft und subjektiv sein muß. Sie hoffen trotzdem, aus ihrer praktischen Erfahrung heraus im großen und ganzen diejenigen Ausdrücke gewählt zu haben, die für den Lernenden am wichtigsten sind. Durch die Einteilung nach Fachgebieten hoffen sie, auch manchem Kollegen eine Vervollkommnung seiner Kenntnisse auf diesem oder jenem Gebiet oder die rasche Vorbereitung auf einen bestimmten Fragenkreis (z. B. für einen plötzlichen Auftrag) zu ermöglichen. Auf die meisten Kapitel folgen Übersetzungsübungen Englisch-Deutsch und Deutsch-Englisch, wodurch das Werk gleichzeitig zu einem Lehrbuch für Sprachenschulen, Dolmetscherinstitute, Handelsschulen, Wirtschaftshochschulen usw. wird.

Zur Erleichterung der praktischen Ar-

the page on which they appear.
Besides this, a *key* will soon be published with model answers to the translation exercises.
The authors would be grateful for any suggestions for the improvement and supplementation of the book.
We are sincerely indebted to Dr. Friedrich Stadler and to Dipl. Dolm. Walter F. Lappann for the compilation of the alphabetical index.

Authors and Publisher

beit wurde diesem Wegweiser durch das ungeheuer reiche Gebiet der Wirtschaftsterminologie ein Index beigefügt, der alle wichtigen Ausdrücke in alphabetischer Reihenfolge zusammen mit den dazugehörigen Seitenzahlen bringt.
Des weiteren erscheint in Kürze ein *Schlüssel* mit Musterlösungen zu den Übersetzungsübungen.
Vorschläge zur Verbesserung und Ergänzung des Werks werden von den Verfassern dankbar entgegengenommen.
Für die Bearbeitung des alphabetischen Registers danken wir Herrn Dr. Friedrich Stadler und Herrn Dipl.-Dolm. Walter F. Lappann.

Autoren und Verlag

Introduction

At a time in which the Europe of the Six is preparing to extend its economic relations with Great Britain and the Commonwealth and with the United States in a great variety of ways, a book like German-English Economic Terminology seems to be particularly seasonable.

The authors are well known to me personally, and I know with what up-to-date factual and linguistic knowledge they have applied themselves to their task. In every respect this book satisfies all requirements for a modern linguistic guide to economics—it is a product of practical experience for practical application.

Dr. PAUL SCHMIDT
Former Director
of the Sprachen- und Dolmetscher-
Institut München

Zum Geleit

In einem Augenblick, in dem sich das Europa der Sechs anschickt, seine Wirtschaftsbeziehungen zu Großbritannien und dem Commonwealth sowie zu den Vereinigten Staaten auf den verschiedensten Wegen auszubauen, scheint ein Buch wie die Deutsch-Englische Wirtschaftssprache besonders am Platze zu sein.

Aus persönlicher Erfahrung kenne ich die Verfasser sehr gut und weiß, mit welch hochaktueller Sach- und Sprachkenntnis sie ans Werk gegangen sind. Das Buch erfüllt voll und ganz die Bedingungen eines modernen Sprachführers für die Wirtschaft: Aus der Praxis, für die Praxis.

Dr. PAUL SCHMIDT
Ehemaliger Direktor
des Sprachen- und Dolmetscher-
Instituts München

TABLE OF CONTENTS

INHALTSVERZEICHNIS

I. General Economics / I. Allgemeine Volkswirtschaftslehre

A. Terminology / A. Terminologie

1. General Terms / 1. Allgemeines

economy	a) die Wirtschaft als Gesamtheit der Beziehungen des Menschen zur Natur und zu seinesgleichen, um sich diejenigen Güter zu verschaffen, die die Bedürfnisse des menschlichen Lebens erfordern b) die Sparsamkeit, die Wirtschaftlichkeit, die Kosteneinsparung
economies	die Ersparnisse
economics	die Volkswirtschaftslehre, die Wirtschaftswissenschaften, die Nationalökonomie
political economy (*old term for* economics)	die politische Ökonomie
economist, political economist	der Volkswirtschaftler, der Volkswirt
applied economics	die angewandte Volkswirtschaft
business administration, industrial administration, management, business economics	die Betriebswirtschaft, die (allgemeine) Betriebswirtschaftslehre
economic history	die Wirtschaftsgeschichte
economic geography	die Wirtschaftsgeographie
economic problem	die Wirtschaftsfrage
economic (*or:* industrial) sabotage	die Wirtschaftssabotage
sociology	die Soziologie
public finance	die öffentliche Finanzwirtschaft
expert on public finance	der Finanzwissenschaftler
business financing	die (betriebliche) Finanzwirtschaft
Federal Railways	die Bundesbahn
Federal Postal Administration	die Bundespost
publicly owned undertakings	die Unternehmen der öffentlichen Hand

private sector of the economy, private enterprise	die Privatwirtschaft, die private Wirtschaft, der private Sektor
isolated economy	die Einzelwirtschaft
economy of a country, national economy	die Volkswirtschaft *(d. i. die Wirtschaft eines Landes)*
world economy	die Weltwirtschaft
family economy	die Familienwirtschaft
entrepreneur economy, enterprise economy *(US)*, system of private enterprise	die Unternehmerwirtschaft
collective economy	die Kollektivwirtschaft
wartime economy	die Kriegswirtschaft
local economy	die ortsansässige Wirtschaft, die örtliche Wirtschaft
regional economy	die regionale Wirtschaft
overall economy	die Gesamtwirtschaft
public authorities	die öffentliche Hand, die öffentlichen Haushalte
public (sector of the) economy	die Staatswirtschaft
local authorities	die Gemeinden
social insurance institutions	die Sozialversicherungsträger
unemployment insurance fund	der Arbeitslosenversicherungsträger
reconstruction	der Wiederaufbau
promotion of trade, promotion of economic development	die Wirtschaftsförderung
Federal Government's Economic Development Programme	das Wirtschaftsförderungsprogramm der Bundesregierung
economic research	die Wirtschaftsforschung
IFO Economic Research Institute in Munich	das IFO-Institut für Wirtschaftsforschung in München
economic relations	die Wirtschaftsbeziehungen
business quarters, business circles	die Wirtschaftskreise
economic potential, economic resources	das Wirtschaftspotential, die wirtschaftlichen Möglichkeiten
economic delegation	die Wirtschaftsdelegation
economic conference, trade conference	die Wirtschaftskonferenz
market, market area	der Wirtschaftsraum
economic law	das Wirtschaftsrecht

Law on Penalties for Economic Offences, dated Julv 26th, 1949	das Wirtschaftsstrafgesetz vom 26. Juli 1949
trade (*or:* industrial, business) literature	das Wirtschaftsschrifttum
total economic activity	das Wirtschaftsvolumen
infrastructure, sub-structure	die Infrastruktur, der Unterbau
City News *(GB)*, business section	der Wirtschaftsteil (der Zeitung)
dismantling	die Demontage
economic capacity, economic power, economic strength, economic resources	die Wirtschaftskapazität, die Wirtschaftskraft
division of labour	die Arbeitsteilung
specialization	die Spezialisierung
to specialize in	Spezialist sein in, sich spezialisieren auf
standardization	die Normung, die Standardisierung
to standardize	normen
productivity	die Produktivität
difference between levels of productivity	das Produktivitätsgefälle
increase in productivity	die Produktivitätssteigerung
marginal productivity	die Grenzproduktivität
Productivity Council	der Produktivitätsrat
rationalization	die Rationalisierung
to rationalize	rationalisieren
industrial rationalization	die betriebswirtschaftliche Rationalisierung
rational utilization, efficient employment	die rationelle Ausnützung
effect produced by rationalization	der Rationalisierungseffekt
capital investment for rationalization purposes	die Rationalisierungsinvestition
rationalization boom	die Rationalisierungskonjunktur
Board for Rationalization of the German Economy	das Rationalisierungskuratorium der Deutschen Wirtschaft, RKW
production organization	der Produktionsapparat
productive resources	die Produktivkräfte
production	die Produktion, die Herstellung
production function	die Produktionsfunktion

to produce	produzieren, herstellen
product	das Produkt, das Erzeugnis
produce	die (landwirtschaftlichen) Erzeugnisse
industrial production, industrial output	die Industrieproduktion
productive equipment	die Produktionsmittel
power resources, source of power	die Energiequelle, der Energieträger
electricity, electric power	die elektrische Energie
hydraulic power	die Wasserkraft
oil	das Öl, das Erdöl
atomic energy, nuclear energy	die Atomenergie
programme of power-plant building	das Energieprogramm
yield, returns	der Ertrag
proceeds	der Erlös
average returns, average yield, etc.	der Durchschnittsertrag
diminishing returns	der abnehmende Ertrag
law of diminishing returns	das Gesetz vom abnehmenden Ertrag, das Ertragsgesetz
marginal returns	der Grenzertrag
cost, costs, expense, expenses	die Kosten
unit costs	die Stückkosten
variable costs	die variablen Kosten
constant costs	die konstanten Kosten
fixed costs	die fixen Kosten
terminal costs, marginal costs	die Grenzkosten
degressive costs	die degressiven Kosten
progressive costs	die progressiven Kosten
average costs	die Durchschnittskosten
opportunity costs	die Opportunitätskosten
least cost combination	die Minimalkostenkombination
elements of costs	die Kostenbestandteile
utility	der Nutzen
marginal disutility of labour	das Grenzleid der Arbeit, der Mißnutzen
marginal utility	der Grenznutzen
value	der Wert
exchange value, value in exchange	der Tauschwert
value in use	der Gebrauchswert

market value	der Verkehrswert, der Handelswert, der Marktwert
exchangeable, interchangeable	austauschbar
fungible goods	vertretbare Sachen, fungible Waren
exchange	der Tausch
barter, trading	der Tauschhandel
barter transaction, barter deal	das Tauschgeschäft
law of supply and demand	das Gesetz von Angebot und Nachfrage
outlay curve	die Kurve der monetären Nachfrage, die Ausgabenkurve
reserve of supplies	die Angebotsreserve
market	der Markt
form of market, type of market	die Marktform
ideal market	der vollkommene Markt
imperfect market	der unvollkommene Markt
bottleneck	der Engpaß
in line with the market, in accordance with free market principles	marktkonform
state of the market, market situation	die Marktlage
waste	die Verschwendung, der Abfall
to waste, to squander	verschwenden
equilibrium price	der Gleichgewichtspreis
price elasticity of demand	die Preiselastizität der Nachfrage
income elasticity of demand	die Einkommenselastizität der Nachfrage
cross price elasticity	die Kreuzpreiselastizität
straightening out of prices	die Preisentzerrung
price distortion	die Preisverzerrung
economic rent	die volkswirtschaftliche Rente
ground rent	die Bodenrente, die Grundrente
differential profit	die Differentialrente
differential rent of land	die Differentialrente des Bodens
(economic) good	das Gut *(im volkswirtschaftlichen Sinn)*
consumer surplus	die Konsumentenrente
location value	die Lagerente des Bodens
demand as seen by the seller	die konjekturale Preis-Absatz-Funktion
need, requirement	der Bedarf, das Bedürfnis

to satisfy a need	einen Bedarf decken, ein Bedürfnis befriedigen
to cover requirements, to meet requirements	einen Bedarf decken
individual demand curve	die individuelle Nachfragefunktion
aggregate demand curve	die Gesamtnachfragefunktion

2. Economic Theories and Systems / 2. Wirtschaftliche Theorien und Wirtschaftsordnungen

economic theory	die Wirtschaftstheorie, die volkswirtschaftliche Theorie, die volkswirtschaftliche Lehrmeinung
economic research methods	die volkswirtschaftlichen Forschungsmethoden
economic laws, laws of economics (*do not confuse with:* economic legislation)	die volkswirtschaftlichen Gesetze (*nicht zu verwechseln mit:* Die Wirtschaftsgesetzgebung)
law of comparative costs (*Ricardo*)	das Gesetz der komparativen Kosten (*Ricardo*)
increasing returns to scale	die zunehmenden Skalenerträge
law of indifference	das Indifferenzgesetz
economic order, economic system, economic regime, industrial system	die Wirtschaftsordnung
barter economy	die Tauschwirtschaft
planned economy, state control, government planning	die Befehlswirtschaft, die Planwirtschaft
rationing	die Rationierung
governmental planning, governmental control	die Zwangswirtschaft, die Wirtschaftslenkung
guidance of trade	die Lenkung des Handels
economic planning	die Wirtschaftsplanung
state intervention, government intervention	das Eingreifen des Staates
to decontrol	die Zwangswirtschaft abbauen, die Kontrollen aufheben
welfare state	der Wohlfahrtsstaat
free market economy	die Marktwirtschaft

socially oriented free market economy	die soziale Marktwirtschaft
to achieve a free market economy in the interests of the community	im Interesse der Gemeinschaft eine soziale Marktwirtschaft verwirklichen
free economy	die freie Wirtschaft, die Marktwirtschaft
pressure group	die Interessengruppe
competitive economy	die Wettbewerbswirtschaft
system regulating competition	die Wettbewerbsordnung
competitive system	das Wettbewerbssystem
to enter into competition with s. b.	mit jemand in Wettbewerb treten
competitor	der Konkurrent
unfair (methods of) competition	der unlautere Wettbewerb
free competition	der freie Wettbewerb
to distort	verzerren, verfälschen
distortion of competition	die Wettbewerbsverzerrung, die Konkurrenzverzerrung
to restrain competition, to restrict competition	den Wettbewerb beschränken, beeinträchtigen
restraint of trade	die Wettbewerbsbeschränkung
power to compete, capacity to compete	die Wettbewerbsstellung, die Wettbewerbsfähigkeit
mercantilism	der Merkantilismus, der Handelsgeist
mercantile doctrine	die Merkantillehre
mercantile system	das Merkantilsystem
mercantile theory	die Merkantiltheorie
mercantilistic	merkantilistisch
mercantilist	der Merkantilist
physiocracy	der Physiokratismus
physiocratic	physiokratisch
physiocrat	der Physiokrat
liberalism	der Liberalismus
liberal *(adj.)*	liberal
liberal	der Liberale
liberal school	die liberale Schule
free trade	der Freihandel
free trader	der Anhänger des Freihandels
protectionism	der Protektionismus, das Schutzzollsystem

protectionist	der Anhänger des Protektionismus
socialism	der Sozialismus
crude quantity theory	die naive Quantitätstheorie
socialist (*adj.*)	sozialistisch
socialist	der Sozialist
theoretical socialism	der Kathedersozialismus
communism	der Kommunismus
communist	kommunistisch
communist	der Kommunist
communist manifesto	das kommunistische Manifest
exploitation of mankind by man	die Ausbeutung des Menschen durch den Menschen
historical materialism	der historische Materialismus
dialectic materialism	der dialektische Materialismus
materialistic ideology	die materialistische Weltanschauung
theory of concentration	die Konzentrationstheorie
surplus value theory *(Marx)*	die Mehrwertstheorie *(Marx)*
pauperization theory *(Marx)*	die Verelendungstheorie *(Marx)*
expropriation of the expropriators *(Marx)*	die Expropriierung der Expropriateure *(Marx)*
class warfare	der Klassenkampf
state socialism	der Staatssozialismus
socialist economy	die sozialistische Wirtschaft
Labour movement	die Labourbewegung
trade union movement	die Gewerkschaftsbewegung
Marxism	der Marxismus
marxist *(adj.)*	marxistisch
marxist	der Marxist
proletariat	das Proletariat
proletarian	der Proletarier
dictatorship of the proletariat	die Diktatur des Proletariats
property of the people, collective property	das Volkseigentum, das Kollektiveigentum
classless society	die klassenlose Gesellschaft
world revolution	die Weltrevolution
overcoming of Marxism by a humanistic socialism	die Überwindung des Marxismus durch einen humanistischen Sozialismus
state capitalism	der Staatskapitalismus

collectivism	der Kollektivismus
bolshevism	der Bolschewismus
kolkhose	der Kolchos
capitalism	der Kapitalismus
capitalist *(adj.)*	kapitalistisch
capitalist	der Kapitalist
capitalistic system	das kapitalistische System
private property	das Privateigentum
nationalization	Verstaatlichung, Nationalisierung
socialization	die Sozialisierung, Vergesellschaftung
to transfer to private ownership	privatisieren
denationalization, return to private enterprise, reversion (of nationalized undertakings) to private ownership	die Privatisierung, die Reprivatisierung
expropriation	die Enteignung
to expropriate	enteignen
expropriation in the public interest	die Enteignung im öffentlichen Interesse
to collectivize	kollektivieren
collectivization	die Kollektivierung
law of diminishing marginal utility	das Gesetz vom abnehmenden Grenznutzen, das 1. Gossensche Gesetz

3. National Accounting — 3. Volkswirtschaftliche Gesamtrechnung

national accounting, overall accounting, national accounts, overall accounts *(statement of national income and expenditure)*	die nationale Buchführung, die volkswirtschaftliche Gesamtrechnung *(konstatierende Rechnungslegung für eine abgelaufene Periode)*
country's economic budget, forecast of national accounts	das Nationalbudget *(Vorwegnahme der Ziffern für eine kommende Periode)*
overall economy	die Gesamtwirtschaft
macroeconomic	gesamtwirtschaftlich, makroökonomisch
national product	das Sozialprodukt
to enlarge the national product	das Sozialprodukt steigern

demands on the national product, claims on the national product, demands made on the national resources	die Ansprüche an das Sozialprodukt
the economy's total production	die volkswirtschaftliche Produktionsleistung
gross national product at current prices	das Bruttosozialprodukt zu Marktpreisen
*(—) depreciation, allowance for depreciation	*(—) die Abschreibung für Abnutzung
*(=) net national product at current prices, at market prices	*(=) das Nettosozialprodukt zu Marktpreisen
*(—) indirect taxes	*(—) die indirekten Steuern
*(+) subvention, bounty, grant, subsidy	*(+) die Subvention
to subsidize, to support, to pay subsidies	subventionieren
*(=) net national product at factor costs	*(=) das Nettosozialprodukt zu Faktorkosten (= Volkseinkommen)
national income	das Volkseinkommen
*(—) non-distributed profits of corporations	*(—) der unverteilte Gewinn der Kapitalgesellschaften
*(—) corporate income tax	*(—) die Körperschaftssteuer
*(—) employer's social security contribution	*(—) der Arbeitgeberbeitrag zur Sozialversicherung
*(+) transfer payments	*(+) die Transferzahlungen (Sozialrenten und Zinseinnahmen aus Staatsanleihen)
*(=) personal income	*(=) das persönliche Einkommen
*(—) personal direct taxes	*(—) die persönlichen direkten Steuern
*(—) employee's social insurance contribution	*(—) der Arbeitnehmerbeitrag zur Sozialversicherung
*(=) disposable income	*(=) das verfügbare Einkommen, das disponible Einkommen (wertgleich dem Verbrauch + Sparleistungen)

* The signs in brackets indicate the connection between the various terms.

* Die in Klammern gesetzten Zeichen deuten den Zusammenhang zwischen den einzelnen Begriffen an.

net value added by the manufacturer	die Wertschöpfung der Unternehmung
net production value of trade *(contribution of trade to the gross national product)*	der Nettoproduktionswert des Handels
factor of production, agent of production	der Produktionsfaktor
land	der Boden
capital	das Kapital
labour	die Arbeit
management	die Unternehmerleistung
entrepreneur's profit, entrepreneurial profit	der Unternehmerlohn
formation of the national product, breakdown of national product according to sources	die Entstehung des Sozialprodukts, die Aufgliederung des Sozialprodukts nach dem Ursprung
distribution of the gross national product, the use of the gross national product	die Verteilung, die Verwendung des Bruttosozialprodukts, die Verwendungsrechnung
private consumption	der private Verbrauch
government consumption	der Staatsverbrauch
additional consumption in real terms	der reale Mehrverbrauch
marginal propensity to consume	die marginale Konsumquote
capital expenditure, capital investment	die Investitionen
total value of goods and services available	der Gesamtbetrag der verfügbaren Güter und Dienste
enterprise	die Unternehmung *(produzierende Einheit)*
entrepreneur	der Unternehmer
(individual) household	der Haushalt *(verbrauchende Einheit)*
head of the household	der Haushaltungsvorstand
household budget	das Haushaltungsbudget
economic circulation	der Wirtschaftskreislauf
expansion of the economy	die Erweiterung des Wirtschaftskreislaufs
position of the state in the economic process	die Stellung des Staates im Wirtschaftskreislauf
total wealth formation	die volkswirtschaftliche Vermögensbildung

monetary wealth formation	die Geldvermögensbildung
formation of tangible assets	die Sachvermögensbildung
financing sector	der aufbringende Sektor (bei der Vermögensbildung)
income formation	die Einkommensbildung
distribution of income	die Einkommensverwendung, die Einkommensverteilung
redistribution of income	die Einkommensumverteilung, die Einkommensredistribution
shift in income distribution	die Einkommensverschiebung
capital income	das Kapitaleinkommen
wage income	das Lohneinkommen
mass income	das Masseneinkommen
per-capita income	das Pro-Kopf-Einkommen
growth of income	der Einkommenszuwachs
propensity to spend	die Ausgabeneigung
saving	das Sparen
saving ratio	die Sparquote
propensity to save	die Sparneigung
savings	die Ersparnisse
current savings of private households	die laufende Ersparnis der privaten Haushalte
the economy's savings	die volkswirtschaftlichen Ersparnisse
investing and transmitting of the economy's savings	die Anlage und Vermittlung der volkswirtschaftlichen Ersparnisse
non-banks, (parties ...) other than banks, non-bank customers	die Nichtbanken
institutional investors	die Kapitalsammelstellen, die institutionellen Anleger
gross investment in fixed assets	die Bruttoanlageinvestitionen
net exports of goods and services	der Außenbeitrag
to consume	verbrauchen
consumer	der Verbraucher
ultimate consumer, final consumer	der Endverbraucher
large-scale consumer, bulk consumer	der Großverbraucher
large customer	der Großabnehmer
industrial consumer	der gewerbliche Abnehmer
internal consumption	der Selbstverbrauch *(z. B. einer Zeche an Kohle)*

consumption control	die Verbrauchslenkung
per-capita consumption	der Pro-Kopf-Verbrauch
consumer spending	die Verbraucherausgaben

4. Types of Goods — 4. Güterarten

basic goods, basic materials	die Grundstoffe
producer goods	die Produktionsgüter
capital goods	die Investitionsgüter
equipment (goods)	die Ausrüstungsgüter
consumer goods	die Verbrauchsgüter
durable consumer goods	die dauerhaften Verbrauchsgüter, die Gebrauchsgüter
finished goods	die Fertigwaren
semi-finished products, goods (*or:* work) in process, semi-fabricated products	die Halbfertigwaren, das Halbzeug, die Halbfabrikate
preliminary products	die Vorprodukte
foreign goods	die Auslandsgüter
services	die Dienstleistungen
renderer of a service	der Erbringer
recipient of services	der Leistungsempfänger
circulation of goods	der Güterumlauf
duplicatable goods	die vermehrbaren Güter
non-duplicatable goods	die unvermehrbaren Güter

5. Sectors of the Economy — 5. Wirtschaftszweige

productive branch of economic activity	der produktive Wirtschaftszweig
non-industrial activities	die nichtindustriellen Wirtschaftszweige
basic goods industry	die Grundstoffindustrie
producer goods industry	die Produktionsgüterindustrie
capital goods industry	die Investitionsgüterindustrie
consumer goods industry	die Verbrauchsgüterindustrie
steel industry	die Stahlindustrie

in steel	in der Stahlindustrie
mining	der Bergbau
coal mining, the coal mines	der Kohlebergbau
in coal mining	im Kohlebergbau
textile industry	die Textilindustrie
in textiles	in der Textilindustrie
public utilities	die Versorgungswirtschaft
building trade	die Bauwirtschaft
manufacturing, manufacturing industry	die Verarbeitung, die verarbeitende Industrie
manufacturer, processor	der Weiterverarbeiter
in some trades, in some branches of industry	in einigen Branchen
steel rolling mills	die Walzstahlwerke
ironworking industry	die eisenverarbeitende Industrie
sphere of exports, export trade	die Exportwirtschaft
agriculture	die Landwirtschaft
forestry	die Forstwirtschaft
fisheries	die Fischerei
transport	der Verkehr, die Verkehrswirtschaft
services	die Dienstleistungen
power industry	die Energiewirtschaft
electricity industry	die Elektrizitätswirtschaft

6. Business cycle / 6. Konjunktur

(a) *General terms* / a) *Allgemeines*

economic situation	die Wirtschaftslage
economic stability	die Wirtschaftsstabilität
economic process	der Wirtschaftsablauf
yearly economic cycle	der Jahresrhythmus im Wirtschaftsablauf
economic motive forces	die Wirtschaftsdynamik
economic development	die Wirtschaftsentwicklung
economic activity	die Wirtschaftstätigkeit

variation in the level of economic activity as between different parts of the Federal Republic	das Wirtschaftsgefälle in der Bundesrepublik
overall growth (of the national economy)	das volkswirtschaftliche Wachstum
overall demand	die gesamtwirtschaftliche Nachfrage
overall elasticity of supply	die volkswirtschaftliche Angebotselastizität
excess demand	die Übernachfrage
reduction of the scope for demand	die Einengung des Nachfragespielraums
business cycle, trade cycle	die Konjunktur
cyclical situation, economic activity, cyclical "climate"	die Konjunkturlage, das Konjunkturklima
building activity, activity in building	die Baukonjunktur
internal economic trend	die Binnenkonjunktur
business trend, economic trend, cyclical trend, course of the cycle, economic movement	die Konjunkturentwicklung, die Wirtschaftsentwicklung
trend in exports	die Exportkonjunktur
general level of economic activity	die Gesamtkonjunktur
expected future trend of the market	die Konjunkturerwartungen
economic outlook, economic prospects	die Konjunkturaussichten
analysis of cyclical trends	die Konjunkturanalyse
economic balance (*or:* equilibrium)	das wirtschaftliche Gleichgewicht
the main feature of business was ...	die Geschäftsentwicklung stand im Zeichen von ...
overall picture	das Gesamtbild
overall economic development	die gesamte Wirtschaftsentwicklung
macroeconomic development	die gesamtwirtschaftliche (*oder:* makroökonomische) Entwicklung
course of the business cycle	der Konjunkturverlauf
order position	die Auftragslage
order placing	die Auftragsvergabe
home-market orders	der Auftragseingang aus dem Inland
foreign demand, demand from abroad	die Auslandsnachfrage
inflow of orders	der Auftragseingang

orders reaching industry	der Auftragseingang in der Industrie
export orders	die Exportaufträge
export orders on hand	die Bestände an Exportaufträgen
in terms of value	wertmäßig
in terms of volume, quantitatively	mengenmäßig
index of orders booked	der Index des Auftragseingangs
to meet the demand	die Nachfrage decken
to book orders	Aufträge buchen
overproduction	die Überproduktion
underproduction	die Unterproduktion
adaption of production, adaptation of production	die Anpassung der Produktion
adaption plan	der Anpassungsplan
conversion of production	die Umstellung der Produktion
rate of expansion	der Expansionsrhythmus, das Tempo der Expansion
growth rate	die Zuwachsrate, die Wachstumsrate
disturbances in the economy	die Störungen in der Wirtschaft
affected (*or:* influenced, determined) by the trend of economic activity	konjunkturbedingt
cyclical factor	der konjunkturelle Faktor
economic research institute	das Konjunkturforschungsinstitut
(economic) trend check	der Konjunkturtest
specimen of an economic trend, model of the business cycle	das Konjunkturmodell
neutral as regards the effect on the economic trend	konjunkturneutral
optimism in regard to the probable economic trend	der Konjunkturoptimismus
cyclical maladjustment	die konjunkturelle Fehlanpassung
theory of the business cycle	die Konjunkturtheorie
stocks	die Lagerbestände
build-up of business stocks	der Lageraufbau
inventory increases, additions to stocks, stockpiling	die Lageraufstockungen
to run down stocks	die Lager abbauen
reduction of stocks, stock reduction, running down of stocks	der Lagerabbau
stocks accumulate	die Lagerbestände nehmen zu

inventory changes	die Vorratsveränderungen
stock and order cycle	der Lager- und Auftragszyklus
reversal in stockpiling	der Umschwung in den Lagerpositionen
to draw on stocks	auf Lagerbestände zurückgreifen
stockpiling behaviour of buyers	die Lagerdispositionen der Abnehmer
pithead stocks	die Haldenbestände
uneasy triangle	magisches Dreieck

(b) *Phases of the Business Cycle* — b) *Konjunkturphasen*

starting point	der Ausgangspunkt
increase in business activity, growth in economic activity	die Konjunkturbelebung
upswing in economic activity	der Konjunkturaufschwung
cyclical upward movement	die konjunkturelle Aufwärtsbewegung
recovery	die Erholung
pump-priming programme	das Ankurbelungsprogramm
success in consolidation	der Konsolidierungserfolg
continuance of expansion	die Fortsetzung der Expansion
quickening of expansion	die (Wieder)beschleunigung der Expansion
upward tendencies, sustaining forces, impulses	die Auftriebstendenzen, die Aufschwungstendenzen, die Impulse
strengthening of the expansive tendencies	die Stärkung der Expansionstendenzen
upward price movement	der Anstieg der Preise, die Preisbewegung (nach oben)
rising price tendencies	die steigenden Preistendenzen, der Preisauftrieb
general price level	das allgemeine Preisniveau
boom	der Boom, der starke Konjunkturaufschwung
consumer boom	der Boom im Konsumgüterbereich
building boom	der Bauboom
welcome support to the expansion	die willkommene Stütze der Expansion
centre of the boom	der Brennpunkt des Booms

overall economic process	der gesamtwirtschaftliche Aufschwung
the pull of a considerable demand	der beträchtliche Nachfragesog
snowball growth	die Selbstpotenzierung
to expand output	die Produktion ausweiten
scope for production	der Produktionsspielraum
to strengthen the cyclical upswing	den Konjunkturaufschwung intensivieren
lengthening delivery periods	länger werdende Lieferfristen
market forces	die Marktkräfte
to raise the level of demand	das Nachfragevolumen vergrößern
cyclical upsurge	der konjunkturelle Auftrieb
the strongly expansive trend	die starke konjunkturelle Ausweitung
peak, climax	der Höhepunkt
business prosperity	die Hochkonjunktur
strains	die Spannungen
peak in the economic trend	der konjunkturelle Wellenberg
the overheated sector of the economy	der überhitzte Sektor der Wirtschaft
to kindle the building boom	die Baukonjunktur anheizen
overheating of the boom	die Konjunkturüberhitzung
countermeasure, remedy	die Gegenmaßnahme
curbing the boom	die Zügelung der Konjunktur, die Dämpfung der Konjunktur
checking of cyclical overstrain	die Eindämmung der Konjunkturüberhitzung
hot-bed of general cyclical overstrain	der Herd der Konjunkturüberhitzung
overheating, (cyclical) overstrain, overheated boom, runaway boom	die Überhitzung, die Überkonjunktur
to overtax	überfordern
moral suasion	die Seelenmassage
main force of demand	das Schwergewicht der Nachfrageentwicklung
disparity between supply and demand	das Mißverhältnis zwischen Angebot und Nachfrage
pressure of demand	der Nachfragedruck
surge of demand, wave of demand, boom in demand	der Nachfragestoß, die Nachfragewelle, der Nachfrageboom
to expedite the placing of orders	die Auftragsvergabe forcieren
excess demand	der Nachfrageüberhang

order backlog, backlog of orders	das Auftragspolster, der Auftragsbestand
slight flagging	die leichte Abflachung
change in course	der Umschwung
change in the economic trend	die Konjunkturänderung
radical change in the economic trend, break in the economic trend	der Konjunkturumbruch
recession	die Konjunkturflaute, die Rezession, der langsame Rückgang der Wirtschaftstätigkeit
downward price movement	der Rückgang der Preise
to ensure some cooling	für etwas Abkühlung sorgen
retarding influence	der bremsende Einfluß
cooling of the economic temperature	die Abkühlung des Konjunkturklimas
period of dull sales	die Absatzflaute
slowing down of economic activity	die Konjunkturabschwächung
tendencies to decline	die Abschwächungstendenzen
easing of the cyclical strains	die Konjunkturentspannung
recession-induced	rezessionsbedingt
declining economic activity	die rückläufige Konjunktur
hiatus in demand	die Nachfragelücke
to cut down production	die Produktion einschränken
slump	der schnelle und starke Konjunkturrückgang *(das Gegenstück zum Boom)*
dullness in sales and orders	die Absatz- und Auftragsflaute
general slackness	die allgemeine Stockung
period of stagnation	die Stagnationsperiode
tendencies to stand still	die Stagnationstendenzen
to be on a decline	rückläufig sein
cut in output	die Produktionseinschränkung
localized crisis	die Teilkrise
potential crisis-breeding elements	die potentiellen Krisenherde
crisis-breeding element	der Krisenherd
lack of sales	der Absatzmangel
setback	der Rückschlag
decreasing employment of capacities	die sinkende Kapazitätsauslastung
demand falls off	die Nachfrage läßt nach
trough of economic depression	das Wellental der Konjunktur
low point in the cycle	das Konjunkturtief

depression	die Depression, die Wirtschaftskrise

(c) *Economic Policy Relating to Cyclical Trends* — c) *Konjunkturpolitik*

cycle-conscious financial policy	die konjunkturbewußte Finanzpolitik
restraints on the economy	die Wirtschaftsrestriktionen
economic policy debate, discussion of the economic situation	die Konjunkturdebatte
stimulation of economic activity	die Konjunkturförderung
anti-cyclical policy	die antizyklische Konjunkturpolitik
injection of credit for the purpose of stimulating or maintaining economic activity	die Kreditspritze, die Konjunkturspritze

7. Economic policy — 7. Wirtschaftspolitik

economic policy	die Wirtschaftspolitik
trade policy	die Handelspolitik
foreign trade policy	die Außenhandelspolitik
tariff policy	die Zollpolitik
social policy	die Sozialpolitik
monetary policy	die Währungspolitik
credit policy	die Kreditpolitik
financial policy	die Finanzpolitik
fiscal policy	die Fiskalpolitik
tax(ation) policy	die Steuerpolitik
price policy	die Preispolitik
agricultural policy	die Agrarpolitik
transport(ation) policy	die Verkehrspolitik
forestry policy	die Forstpolitik
family policy	die Familienpolitik
wage policy	die Lohnpolitik
competition policy	die Wettbewerbspolitik
economic policy	die Konjunkturpolitik
central bank policy	die Notenbankpolitik
colonial policy	die Kolonialpolitik

anti-colonialist policy	die antikolonialistische Politik
development aid policy	die Entwicklungshilfepolitik
budget policy	die Haushaltspolitik
housing policy	die Wohnungsbaupolitik
long-term policy	die langfristige Politik
short-term policy	die Politik auf kurze Sicht
orientation of a policy	die Ausrichtung der Politik
to pursue a policy	eine Politik verfolgen
to discriminate	diskriminieren
discrimination	die Diskriminierung
discriminatory	diskriminierend
subvention, subsidy, government aid	die Subvention, die staatliche Beihilfe, die Staatsbeihilfe
to subsidize	subventionieren
government intervention	das Eingreifen des Staates
development aid	die Entwicklungshilfe
developing country, less developed country	das Entwicklungsland (den Ausdruck „unterentwickelte Länder" vermeide man besser)
development plan	der Entwicklungsplan
to improve living conditions	die Lebensbedingungen verbessern
prosperity	der Wohlstand
national health	die Volksgesundheit
economic cabinet	das Wirtschaftskabinett
economic commission	die Wirtschaftskommission

B. Translation Exercises

B. Übersetzungsübungen

1. English–German

1. Englisch–Deutsch

1. The growth of production slowed down in the second half of the year. 2. The gross national income went up by as much as 8 per cent in 1962. 3. Economists understand by economic wealth all material objects that are external to man, inherently useful, appropriable, and relatively scarce. 4. A good is anything external to man, either material or immaterial, that satisfies a human desire. Fresh air or sunshine are called free goods because there is a practically unlimited supply of them, whereas economic goods are relatively scarce. 5. A consumer good serves the direct satisfaction of human desires,

in contradistinction to the capital good that serves for the production of wealth. 6. The gross national product or, as it is sometimes called, the gross national expenditure, is the total value at current market prices of all final goods and services produced by a nation's economy before deduction of depreciation charges and other allowances for business and institutional consumption of capital goods. The same total value less depreciation and these allowances is called the net national product. 7. The belief in economic freedom and private property is a fundamental conception of classical economic liberalism. 8. The socialism of Karl Marx and his followers is a collective system of ownership and operation of the means of production. 9. Since communism abolishes the concept of private property altogether, the contemporary economic system of Soviet Russia, where private property in various types of consumer goods has been retained, is usually referred to by Soviet theoreticians as socialism. According to them, communism is a condition to be achieved in the vague future. 10. Capitalism (free enterprise) is an economic system based upon the private ownership of all kinds of property and the freedom of the individual to contract with others and to engage in economic activities of his choice and for his own profit and well-being. Such governmental restrictions as are placed on private property and freedom of contract are designed for the protection of the public. In a capitalistic economy the government plays a relatively minor role in economic life, its functions being mainly those of maintaining order, preventing abuses, and carrying on such activities as private enterprise cannot pursue with reasonable assurance of profit. (Sloan and Zurcher, Dictionary of Economics.) 11. The gross national product, which measures the total value of goods produced and services performed, attained a record annual rate of $ 505 billion in the April—June quarter. Industrial production was still almost at a record and consumer incomes and spending were higher than ever before. But two other economic indicators held little comfort even then. The rate at which business stocks were accumulating had already been cut back $ 6 billion from the peak in the winter quarter, and the rate of unemployment—despite the general prosperity—was stuck at 5 per cent of the civilian labour force. 12. Businessmen's investment in capital goods eased off at the same time as did general business activity, and the slump in housing has continued, which is usual, since home building normally turns up as a recession makes it easier to borrow money or mortgage. 13. The surcharge on indirect taxes affected purchase-taxed durable goods, while the hire purchase companies were themselves independently tightening their terms; and this check to the purchase of expensive consumer items was imposed on sales of cars and home equipment that had increased since the last relaxation of controls at the beginning of the year but had never, this summer, developed into a boom. 14. Investment inside the British economy had been showing advance signs of a decline in 1962 before Mr. Lloyd tightened credit: the more modest capital intentions of manufacturers and other businessmen sampled by the Board of Trade at the beginning of the summer, but only recently reported, have tended to confirm this. So have the records of orders for machine tools and other capital equipment. Private housebuilding seems to have passed a peak this year, and to be somewhat in decline: the effect of the squeeze on building societies may reduce effective demand for new houses somewhat, and it seems likely to work similarly upon local authorities' programmes for building houses. Various nationalized industries, admittedly, quite escaped any capital cuts this summer; but it is unlikely that total investment in the public sector will grow much. 15. In the assessment of our economic managers, perhaps, this moderation of home demand is supplying sufficient spare capacity—and incentive—for British business to increase its exports. Exports have already risen to some extent, though the main increases this year have resulted from larger deliveries of ships and aircraft, which will be hard to maintain. 16. The National Institute, considering the prospects of higher demand for imports in the resurgent American economy and possibly of some later recovery of imports into the overseas sterling area, reckons that exports should show a further rise during the first half of 1961; and that imports, now moderated by the decline in stockbuilding, will take longer to begin rising in line with output. 17. These factors in demand, all taken together, may imply a slow continued growth in industrial production, perhaps quickening a little by the spring, whereas in July it seemed possible that the pause would mean a temporary downturn. Employment has not risen this year nearly as much as production and nor have wages quite kept pace; as a result productivity and labour costs should have improved a little. 18. Costs of materials, too, have been fairly stable, but prices of manufactured goods have gone up somewhat: this implies that profit margins this year should have been rising somewhat, at least in the capital goods industries that have gone on expanding. 19. Sales of durables fell away after the preemptive rush of July; sales of clothing and footwear went up. 20. The Board of Trade reported that investment intentions sampled earlier in the summer suggested a slight dip in manufacturing capital expenditure in 1962, with a slight rise in investment by distribution and service industries. 21. The American economy may be turning upward again, but to the new Administration the end of the recession is just the beginning of a long-term effort to promote economic growth. 22. There are definite indications of coming recovery, such as the diminished rate at which manufacturers were reducing their stocks in

January. 23. The most important check on investment in productive assets is not the cost of the money, but uncertainty about future demand. 24. Either a further weakening or on the other hand renewed vigour in the American economy would have their repercussions on the European boom. 25. The great European boom is slackening, but Europe is still the free world's fastest expanding region. 26. Investment rather than consumption has been the mainspring of expansion. (11—26 from "The Economist.") 27. To sustain a satisfactory rate of economic growth and at the same time restore external balance, an increase in exports of some 10 per cent per annum may well be required for two or three years, assuming no change in the terms of trade. (Bank of England.)

2. Deutsch–Englisch / 2. German–English

1. Die Volkswirtschaftslehre ist eine relativ junge Wissenschaft. 2. Schwierigkeiten in der Kohleversorgung haben stets Auswirkungen auf die Gesamtwirtschaft. 3. Die Sozialisten sind Anhänger der Planwirtschaft, während die Liberalen im allgemeinen für die freie Wirtschaft eintreten. 4. Die Wirtschaftsunion geht weiter als die Zollunion; sie beinhaltet meist auch eine Währungsunion, wie dies z. B. in Belgien und Luxemburg der Fall ist. 5. Mehrere Wirtschaftszweige weisen eine Produktionssteigerung auf. 6. Wirtschaftsplanung bedeutet nicht unbedingt Planwirtschaft. 7. Der Wiederaufbau der deutschen Wirtschaft nach dem Zweiten Weltkrieg wurde oft als „deutsches Wirtschaftswunder" bezeichnet. 8. Die Sowjetunion konnte durch ihre Fünfjahrespläne ihr Wirtschaftspotential beträchtlich erhöhen. 9. Die drei Hauptgebiete der Volkswirtschaft sind die allgemeine (oder theoretische) Volkswirtschaftslehre, die Wirtschaftspolitik und die Finanzwissenschaft. 10. Es ist zu empfehlen, daß die Studenten den Wirtschaftsteil der Tageszeitungen lesen. 11. Die Nutzung der Atomenergie bedeutet eine Revolution für die gesamte Energiewirtschaft. 12. Die saisonale Belebung der Wirtschaftstätigkeit hat sich vor allem auf die Bauwirtschaft ausgewirkt. 13. Der Sozialismus erkennt das Privateigentum an, will jedoch gewisse Wirtschaftszweige, so vor allem die Grundstoffindustrie, die Energiewirtschaft und die Banken, verstaatlichen. 14. Der Kommunismus beruht auf dem historischen Materialismus; er sieht in der Geschichte der Menschheit nur eine Folge von Klassenkämpfen, an deren Ende die Diktatur des Proletariats steht. 15. Kathedersozialismus war in den letzten drei Jahrzehnten des 19. Jahrhunderts eine ironische Bezeichnung für eine von Professoren vertretene Form des Sozialismus, die nicht auf dem Marxismus,

sondern auf einer fortschrittlichen sozialen Einstellung beruhte. 16. In der Volkswirtschaftstheorie versteht man unter „Marktwirtschaft" den Gegensatz zur Planwirtschaft, d. h. eine freie Wirtschaftsordnung, bei der sich die Koordination der individuellen Wirtschaftspläne über die freie Preisbildung vollzieht, ein freier Wettbewerb Ausgleich von Angebot und Nachfrage über den Preismechanismus ermöglicht, die Höhe des Einkommens des einzelnen von seiner Leistung und Marktstärke abhängt und der Staat möglichst wenig ins Wirtschaftsgeschehen eingreift. Die freie Marktwirtschaft geht auf den klassischen wirtschaftlichen Liberalismus zurück. 1948 hat man in der Bundesrepublik die Soziale Marktwirtschaft eingeführt, bei der in gewissen Bereichen der Wirtschaft, z. B. auf dem Gebiete des Wohnungswesens, auf dem Nahrungsmittelsektor etc., die Preisbildung kontrolliert wird. 17. Für die volkswirtschaftliche Wertschöpfung sind die Investitionsgüterindustrien der wichtigste Industriebereich. 18. Die Produktionsfaktoren sind Boden, Arbeit und Kapital. 19. Afrika ist reich an Rohstoffen und Energiequellen. 20. Das Gesetz vom abnehmenden Ertrag gilt nicht nur für die Landwirtschaft, sondern auch für andere Wirtschaftszweige. 21. Das Bruttosozialprodukt kann zu Faktorenkosten und zu Marktpreisen errechnet werden. 22. Durch Rationalisierungsmaßnahmen wurde in diesem Betrieb eine erhebliche Produktivitätssteigerung erzielt. 23. Die Enteignung im öffentlichen Interesse ist in fast allen Ländern gesetzlich geregelt. 24. Das Volkswagenwerk wurde im Jahre 1961 privatisiert. 25. Die Verstaatlichung von Unternehmen führt nicht selten zur Mißwirtschaft. 26. Zwischen gewissen Gegenden Deutschlands, z. B. Rheinland und Westfalen auf der einen Seite, der Oberpfalz auf der anderen Seite, besteht ein erhebliches Gefälle hinsichtlich des Pro-Kopf-Einkommens, des Lebensstandards usw. 27. In vielen Ländern zahlt der Staat Beihilfen an die Landwirtschaft. 28. Die Förderung der Entwicklungsländer ist eine der wichtigsten Aufgaben unserer Zeit. 29. Verschiedene Erzeugnisse des Landes A wurden im Land B diskriminiert. 30. Die Deutsche Bundesbank hat den Diskontsatz erhöht, um die überhitzte Konjunktur zu dämpfen. 31. Wenn man die Saisonschwankungen ausschaltet, läßt sich der langsame aber stetige Konjunkturrückgang deutlich erkennen. 32. Man unterscheidet manchmal folgende Konjunkturphasen: Aufschwung, Hochkonjunktur, Konjunkturrückgang, Depression. 33. Die Hochkonjunktur ist häufig durch hohe Zinsen, großes Kreditvolumen, volle Auslastung der Produktionskapazität, hohe Lagerbestände, stagnierende Effektenkurse, steigende Preise, hohe Lohnforderungen der Arbeitnehmer und einen Tiefstand der Arbeitslosenzahl gekennzeichnet. 34. Die Bundesbank hat im vergangenen Jahr mit einem verstärkten Einsatz ihres kreditpolitischen Instrumentariums versucht, den zunehmenden Konjunktur-spannungen entgegenzuwirken und damit die Preisauftriebstendenzen zu unterbinden. Es wurde dabei in Kauf genommen, daß dies eher noch stärkere außenwirtschaftliche Risiken einschließen würde als die kreditpolitische Wende des Jahres 1959, zumal der restriktive Kurs seit Mitte 1960 in wachsenden Gegensatz zu der Kreditpolitik wichtiger anderer Länder geriet und die hohen Zahlungsbilanzüberschüsse, die die Bundesrepublik seit Jahren aufwies, eher eine lockere, auf Zinsabbau ausgerichtete Politik nahegelegt hätten. 35. Die Wirtschaftsentwicklung in der Bundesrepublik stand im Jahre 1960 und in den bisher zu überblickenden Monaten des Jahres 1961 im Zeichen einer andauernden Hochkonjunktur. Mit dem Fortgang der auf höchsten Touren laufenden Geschäftstätigkeit änderte sich zwar das Kräfteverhältnis zwischen den einzelnen Auftriebsfaktoren; die konjunkturelle Gesamtsituation, deren wichtigstes Merkmal die Überforderung der verfügbaren Produktionsfaktoren war, blieb aber im wesentlichen dieselbe. Das Angebot wurde durch die Steigerung der inländischen Produktion und der Einfuhren beträchtlich erweitert, aber das Wachstum der Gesamtnachfrage war noch größer. Das anhaltende Ungleichgewicht auf den Märkten fand auch einen Niederschlag in dem zunehmenden Preisauftrieb. 36. Wenn sich trotz der sehr beträchtlichen Ausweitung des Angebots im Jahre 1960 und in den bisher zu überblickenden Monaten des Jahres 1961 die Marktlage im allgemeinen nicht durchgreifend entspannte, so lag dies hauptsächlich an der anhaltend hohen Investitionsneigung, der weiteren Steigerung der Auslandsnachfrage und dem beschleunigten Wachstum des privaten Verbrauchs. Die Entspannungstendenzen, die auf einzelnen Märkten wirksam sind, vermochten demgegenüber bisher kein ausreichendes Gegengewicht zu schaffen. 37. In der Tat hat die Wirtschaft im Jahre 1960 eine erstaunliche Leistungskraft an den Tag gelegt. Die Industrieproduktion war um 11 v.H. höher als im Vorjahr, die landwirtschaftliche Produktion (im Erntejahr 1960/61) um 10 v.H. Gewiß haben bei der landwirtschaftlichen Produktion die relativ günstigen Wetterverhältnisse viel zu diesem Ergebnis beigetragen, aber entscheidend war doch, ebenso wie in der Industrie, der Produktivitätsanstieg, der in der Landwirtschaft im letzten Jahrzehnt stärker war als in der Industrie, obwohl man früher glaubte, daß die Landwirtschaft in dieser Hinsicht strukturell eher benachteiligt sei. 38. Aber auch die übrige volkswirtschaftliche Wertschöpfung wies Steigerungssätze auf, die beträchtlich über diejenigen hinausgingen, die man noch vor zwei oder drei Jahren als normal bezeichnet hätte. Trotz der schon zu Beginn des Jahres bestehenden weitgehenden Erschöpfung der Produktionsreserven, vor allem der Reserven an Arbeitskräften, ist das Bruttosozialprodukt daher im Jahr 1960 auch dem Realwert nach mit 8 v.H. stärker gestiegen als in jedem anderen Jahr seit 1952; im Vergleich zu manchen dieser Jahre war das Wachstum sogar bedeutend stärker. Praktisch alle Schichten der Bevölkerung haben hieran partizipiert. 39. Das Einkommen aus Löhnen und Gehältern, auf das reichlich die Hälfte des gesamten Volkseinkommens entfällt, ist um 12 v.H. gewachsen. Im internationalen Vergleich bleibt das Pro-Kopf-Einkommen in der Bundesrepublik, im Gegensatz zu den im Ausland teilweise bestehenden Vorstellungen über den relativen „Reichtumsgrad“ unseres Landes, zwar noch immer mehr oder weniger hinter dem verschiedener anderer europäischer Länder zurück; daß aber die Erhöhung des Lebensstandards, zumindest am Volumen der zur Verfügung stehenden Güter und Leistungen gemessen, im letzten Jahr einen neuen bedeutenden Fortschritt gemacht hat, ist nicht zu bezweifeln. 40. Außer der Rationalisierung und Ausweitung der Produktionsanlagen spielten bei der Erteilung von Investitionsgüteraufträgen auch andere, insbesondere steuerliche Motive, eine nicht unerhebliche Rolle. Die nun schon über zwei Jahre anhaltende Hochkonjunktur hat die Gewinnlage der Unternehmen ständig verbessert. (34.—40. Bundesbankbericht für 1960.)

II. Money and Currencies — II. Geld und Währung

A. Terminology — A. Terminologie

1. General Terms — 1. Allgemeines

money	a) das Geld, die Geldsorte, die Münze b) das Zahlungsmittel c) das Vermögen, der Reichtum, das Geld
legal tender, lawful money *(US)*	das gesetzliche Zahlungsmittel
money of account	die Landeswährung; die Währung, in der die Bücher eines Landes geführt werden
coin	die Münze
coined money, hard money *(US)*	das Hartgeld
divisional coin, token coin	die Scheidemünze
gold coin	die Goldmünze
gold dollar	der Golddollar
gold mark	die Goldmark
real money	Gold- und Silbermünzen
paper money, representative money, token money	das Papiergeld
bank note, note	die Banknote
(bank) note issue	die Banknotenausgabe
ready money, cash	das bare Geld
change	das Kleingeld
creation of money	die Geldschöpfung
right of coinage	das Münzrecht
monopoly of issuing money	das Münzmonopol
to coin, to mint	prägen
coinage, minting, stamping	die Prägung, das Prägen
mint	die Münzanstalt, die Münze
monetary standard, standard of coin, coinage standard	der Münzfuß
standard gold	das Münzgold
standard silver	das Münzsilber

money in circulation	das umlaufende Geld
circulation of money, monetary circulation, note and coin circulation	der Geldumlauf, der Bargeldumlauf, die Geldzirkulation
note circulation, notes in circulation	der Notenumlauf
to put into circulation, to issue	in Umlauf setzen
to withdraw from circulation	aus dem Verkehr ziehen
fiduciary money, fiat money *(US)*	die fiduziarische Währung, das ungedeckte Geld
credit money	das Buchgeld, das Giralgeld
debasement of coin(age)	die Münzverschlechterung
bad money, bogus money, counterfeit money	das Falschgeld
to counterfeit, to falsify	fälschen

2. Currency — 2. Währung

(a) *General and Internal Aspects* — a) *Allgemeine und innerstaatliche Aspekte*

currency	die Währung
monetary system, currency system	das Währungssystem
from the monetary point of view	währungspolitisch gesehen, geldpolitisch gesehen
currency value	der Währungswert
internal value of the currency	der innere Geldwert
monetary unit	die Währungseinheit
in German currency	in deutscher Währung
gold standard	die Goldwährung
gold bullion standard	die Goldkernwährung
gold exchange standard	die Golddevisenwährung
bimetalism	der Bimetallismus, die Doppelwährung
gold cover	die Golddeckung
gold export point	der obere Goldpunkt
gold import point	der untere Goldpunkt
to abandon the gold standard	die Goldwährung aufgeben
to return to the gold standard	zur Goldwährung zurückkehren
gold clause	die Goldklausel

gold parity	die Goldparität
holdings of gold, gold holdings, gold reserve	der Goldbestand, die Goldreserve
automatic corrective of the gold movement	der Goldautomatismus
monetary policy, currency policy	die Währungspolitik
monetary influences	die Währungseinflüsse
currency reform, monetary reform, currency change-over	die Währungsreform, die Währungsumstellung
stable monetary conditions	die stabilen Währungsverhältnisse
stable money, stable currency	die stabile Währung
hard currency	die harte Währung
soft currency	die weiche Währung
inflation	die Inflation
inflation danger	die Inflationsgefahr
creeping inflation	die schleichende Inflation
carefully dosed inflation	die wohldosierte Inflation
runaway/galloping/hyper/inflation	die galoppierende Inflation
hidden inflation	die versteckte Inflation
cost-push inflation	die Kosteninflation
demand-pull inflation	die Nachfrageinflation
inflation gain	der Inflationsgewinn
purchasing power, buying power	die Kaufkraft
value of money	der Geldwert
level of prices	das Preisniveau
volume of money	das Geldvolumen
volume of goods	das Gütervolumen
wage-price spiral, inflation spiral, inflationary spiral	die Lohn-Preis-Spirale
to counteract inflationary tendencies	inflatorische Tendenzen bekämpfen
preservation of price stability	die Erhaltung der Preisstabilität, die Wahrung der Preisstabilität
real value	der Realwert
stable-value clause	die Wertsicherungsklausel
cost-of-living clause	die Indexklausel
index-linked wages	der Indexlohn
index-linked loan (bond bearing interest and paid off in accordance with the cost of living index)	die Indexanleihe, die indexgebundene Anleihe

deflation	die Deflation
methods affecting liquidity	die liquiditätspolitischen Mittel
narrowing of the banks' liquidity margin	die Einengung des Liquiditätsspielraums der Banken
to tie up (*or:* lock up) liquid monies, to fix liquid monies	liquide Mittel binden
seasonal tendency to greater liquidity	die saisonale Verflüssigungstendenz
upsurge of liquidity	die Liquidisierungswelle
easy credit policy	die Politik der Krediterleichterung, die Politik des billigen Geldes
tight credit policy	die Kreditrestriktionspolitik
relaxation of credit restrictions	die Lockerung der Kreditrestriktionen
to keep credit tight but cheap	das Geld knapp aber dennoch billig halten
special deposits, minimum reserves, minimum reserve requirements	die Mindestreserven, die Mindestreserveanforderungen
minimum reserve requirement	der Mindestreservesatz, das Reserve-Soll
legally permissible maximum reserve ratio	der gesetzlich zulässige Höchstsatz
reserve-carrying foreign liabilities	die mindestreservepflichtigen Auslandsverbindlichkeiten
discount policy, bank rate policy	die Diskontpolitik
discount rate, bank rate	der Diskontsatz
rise in the bank rate, increase in the discount rate [cut	die Diskonterhöhung
reduction of the bank rate, bank rate	die Diskontsenkung [England)
minimum lending rate	der Mindestausleihsatz (d. Bank v.
rediscount quota	das Rediskontkontingent
open-market policy, open-market operations	die Offen-Markt-Politik
instruments of credit policy	das kreditpolitische Instrumentarium
credit brakes	die Kreditbremsen
credit restrictions, credit squeeze	die Kreditrestriktionen
credit climate	das kreditpolitische Klima
to subdue the attractiveness of taking foreign money	das Interesse an der Hereinnahme von Auslandsgeld dämpfen
strain on liquidity	die Liquiditätsbeengung

restrictive credit policy	die restriktive Kreditpolitik
absorption of liquidity, reduction of liquidity	die Liquiditätsabschöpfung, der Liquiditätsentzug
liquidity-reducing	liquiditätsmindernd, liquiditätsabschöpfend
time-lag	das Nachhinken *(der Wirkung hinter der entsprechenden Maßnahme)*, der time-lag, der lag
credit relaxation, easing of credit	die Krediterleichterung
to make credit easier	das Geld billiger machen, Krediterleichterungen einführen
credit expansion	die Kreditausweitung, die Kreditexpansion
deficit-spending	das Deficit-Spending

(b) *External Aspects* — b) *Zwischenstaatliche Aspekte*

foreign currency	die fremde Währung, die Sorten *(ausländische Münzen und Banknoten)*
foreign money	das ausländische Geld, die Sorten
foreign exchange	die Devisen
foreign exchange market	der Devisenmarkt
foreign exchange spot market	der Devisen-Kassamarkt
foreign exchange futures market	der Devisenterminmarkt
exchange dealer	der Devisenhändler
exchange transactions	die Devisengeschäfte
exchange arbitrage	die Devisenarbitrage
telegraphic transfer (T.T.), cable transfer (C.T.)	die telegrafische Auszahlung
mail transfer (M.T.)	die briefliche Auszahlung
foreign currency order	die Auslandspostanweisung
forward exchange, foreign-exchange futures	die Termindevisen
three-months' exchange	Dreimonats-Termindevisen
rate of exchange	der Devisenkurs *(Preis einer ausländischen Währung in Inlandswährung)*; der Wechselkurs *(Preis der Inlandswährung in einer ausländischen Währung)*
key currency, reserve currency	die Leitwährung

unit of account	die Verrechnungseinheit
Euro-dollar	der Eurodollar
Euro-sterling	der Eurosterling, das Europfund
to express the value of the DM in terms of the US Dollar	den Wert der DM in US-Dollar ausdrücken
selling rate	der Briefkurs
buying rate	der Geldkurs
dollar rate	der Dollarkurs
official rate	der offizielle Kurs
black-market rate	der Schwarzmarktkurs
telegraphic transfer rate, rate for T.T.'s, cable rate	der Kurs der telegrafischen Auszahlung, der Kabelkurs
sight rate, demand rate	der Sichtkurs
tel quel rate	der Telquel-Kurs
spot rate	der Kassakurs
forward rate	der Terminkurs
premium	der Report, der Kursaufschlag
discount	der Deport, der Kursabschlag
par of exchange, par value, parity	die Währungsparität
fixed parity	die feste Parität
"pegged" exchange rates	die festen Wechselkurse
to float a currency	eine Währung floaten, den Wechselkurs einer Währung freigeben
floating exchange rates	die flexiblen Wechselkurse
purchasing power parity	die Kaufkraftparität
mint par of exchange	die Münzparität
fluctuation of the exchange rate, foreign exchange fluctuation	die Währungsschwankung
managed currency	die manipulierte Währung, die gesteuerte Währung
multiple exchange rates	die multiplen Wechselkurse
automatic check on the movement of exchange rates	die selbsttätige Wechselkursregulierung
bands, (fluctuation) margins	die Bandbreiten *(IWF)*
exchange equalization fund (*GB:* Exchange Equalization Account, *US:* Exchange Stabilization Fund)	der Währungs-Ausgleichsfonds
foreign exchange risk	das Kursrisiko
elimination of the exchange risk	die Ausschaltung des Währungsrisikos

to protect o. s. against the foreign exchange risk	sich gegen das Kursrisiko schützen
swap	das Swapgeschäft
external value (of a currency)	der Außenwert (einer Währung)
foreign exchange reserves	die Devisenreserven
shortage of foreign exchange, foreign exchange shortage, lack of foreign exchange	die Devisenknappheit, der Devisenmangel
foreign exchange control	die Devisenbewirtschaftung
allocation of foreign exchange	die Devisenzuteilung
foreign exchange permit	die Devisengenehmigung
depreciated currency	die entwertete Währung
devalued currency	die abgewertete Währung
overvalued currency	die überbewertete Währung
depreciation, deterioration	die Geldverschlechterung, die Währungsverschlechterung
devaluation	die Abwertung
collapse of a currency	der Währungszusammenbruch
revaluation, upward revaluation, revalorization	die Aufwertung
to introduce free convertibility	die freie Konvertierbarkeit einführen
convertible money	das frei konvertierbare Geld
full convertibility	die Vollkonvertibilität
restricted convertibility	die beschränkte Konvertierbarkeit
fully convertible	voll konvertierbar
restrictedly convertible	beschränkt konvertierbar
inconvertible, not convertible	unkonvertierbar
convertibility for non-residents, external convertibility	die Ausländerkonvertibilität
resident	der Deviseninländer
non-resident	der Devisenausländer
monetary agreement	das Währungsabkommen
currency clause	die Währungsklausel
foreign currency account	das Fremdwährungskonto
foreign currency loan, exchange credit	der Fremdwährungskredit
drawing right	das Ziehungsrecht
monetary crisis	die Währungskrise
exchange risk	das Währungsrisiko
foreign exchange hedging	die Kurssicherung

fixing of forward exchange rates for...	die Übernahme der Kurssicherung für...
currency area	der Währungsraum, das Währungsgebiet
Scheduled Territories	die Länder des Sterlingblocks (*wörtlich:* die „verzeichneten Länder")
sterling area, sterling bloc	der Sterlingblock
dollar area	der Dollarraum
dollar gap	die Dollarlücke
French franc area	die Franczone
currency area of the DM (East)	das Währungsgebiet der DM-Ost
monetary union	die Währungsunion
accrual of exchange	der Devisenzugang
outflow of exchange	der Devisenabgang
influx of capital, inflow of capital	der Kapitalzustrom
capital movements	der Kapitalverkehr, die Kapitalbewegungen
export of capital	die Kapitalausfuhr, der Kapitalexport
import of capital	der Kapitalimport
capital exporting country	das Kapitalausfuhrland
capital importing country	das Kapitaleinfuhrland
borrowing country, debtor nation	das Schuldnerland
creditor country, lending country	das Gläubigerland
flight of capital	die Kapitalflucht
flight from a currency	die Flucht aus einer Währung
surplus country	das Überschußland
foreign money, foreign funds	das Auslandsgeld
hot money	das heiße Geld
disposable money, money on hand	das verfügbare Geld
net purchase of exchange	der Netto-Devisenankauf
interest differential, disparity of interest rates	das Zinsgefälle
investments in foreign countries	die Auslandsinvestitionen
foreign assets	das Auslandsguthaben, das Auslandsvermögen
external account	das Auslandskonto, das external account
foreign debts	die Auslandsforderungen, die Forderungen an das Ausland

foreign indebtedness	die Auslandsverbindlichkeiten
external bond	der Auslandsbond
foreign resident's account	das Ausländerkonto

3. Finance Markets / 3. Finanzmärkte

for foreign exchange market *see p. 48,* External Aspects — *für* Devisenmarkt *s. S. 48,* Zwischenstaatliche Aspekte

money and capital market, credit market	der Kreditmarkt *(Oberbegriff zu Kapital- und Geldmarkt)*
capital market	der Kapitalmarkt
easing of the capital market	die Auflockerung des Kapitalmarkts
money market	der Geldmarkt
money-market rates	die Geldmarktsätze
selling rate	der Abgabesatz
buying rate	der Ankaufsatz
money-market paper	das Geldmarktpapier, die Geldmarktpapiere
pressure on the money market	der Druck auf den Geldmarkt
tightening	die Versteifung
money scarcity, money squeeze, money stringency	die Geldknappheit
improvement of liquidity	die Verflüssigung
securities market	der Wertpapiermarkt
share market	der Aktienmarkt
bond market	der Rentenmarkt
long-term funds	das langfristige Geld
short-term funds, short-term money, money on short notice	das kurzfristige Geld
call money, demand money, money at call, day-to-day money	das Tagesgeld, das täglich fällige Geld
time money	das Festgeld
monthly loans	das Monatsgeld
locked-up money, tied-up money	das fest angelegte Geld
safely invested money	das sicher angelegte Geld
money supply	die Geldversorgung, der Geldvorrat
money transaction	das Geldgeschäft

money turnover	der Geldumsatz
money source	die Geldquelle
cheap money, easy money	das billige Geld
dear money	das teuere Geld
money-market business	der Geldhandel
money jobber	der Geldhändler
money broker	der Geldvermittler, der Finanzmakler
investor	der Kapitalanleger
subscriber	der Zeichner
borrower	der Kapitalaufnehmende, der Kreditnehmer
readiness to invest	die Anlagebereitschaft
productiveness of the capital market	die Ergiebigkeit des Kapitalmarktes
institutional investor	der institutionelle Anleger
investment trust, investment fund	der Investmentfonds, die Investmentgesellschaft

4. Phraseology / 4. Phraseologie

to advance money	Geld ausleihen, Geld vorstrecken, Geld vorschießen
to raise money, to borrow money	Geld aufnehmen, Geld aufbringen
to call in money	Geld kündigen
to be short of money	knapp bei Kasse sein
to be pushed for money	in Geldverlegenheit sein
to be coining money, to be flush with money, to be rolling in money	in Geld schwimmen
to convert into money, to turn into money	zu Geld machen, realisieren, versilbern
to disburse money	Geld verauslagen
to draw money	Geld abheben
to embark money, to invest money	Geld investieren, Geld hineinstecken
to find money, to furnish money, to procure money	Geld beschaffen, Geld aufbringen
to make money	Geld verdienen
to pay cash	bar bezahlen
to support a currency	eine Währung stützen
to stabilize a currency	eine Währung stabilisieren

to devalue a currency	eine Währung abwerten
to revalue a currency	eine Währung aufwerten

B. Translation Exercises

B. Übersetzungsübungen

1. English–German

1. Englisch–Deutsch

1. The bank rate was lowered in the vain attempt to check the influx of foreign exchange. 2. The restrictive monetary policy will no longer ward off the danger of inflationary tendencies. 3. Bankers dislike exchange controls, especially in a world of convertibility. 4. Constant inflation through wage arbitration has been a main impediment to British economic advance. 5. The sterling rate against the dollar has been maintained at just under parity without support from the Bank of England. 6. If the monetary authorities of the leading countries do not undertake corrective action, and the prospect of more revaluations and possible devaluations hangs over the markets, then the essay in fixed-rate convertibility will have failed. 7. The resistance of central bankers and commercial bankers alike to the idea of floating exchange rates is very strong, and their practical reasons are not to be lightly dismissed. So there seems little doubt that a big effort will be made to preserve the fixed-rate system. 8. The massive pressure on sterling following the revaluation of the mark and guilder has left in its train a large volume of uncovered positions against sterling, which when covered should bring back to the Exchange Equalization Account a fair proportion of the gold and dollars lost in defending the pound last week. This speculative attack started with a rush into currencies that might be upvalued following the precedent set by Western Germany. 9. In the middle of the week this movement into the strong Continental currencies gained further impetus from rumours of sterling devaluation, which were convincingly denied but added to the tensions. The mark remains a strong currency despite assurances that there will be no further revaluation. 10. Expansion at home has not prevented Europe—especially Western Germany—from making big additions to its exchange reserves at the same time. A larger trade deficit was more than offset by a big surplus on services, mainly tourism, and a much bigger influx of capital both in the form of hot money and of American investment in the Common Market. Britain has to earn a very large surplus in order to cover its large outward investment commitments and to improve the extraordinarily weak ratio of quick monetary assets to liabilities

(gold reserves to sterling balances). 11. Government can fight a wage-price spiral either by taking a tough line on wages directly—or else by holding down production through fiscal and other restrictions, in the hope that wage inflation may then be checked directly, by the general deflation of demand. (7—11 from "The Economist.") 12. A revaluation of the Spanish peseta would have an adverse effect on Spain's economy since exports would become more expensive and imports would become cheaper. 13. London being the financial centre of and the banker to the sterling area, the U. K. will always watch closely the impact of its monetary policy on that area. 14. Against Continental currencies the pound often made slight headway, but one exception was in the Danish krone, which hardened. (The Times.) 15. In the United Kingdom the foreign exchange market is subject to the exchange control regulations governing the purchase and sale of foreign currencies in the sterling area. The market consists of authorized banks and brokers linked together by telephone in the United Kingdom, and by telephone, telex and cable with overseas countries. 16. When the gold standard was abandoned in 1931, many governments established exchange equalization funds to prevent excessive fluctuations of the exchange rates.

2. Deutsch–Englisch 2. German–English

1. Im Bereich des privaten Geld- und Kapitalverkehrs ergab sich trotz eines Devisenabflusses von rd. 1,2 Mrd. DM ein Kapitaleinfuhrüberschuß von rd. 0,8 Mrd. DM, der auf das lebhafte Interesse ausländischer Anleger an den deutschen Wertpapiermärkten zurückzuführen ist. 2. Der starke Anstieg des Bargeldumlaufs im November brachte einen Liquiditätsentzug von 1,5 Mrd. DM mit sich. 3. Im Berichtsjahr sind die Mindestreservesätze in neun Etappen wieder auf den Stand zurückgeführt worden, den sie im Sommer 1959 vor dem Einsetzen der Restriktionspolitik innehatten. 4. Am 19. September 1949 wertete die englische Regierung das Pfund ab, dessen Parität von 4 Dollar 63 auf 2 Dollar 30 herabgesetzt wurde. Diese Abwertung zog eine Angleichung der meisten europäischen Währungen an die neue Parität nach sich. 5. Die Zentralbanken sind verpflichtet, beschädigte Banknoten, soweit ihr Ausgabedatum und ihre Nummer noch erkenntlich sind, in einwandfreie Noten umzutauschen. 6. Wenn im Verhältnis zum Güterangebot das Geldvolumen zunimmt, so schwindet die Kaufkraft des Geldes. Diese Erscheinung heißt Inflation. 7. Unter Abwertung einer Währung versteht man die Ersetzung einer entwerteten Währung

durch eine neue gesunde Währung, deren wirklicher Wert über dem der vorhergehenden liegt. 8. Seit 1928 hat der französische Franc fünf bedeutende Abwertungen erfahren. 9. Im Frühjahr 1961 wurde die DM um 5% aufgewertet. 10. Der Münzfuß ist das Verhältnis der als Münzgewicht festgelegten Gewichtseinheit zu der Anzahl der daraus zu prägenden Geldstücke. 11. Die Geldschöpfung ist innerhalb der gesetzlichen Bestimmungen einer weitgehenden Beeinflussung durch die Zentralnotenbank unterworfen. Sie ist eines der wichtigsten Gebiete der Währungs- und Konjunkturpolitik. 12. In der Bundesrepublik erfolgt die Ausgabe von Banknoten durch die Deutsche Bundesbank. 13. Die Goldwährung ist ein Währungssystem, bei dem die Währungseinheit eine festgesetzte Goldparität hat, und Banknoten jederzeit bei der Zentralbank in Gold umgetauscht werden können und umgekehrt. 14. Bei der Abwertung des Außenwerts einer Währung werden die Wechselkurse dieser Währung herabgesetzt. 15. Durch die Einfügung einer Indexklausel in einen Vertrag will man sicherstellen, daß bei der Erhöhung des Lebenshaltungsindexes bis zur Zahlungszeit ein entsprechender Zuschlag zu einer Geldschuld zu leisten ist. 16. Der Maßstab für die Kaufkraft des Geldes ist meist der Lebenshaltungsindex, der Goldpreis und der Kurs fremder Währungen. 17. Die erste Etappe einer Währungssanierung war dadurch gekennzeichnet, daß man versuchte, den Geldumlauf zu verringern, aber dennoch die bisherige Recheneinheit beizubehalten. 18. Wenn die Umlaufgeschwindigkeit des Geldes durch Hortung oder Zurückhaltung der Käufer herabgesetzt wird, muß eine gleichzeitige Vermehrung der Zahlungsmittel nicht unbedingt inflationsbegründend sein. 19. Liegt die umlaufende Zahlungsmittelmenge unter der Geldmenge, die für die Aufrechterhaltung des allgemeinen Preisniveaus erforderlich ist, so sprechen wir von Deflation. 20. Angesichts der rückläufigen Ausfuhr der Bundesrepublik in die USA empfiehlt die Deutsch-Amerikanische Handelskammer den deutschen Exporteuren, die durch die Wechselkursänderung verursachte Verteuerung von 5% möglichst nicht in vollem Umfang auf ihre Kunden abzuwälzen. 21. Die Devisenknappheit hat die Regierung des Landes veranlaßt, verschiedene Kontingente zu kürzen. 22. Im Gefolge der Diskontänderung in England kam es auf dem Devisenterminmarkt zu teilweise beachtlichen Kursverbesserungen. Bestimmend für die übrigen Währungen war hier der Rückgang des Deports der Sterlingdevise sowohl gegen Dollar als auch gegen DM, der für die Dreimonatsfälligkeiten der Nouveaux Francs, der dänischen Kronen, norwegischen Kronen und österreichischen Schillinge zu einer Verkleinerung der Kursabschläge am Frankfurter Platze führte. 23. Der Begriff „Finanzmärkte“ umfaßt die Geld-, Kapital-, Diskont- und Devisenmärkte.

III. Banking / III. Bankwesen

A. Terminology / A. Terminologie

1. General Terms / 1. Allgemeines

bank	die Bank
banker	der Bankier, die Bank
banking circles	die Bankkreise, die Bankwelt
banker's duty of secrecy	das Bankgeheimnis
bank manager	der Filialleiter, der Bankdirektor
cashier, teller *(US)*	der Kassier, der Kassenbeamte *(in den USA versteht man unter „cashier" meist den Kassenvorsteher; bei kleineren Banken obliegt diesem oft die gesamte Geschäftsführung)*
bank clerk	der Bankangestellte, der Bankbeamte
counter	der Schalter
bank holiday	der Bankfeiertag
bank vault, strong room	der Tresor, die Stahlkammer
run on a bank	der Ansturm auf eine Bank
bank failure, bank crash	der Bankkrach
bogus bank	die Schwindelbank
banking laws	die Bankgesetze
regulatory agency, supervisory agency	die Aufsichtsbehörde
loan department	die Kreditabteilung
foreign department	die Auslandsabteilung
foreign exchange department	die Devisenabteilung
foreign money department	die Sortenabteilung
trust department	die Abteilung für Vermögensverwaltung
savings department, special department *(of commercial banks and trust companies) (US)*	die Sparabteilung *(einer Geschäftsbank)*
banking operations	die Bankgeschäfte
deposit function	*etwa:* das Passivgeschäft, das Depositengeschäft

loan function	*etwa:* das Aktivgeschäft, das Kreditgeschäft
agency services	die Dienstleistungsgeschäfte
banker's commission	die Bankprovision
bank charges	die Bankgebühren
clearing house	die Verrechnungsstelle
banking	das Bankwesen
unit banking	das durch unabhängige Einzelbanken gekennzeichnete Banksystem
group banking, chain banking	das durch Bankkonzerne gekennzeichnete Banksystem
branch banking	das Filialbanksystem
credit institution	die Kreditanstalt
banking institution	das Bankinstitut
private bank	die Privatbank a) die nicht öffentlich-rechtliche Bank b) die als Personalgesellschaft betriebene Bank
semi-private bank	die gemischtwirtschaftliche Bank, die halbstaatliche Bank
government bank	die Staatsbank
government banker	die Bank, die für den Staat Bankgeschäfte tätigt *(d. h. die Zentralbank)*
municipal bank	die Kommunalbank, die Gemeindebank, die städtische Bank
joint-stock bank	die Aktienbank
"Big Four" *(Barclays, Lloyds, Midland and National Westminster Bank*)*	die vier großen englischen Aktienbanken
London Clearing Banks *(the Big Four, Coutts, Williams & Glyn's and the Co-operative Bank)* *iam Deacon's, and the National Bank)*	die Londoner Clearingbanken *(die Banken, die Mitglieder des London Clearing House sind)*
national banks *(US)*	Banken mit bundesstaatlicher Konzession
state banks *(US)*	von den Einzelstaaten konzessionierte Banken

* National Provincial Bank and Westminster Bank merged in 1968.

savings bank	die Sparkasse
trustee savings bank, mutual savings bank *(US)*	*etwa:* die gemeinnützige Sparkasse
postal savings bank	die Postsparkasse
universal bank, department-store bank *(US)*	die Universalbank
commercial bank	die Geschäftsbank
deposit bank	die Depositenbank
foreign trade bank	die Außenhandelsbank
mortgage bank	Hypothekenbank
merchant bank *(GB)*	die Merchant Bank
accepting house	das Akzepthaus
issuing house, investment bank *(US)*	die Emissionsbank, die Effektenbank
discount house	die Diskontbank, das Diskonthaus
trust company *(US)*	*eine Bank, die sich mit der Verwaltung von Treuhandvermögen, Testamentsvollstreckungen u. a. befaßt (in der Praxis beschränken sich die trust companies jedoch nicht auf Geschäfte dieser Art — sie sind praktisch Universalbanken)*
industrial bank, Morris Plan Bank *(US)*	*eine Bank, die sich auf die Gewährung von Kleinkrediten an Privatpersonen spezialisiert („Bank des kleinen Mannes")*
correspondent bank	die Korrespondenzbank

2. Deposits — 2. Depositengeschäft

acceptance of deposits	das Depositengeschäft *(die Hereinnahme fremder Gelder)*
to accept deposits	Geldeinlagen entgegennehmen
deposit	die Einzahlung, die Einlage
private deposit	das private Guthaben
public deposit	das öffentliche Guthaben, das Guthaben der öffentlichen Hand
primary deposits	durch effektive Einlagen geschaffene Depositen
secondary deposits, derivative deposits	durch Kreditgewährung der Banken geschaffene Depositen *(Buchgeldschöpfung)*

demand deposits *(US)*, current accounts	die Sichteinlagen
deposit accounts, time deposits *(US)*	die Termineinlagen *(Festgelder bzw. Kündigungsgelder)*
fixed deposit *(deposit for a specific period)*	das Festgeld, die feste Einlage
deposit subject to an agreed term of notice	das Kündigungsgeld, die Einlage mit Kündigungsfrist
insured deposit *(US)*	die versicherte Einlage
uninsured deposit *(US)*	die unversicherte Einlage
short-term deposit	die kurzfristige Einlage
medium-term deposit	die mittelfristige Einlage
long-term deposit	die langfristige Einlage
savings deposit, thrift deposit *(US)*	die Spareinlage
savings deposits are usually subject to thirty days' advance notice	Spareinlagen unterliegen im allgemeinen einer Kündigungsfrist von 30 Tagen
to give notice	kündigen
to waive notice	auf Einhaltung der Kündigungsfrist verzichten
to deposit (money), to make a deposit	(Geld) einzahlen, eine Einzahlung leisten
to deposit money in a bank	Geld bei einer Bank deponieren, Geld bei einer Bank einzahlen
depositor	der Einzahlende, der Einleger, der Kontoinhaber
money on deposit	die Depositengelder
credit balance *(the amount the customer has to his credit)*	das Guthaben
to have money in the bank	Geld auf der Bank haben
to withdraw (money)	(Geld) abheben
withdrawal	die Abhebung
current account	das laufende Konto, das Kontokorrentkonto
cheque account, checking account *(US)*	das Scheckkonto
deposit account	das Depositenkonto
savings account	das Sparkonto
postal savings account	das Postsparkonto
special account	das Sonderkonto
joint account	das gemeinsame Konto

blocked account	das Sperrkonto
dead account, dormant account	das umsatzlose Konto
overdrawn account	das überzogene Konto
to open an account	ein Konto eröffnen
account closed	Konto abgeschlossen
to examine an account, to verify an account	ein Konto prüfen
specimen signature	die Unterschriftsprobe
signature card	die Unterschriftskarte *(die Karte, auf der der Bankkunde seine Unterschriftsprobe abgibt)*
deposit slip, deposit ticket	der Einzahlungsschein
certificate of deposit	der Depositenschein *(in der Form einer mit einer Zinsklausel versehenen „promissory note")*
bankbook, passbook	das Einlagebuch, das Sparbuch
bank statement	der Bankauszug, der Kontoauszug

3. Bank Credit / 3. Bankkredit

credit	der Kredit
loan	das Darlehen, der Kredit, die Anleihe
advance	der Vorschuß, der Kredit
accommodation	der Kredit, das Darlehen *(in bestimmten Zusammenhängen)*
creditor	der Gläubiger
debtor	der Schuldner
lender	der Kreditgeber, der Darlehensgeber
borrower	der Kreditnehmer
creditworthy	kreditwürdig
unlimited credit	der unbeschränkte Kredit
line of credit	die Kreditlinie
credit facilities	die Kreditfazilitäten
credit reserves	die Kreditreserven *(der nicht in Anspruch genommene Kredit)*
volume of credit	das Kreditvolumen
cash credit	der Barkredit
credit instrument	das Kreditpapier

to utilize a credit, to avail o.s. of a credit	einen Kredit in Anspruch nehmen
to overdraw a credit	einen Kredit überziehen
to curtail a credit	einen Kredit kürzen
to cancel a credit	einen Kredit streichen
frozen credit	der eingefrorene Kredit
bank credit	der Bankkredit
consumer credit	der Verbraucherkredit, der Konsumptivkredit
production loan	der Produktionskredit
investment credit	der Anlagekredit, der Investitionskredit
working-capital loan	der Betriebskredit
loans to industry	der Industriekredit
loans to trade and industry	der gewerbliche Kredit
credit for financing business stocks	der Vorratskredit
building loan	der Baukredit
credit to settlers	der Siedlungskredit
agricultural credit, farm loan	der Agrarkredit
cheap credit	der billige Kredit
short-term credit	der kurzfristige Kredit
medium-term credit, intermediate credit	der mittelfristige Kredit
long-term credit	der langfristige Kredit
revolving credit	der Revolving-Kredit
callable loan	das kündbare Darlehen, die kündbare Anleihe
uncallable loan	das unkündbare Darlehen, die unkündbare Anleihe
till money	das Kassengeld, die Barreserven *(der Banken)*, der Kassenbestand
ready money	bares Geld
money at short notice	kurzfristig fällige Gelder
overnight money	das Tagesgeld
call money, money at call, day-to-day money	täglich kündbares Geld, Geld auf Abruf, täglich abrufbares Geld
one-month's money	das Monatsgeld
three-months' money	das Dreimonatsgeld
credit to finance the start *(of a project)*	der Anlaufkredit

pump-priming credit	der Ankurbelungskredit
tide-over credit	der Überbrückungskredit
interim credit	der Zwischenkredit
emergency loan	das Notstandsdarlehen
seasonal loan	der Saisonkredit
unsecured credit, uncovered credit	der ungesicherte Kredit, der ungedeckte Kredit, der Blankokredit
secured credit	der gesicherte Kredit, der gedeckte Kredit, der Realkredit
personal credit, personal loan	der Personalkredit
loan on movables, loan on personal property	der Mobiliarkredit
collateral loan	der Lombardkredit
loan secured by a pledge	der dinglich gesicherte Kredit, der Pfandkredit
real estate credit	der Immobiliarkredit, der Bodenkredit
mortgage loan	der Hypothekenkredit, das Hypothekendarlehen
overdraft on current account	der Kontokorrentkredit
discount credit	der Diskontkredit
acceptance credit	der Akzeptkredit
debenture loan, loan on bond	das Schuldscheindarlehen
public credit	der öffentliche Kredit
private credit	der private Kredit
export credit	der Exportkredit
import credit	der Importkredit
advance against shipping documents	die Bevorschussung von Verschiffungsdokumenten
to grant s.b. a credit	jemand einen Kredit gewähren
to grant s.b. a loan, to accommodate s.b. with a loan	jemand ein Darlehen gewähren
to advance money on securities	Effekten beleihen
to raise a loan, to secure a loan, to obtain a loan	ein Darlehen aufnehmen
application for a loan	Antrag auf Gewährung eines Darlehens
loan agreement	der Darlehensvertrag
term of a loan	die Laufzeit eines Darlehens

terms of a loan	die Darlehensbedingungen
due date, maturity date	das Fälligkeitsdatum, der Fälligkeitstag, der Verfalltag
to call a loan	ein Darlehen kündigen
to mature	fällig werden
repayment of a loan	die Rückzahlung eines Darlehens
repayment of a loan before it is due	die vorzeitige Rückzahlung
repayable by 15th May	bis zum 15. Mai zurückzuzahlen

4. Interest — 4. Zinsen

interest	der Zins, die Zinsen
principal	das Kapital *(d. h. der Betrag, der verzinst wird)*
ordinary interest	auf der Basis von 360 Tagen berechnete Zinsen
exact interest, accurate interest	auf der Basis von 365 Tagen berechnete Zinsen
debit interest, interest on debit balances	der Sollzins, der Aktivzins
deposit rate, interest on deposits (*or:* credit balances)	der Habenzins, der Passivzins
margin (*or:* spread) between debit and credit interest rates	die Zinsspanne *(der Unterschied zwischen Soll- und Habenzins)*
accrued interest	die aufgelaufenen Zinsen, die angefallenen Zinsen
interest on arrears, interest for default, penal interest	die Verzugszinsen
compound interest	die Zinseszinsen
rate of interest	der Zinssatz, der Zinsfuß
contract rate of interest	der vertraglich vereinbarte Zinssatz
legal rate of interest	der gesetzliche Zinssatz
bank rate for collateral loans	der Lombardsatz
usurious interest, excessive interest	der Wucherzins
to increase (*or:* raise) the interest rate	den Zinssatz erhöhen
to decrease (*or:* lower) the interest rate	den Zinssatz herabsetzen
to carry interest, to bear interest, to yield interest	Zinsen tragen, Zinsen einbringen

to charge interest	Zinsen berechnen
interest-bearing	verzinslich
interest-free, non-interest-bearing	zinslos, unverzinslich
loan service	der Anleihedienst *(d. h. Tilgung und Verzinsung)*
service of foreign debts	der Auslandsschuldendienst
to service a loan	eine Anleihe bedienen
interest-due date	der Zinsfälligkeitstermin
equated calculation of interest	die Staffelzinsrechnung

5. Security for Loans — 5. Sicherheitsleistung

security, collateral	die Sicherheit
to give (*or:* provide, furnish) security (*or:* collateral)	Sicherheit leisten, Sicherheiten stellen
valuation of security	die Bewertung von Sicherheiten
pledge	das Pfand, das Faustpfand
to pledge	verpfänden
to pledge securities	Wertpapiere als Sicherheit hinterlegen, lombardieren
pledge agreement	der Pfandvertrag
pledgor, pawner	der Pfandgeber
pledgee, pawnee	der Pfandnehmer
lien	das Pfandrecht
to pawn, to hock *(slang)*	versetzen
pawnbroker	der Pfandleiher
pawnshop	das Leihhaus
real-estate mortgage	die (angelsächs. Form der) Hypothek
first mortgage	die erste Hypothek
second mortgage	die zweite Hypothek
mortgage deed	die Hypothekenurkunde, der Hypothekenbrief
mortgagor, mortgager	der Hypothekenschuldner
mortgagee	der Hypothekengläubiger
mortgageable	hypothekarisch belastbar
to record a mortgage	eine Hypothek eintragen
on mortgage security	gegen hypothekarische Sicherheit
to encumber with a mortgage	mit einer Hypothek belasten

encumbrance	die Belastung
land charge	die Grundschuld
owner's charge	die Eigentümergrundschuld
chattel mortgage	*die* „Mobiliarhypothek", *die in ihrer wirtschaftlichen Zweckbestimmung der Sicherungsübereignung im deutschen Recht entspricht*
bill of sale	die Übereignungsurkunde; der Sicherungsübereignungsvertrag *(eine Urkunde, durch die eine Sache vom Kreditnehmer sicherheitshalber an den Kreditgeber übereignet wird; beim Teilzahlungsgeschäft dient sie dem Zweck, das Eigentum des Verkäufers an der verkauften Sache bis zur vollständigen Bezahlung zu sichern)*
assignment by bill of sale as security for a debt	die Sicherungsübereignung
reservation of title	der Eigentumsvorbehalt
trust receipt	das trust receipt *(eine Urkunde, durch die der Kreditnehmer bestätigt, Waren bzw. Warenwertpapiere vom Kreditgeber, dessen Eigentum sie sind, erhalten zu haben, und in der er sich verpflichtet, nach den Weisungen des Kreditgebers zu verfahren [z. B. im Falle des Weiterverkaufs den Erlös unverzüglich an diesen abzuführen]; sind die Waren bzw. die Dokumente bereits im Besitz des Kreditnehmers, so ist die Ausstellung eines „trust receipt" praktisch ,eine Sicherungsübereignung)*
letter of hypothecation	*eine Urkunde, durch die der Exporteur einer Warensendung der kreditgebenden Bank die Verschiffungsdokumente als Sicherheit verpfändet und sie ausdrücklich ermächtigt, im Falle der Verweigerung der Zahlung durch den Käufer die Ware zu verkaufen und sich aus dem*

	Erlös schadlos zu halten (für den Fall, daß der Erlös nicht ausreicht, wird der Bank ein Regreßrecht auf den Exporteur eingeräumt)
loan on the security of accounts receivable	durch Forderungsabtretung gesichertes Darlehen
to assign for security	zur Sicherung abtreten
assignment of accounts receivable	die Abtretung von Forderungen
suretyship *(the surety becomes liable on the principal contract; he assumes the same liability the principal debtor has)*	die Bürgschaft *(in Form einer kumulativen Schuldübernahme)*
guaranty*, contract of guaranty *(the guarantor's liability arises from a separate and independent agreement; he becomes liable as soon as the principal fails to perform)*	die Bürgschaft *(in Form eines sebständigen Vertrages)*
guarantee	der Gläubiger des selbständigen Bürgschaftsvertrages
surety, guarantor	der Bürge
absolute guaranty	*etwa:* die selbstschuldnerische Bürgschaft
conditional guaranty	*etwa:* die gewöhnliche Bürgschaft

6. Underwriting of New Issues — 6. Emissionsgeschäft

See also "Stock Exchange" *(p. 88) and* "Business Organizations and Combinations" *(p. 105)*	*Siehe auch unter* „Börse" *(S. 88)* und „Unternehmungen und Zusammenschlüsse" *(S. 105)*
securities	die Wertpapiere
debenture, bond *(US)*	die Schuldverschreibung, die Obligation
share, stock *(US)*	die Aktie
fixed-interest-bearing securities	die festverzinslichen Papiere
dealing in securities	der Handel mit Wertpapieren
security business	das Wertpapiergeschäft

* Um eine Verwechslung mit „guarantee" in der Bedeutung „Gläubiger des selbständigen Bürgschaftsvertrages" zu vermeiden, wurde hier die in der Rechtssprache häufige Schreibweise mit „y" der sonst üblichen mit „ee" vorgezogen.

issue	die Emission
issuer	der Emittent
domestic issue	die Inlandsemission
foreign issue	die Auslandsemission
municipal issue	die Kommunalemission
corporate issue *(US)*	die Emission einer Aktiengesellschaft
industrial issue	die Industrieemission
to launch an issue, to float an issue	eine Emission begeben
to float a loan	eine Anleihe auflegen (*oder:* begeben)
underwriting new issues of securities	die feste Übernahme neuer Effektenemissionen bzw. Garantie der Unterbringung
to purchase an issue outright	eine Emission fest übernehmen
to guarantee placement of an issue	die Unterbringung einer Emission garantieren
underwriting syndicate	das Emissionskonsortium
syndicate agreement	der Konsortialvertrag
to sell securities through investment banks on a "best effort basis"	Wertpapiere über Banken bestmöglich („bestens") absetzen
to place an issue	eine Emission placieren, unterbringen
placement	die Placierung, die Unterbringung
prospectus	der Prospekt
publication of the prospectus	die Veröffentlichung des Prospekts
to subscribe to new shares	junge Aktien zeichnen
subscriber	der Zeichner
to invite subscriptions for a loan	eine Anleihe zur Zeichnung auflegen
oversubscribed	überzeichnet

7. Miscellaneous Banking Services — 7. Sonstige Bankgeschäfte

collection of cheques and bills	Scheck- und Wechselinkasso
stock and share business, dealings in securities	das Effektengeschäft
trustee work	die Vermögensverwaltung
standing order	Dauerauftrag *(für in gleichbleibenden Zeitabständen wiederkehrende Zahlungen)*

bank guarantee	die Bankgarantie
safe custody of securities and valuables	das Depotgeschäft *(Annahme von Wertsachen und Wertpapieren zur Aufbewahrung und Verwaltung)*
to place with a bank for safekeeping	einer Bank zur Aufbewahrung übergeben
safe-deposit box	der Safe *(im Tresor der Bank)*
to rent a safe-deposit box	einen Safe mieten
foreign exchange business	das Devisengeschäft
to transact foreign exchange business	Devisengeschäfte durchführen, sich mit Devisengeschäften befassen
buying and selling of foreign money	das Sortengeschäft
issue of travellers' cheques	Ausgabe von Reiseschecks
issue of travellers' letters of credit and commercial letters of credit	die Ausstellung von Reisekreditbriefen und Akkreditiven

8. Central Banking / 8. Zentralbankwesen

See also Money and Currencies *(p. 44)*	*Siehe auch unter* Geld und Währung *(S. 44)*
central bank	die Zentralbank, die Notenbank
issue of notes	die Notenausgabe *(heute den jeweiligen Zentralbanken vorbehalten)*
monopoly of bank-note issue	das Monopol der Notenausgabe
bank of issue, note-issuing bank *(use only if note-issuing function of central bank is to be emphasized)*	die Notenbank
note circulation	der Banknotenumlauf
fiduciary issue	die fiduziarische Emission, die fiduziäre Emission *(ausgegebene Banknoten ohne Golddeckung)*
Bank of England	die Bank von England *(gegründet im Jahre 1694)*
Old Lady of Threadneedle Street	*scherzhafte Bezeichnung der Bank von England*
nationalization of the Bank of England *(1946)*	die Verstaatlichung der Bank von England *(1946)*
Issue Department	die Abteilung für Notenausgabe

Banking Department	die Abteilung für Bankgeschäfte
Governor of the Bank of England	der Gouverneur der Bank von England
Court of Directors of the Bank of England *(consists of the Governor, the Deputy Governor and 16 Directors, who are appointed by the Crown)*	das Direktorium der Bank von England
Weekly Return of the Bank of England	der Wochenausweis der Bank von England
Federal Reserve System	*das Zentralbanksystem in den USA*
Federal Reserve Act of 1913	das Bundesreservebankgesetz von 1913
Board of Governors of the Federal Reserve System	der Bundesbankrat *(entspricht etwa dem Zentralbankrat der Deutschen Bundesbank)*
Federal Open Market Committee	der Offen-Markt-Ausschuß des Federal Reserve System *(ein Organ aus 12 Mitgliedern: den 7 Mitgliedern des Board of Governors und 5 Vertretern der Bundesreservebanken; legt die Offenmarktpolitik der Bundesreservebanken fest)*
Federal Advisory Council	der Beirat des Bundesbankrats
federal reserve district	der Bundesbankbezirk
federal reserve banks	die Bundesreservebanken *(insgesamt 12)*
federal reserve agent	*der vom Board of Governors ernannte Vorsitzende des Verwaltungsrates einer Bundesreservebank*
member banks *(all national banks and those state banks which choose to become members)*	die Mitgliedsbanken
federal reserve notes	*die von den Bundesreservebanken ausgegebenen Banknoten*

B. Translation Exercises / B. Übersetzungsübungen

1. English–German / 1. Englisch–Deutsch

1. The principal and traditional functions of commercial banks are to accept deposits and to supply industry with circulating capital in the form of short-term loans. 2. Deposits may be classified according to the conditions under which they are payable, that is, demand and time. Demand deposits are those which may be withdrawn on demand from a bank during banking hours. Time deposits are deposits which may not be withdrawn until after the depositor has given written notice. 3. Savings bank business is transacted at about 20,000 post offices throughout the United Kingdom. Anyone over seven years of age may open an account with 5s. or more at any savings bank post office. 4. In addition to the primary functions of borrowing and lending, a bank performs a number of agency services on behalf of its customers. Among other things, it collects and pays cheques, bills and dividends, undertakes trustee work, effects the periodical payment of subscriptions, insurance premiums, etc., transacts foreign exchange business and provides safe-deposit facilities for customers' valuables. 5. Interest at the rate of ... per cent per year is allowed on every complete pound standing to the credit of a savings bank account, and is added to the account at the close of each year ending 31st December. 6. Personal cheque accounts, which carry a low fixed charge but do not rank for any supplementary banking services, often attract new customers to the bank; once such accounts have been opened, many of the customers decide they want the full service of an ordinary current account. 7. If somebody has a deposit account as well as a current account, the deposit account can act as a security if on any occasion the customer wants to arrange an overdraft, that is, to spend more money than is actually credited to his current account at that particular moment. 8. A cheque book is a very safe way of carrying other than small sums of money around. If a cheque book is lost, you can immediately instruct the bank to stop payment of all cheques known to be left in the book. 9. When you are travelling abroad, you can arrange to take travellers' cheques along, which your bank issues in amounts of £2, £5, £10 and £20. Abroad you will receive for your travellers' cheques the money equivalent in that country at the current rate of exchange. 10. Before a credit is granted, the bank's credit department carefully analyzes the credit standing of the borrower. 11. A banker granting a customer an acceptance credit agrees to assume the liability of an acceptor, provided the customer furnishes collateral and undertakes to provide funds before the bill is due for

payment. 12. A large borrower often secures a line of credit at his local bank. Such a credit line is the maximum amount a bank agrees to lend to a customer. 13. Working-capital loans are repaid out of the sales proceeds of the merchandise or services rendered. 14. A bank cannot afford to tie up more than a modest proportion of its resources in medium-term or long-term credits. 15. The British joint-stock banks make short loans to the money market, usually in the form of "call money," i. e. money lent subject to call at twenty-four hours' notice. 16. A letter of hypothecation is a letter addressed to a bank, detailing a draft or drafts and shipping documents relating to a shipment of goods and giving the bank a lien on the goods as security for an advance without handing over possession of the goods. 17. A trust receipt is a document evidencing the receipt of goods or securities by a person who does not have title thereto, and who agrees to return them, or sell them and return the proceeds. 18. If the applications for new issues of securities exceed the amount of stock available, the issue is said to be oversubscribed, and each subscriber receives only a portion of the stock he subscribed for. 19. The Bank of England is the central bank for the highly centralized British banking system. It receives deposits from the joint-stock banks, fixes the discount rate and has the monopoly of note issue. 20. The Board of Governors, with its headquarters in Washington, D.C., is a board of seven members, appointed by the President with the advice and consent of the Senate for a period of fourteen years; by supervising the twelve federal reserve banks it has control over the entire banking system of the United States.

2. Deutsch–Englisch — 2. German–English

1. Von Kalifornien abgesehen, hat sich das Filialbanksystem in den Vereinigten Staaten nicht eingeführt. 2. Sichteinlagen sind Geldeinlagen auf Konten bei Sparkassen oder sonstigen Kreditinstituten, über die jederzeit verfügt werden kann und die den Zwecken des bargeldlosen Zahlungsverkehrs dienen. 3. Termineinlagen sind befristete Einlagen bei Sparkassen oder sonstigen Kreditinstituten mit vereinbartem oder gesetzlich festgelegtem Fälligkeitstag. Sie gliedern sich in Festgelder, die zu einem vereinbarten Termin fällig werden, und Kündigungsgelder, die eine bestimmte Zeit nach Kündigung (Kündigungsfrist) rückzahlbar sind. 4. Dem Kontokorrentkunden werden alle Einzahlungen, die eingehenden Überweisungen sowie der Erlös von Wechseldiskontierungen und Effektenverkäufen gutgeschrieben; für alle Abhebungen, Scheckentnahmen, Effektenkäufe etc. wird er belastet. In regelmäßigen Zeit-

abständen bekommt er einen Kontoauszug. 5. Der Kontokorrentkredit ist ein kurzfristiger Betriebskredit, den der Kaufmann in Anspruch nimmt, wenn er vorübergehend Betriebsmittel zum Einkauf von Waren oder Rohstoffen, zur Bezahlung von Löhnen oder für andere Zwecke benötigt. Nach Verkauf der Waren bzw. der fertiggestellten Erzeugnisse kann er den Kredit zurückzahlen. 6. Ein Akzeptkredit liegt vor, wenn eine Bank einem Kunden erlaubt, bis zu einem vereinbarten Höchstbetrag auf sie zu ziehen. Die Bank, die diesen Wechsel akzeptiert, haftet als Hauptschuldner. In der Regel ist der Bankkunde verpflichtet, spätestens zwei Tage vor dem Verfalltag Deckung zu beschaffen. 7. Bei schlechtem Geschäftsgang kann sich der Kaufmann durch Lombardierung dringend benötigte Betriebsmittel beschaffen, ohne seine Waren oder Wertpapiere unter ihrem Preis verkaufen zu müssen. 8. Ein gedeckter Kredit ist ein Kredit, den eine Bank einem Kunden auf der Grundlage von Sicherheiten gewährt. Als Sicherheiten kommen in Frage: Warenlager, Wertpapiere (wobei nur ein gewisser Prozentsatz des Börsenkurses berücksichtigt wird), Bürgschaften von als zahlungsfähig bekannten Personen und Hypotheken. Manchmal werden der Bank auch Außenstände verpfändet. 9. Im Gegensatz zu den deutschen Banken zahlen die englischen und amerikanischen Banken keine Zinsen auf laufende Konten. 10. Die Erhöhung der Habenzinsen zwang die Sparkassen, ihre Hypothekenzinsen anzuheben. 11. Im Anschluß an die jüngste Diskonterhöhung wurden die Sollzinsen, die von den Banken ihrer Kundschaft für die gewährten Kredite berechnet werden, um 1% hinaufgesetzt. 12. Ist der Schuldner einer Geldschuld in Verzug, so hat er Verzugszinsen zu entrichten. 13. Die Zinssätze, die Bestimmungen über die Rückzahlung der Spareinlagen sowie das Verfahren bei Verlust oder Fälschung von Sparbüchern werden häufig durch Aushang von allgemeinen Geschäftsbedingungen im Kassenraum der Sparkassen bekanntgegeben. 14. Wenn ein Gläubiger eine Hypothek als Sicherheit angeboten bekommt, wird er zunächst feststellen, ob das Grundstück nicht bereits zu sehr belastet ist. 15. Zur Unterbringung größerer Emissionen werden Bankkonsortien gebildet. Dadurch wird das Risiko der einzelnen Banken vermindert und zugleich die erfolgreiche Durchführung der Emission erleichtert. 16. Die Banken handeln mit Wertpapieren, kaufen und verkaufen Devisen und Sorten und übernehmen für ihre Kunden Zahlungen und andere Dienstleistungsgeschäfte. 17. Die Banken kassieren in- und ausländische Wechsel, Schecks, Zins- und Dividendenscheine. Nach Eingang des Betrages zieht die Bank Provision und Spesen ab und erteilt dem Kunden für die Restsumme eine Gutschrift. 18. Die der Bank zur Verwahrung übergebenen Wertgegenstände werden in der Stahlkammer aufbewahrt. 19. Man versteht unter einem Kreditbrief eine Urkunde, mit der eine Bank eine ihrer Filialen oder Korrespondenzbanken im Ausland ersucht, dem Inhaber des Kreditbriefs Beträge bis zu einer bestimmten Höchstgrenze innerhalb eines bestimmten Zeitraumes auszuzahlen. 20. Die Bank von England war bis 1862 die einzige Aktienbank des Landes; 1834 wurden die von ihr ausgegebenen Banknoten zum gesetzlichen Zahlungsmittel erklärt. Die Bank von England wurde 1946 verstaatlicht.

IV. Cheques, Bills and Notes

IV. Scheck und Wechsel

Das anglo-amerikanische Recht unterscheidet zwischen „bills of exchange“ und „promissory notes“. Zu den bills of exchange zählen der gezogene Wechsel und der Scheck, die beide als „unconditional *orders* to pay“ definiert werden. Die dem deutschen „eigenen Wechsel“ entsprechende promissory note („unconditional *promise* to pay“) bildet eine eigene Kategorie. In der kaufmännischen Praxis ist jedoch die als Kapitelüberschrift gewählte Einteilung in cheques, bills und notes gebräuchlich.

A. Terminology / A. Terminologie

1. General Terms / 1. Allgemeines

essential and non-essential elements (of a cheque, bill, or note)	die wesentlichen *(gesetzlichen)* und unwesentlichen *(kaufmännischen)* Bestandteile *(eines Schecks oder Wechsels)*
unconditional order to pay a sum certain in money	die unbedingte Anweisung, eine bestimmte Geldsumme zu zahlen
unconditional promise to pay a sum certain in money	das unbedingte Versprechen, eine bestimmte Geldsumme zu zahlen
order in writing	die schriftliche Anweisung
payable on demand or at a fixed or determinable future time	zahlbar bei Sicht oder zu einem bestimmten bzw. bestimmbaren künftigen Zeitpunkt
drawer	der Aussteller, der Trassant
maker	der Aussteller einer promissory note
drawee	der Bezogene, der Trassat
payee	der Schecknehmer, der Wechselempfänger, der Remittent
order paper	das Orderpapier
order clause	die Orderklausel
bearer paper	das Inhaberpapier
bearer	der Inhaber *(eines Inhaberpapiers)*
negotiable instruments	die Order- und Inhaberpapiere, die verkehrsfähigen Papiere
negotiable	übertragbar, verkehrsfähig, begebbar

non-negotiable	nicht übertragbar, nicht begebbar
negotiability	die Übertragbarkeit
negotiation	die Übertragung, die Negoziierung
to negotiate	übertragen, negoziieren
to pass on, to hand on	weitergeben
to transfer one's rights under a bill	seine Rechte aus dem Wechsel übertragen
to negotiate by delivery only	formlos übertragen
delivery	die Übergabe
to negotiate by endorsement	durch Indossament übertragen
endorsement (indorsement)	das Indossament, das Giro
endorser (indorser)	der Indossant, der Girant
endorsee (indorsee)	der Indossatar, der Giratar
to endorse (indorse)	indossieren
endorsable (indorsable)	indossabel, indossierbar
endorsement in blank	das Blankoindossament
to endorse in blank	blanko indossieren
full endorsement, endorsement in full, special endorsement	das Vollindossament
qualified endorsement	das Vollindossament mit Ausschluß der Haftung, das Vollindossament mit Angstklausel
"sans recours," "without recourse"	„ohne Obligo", „ohne Gewähr", „ohne Haftung" *(Angstklausel)*
conditional endorsement	das bedingte Indossament *(nach deutschem Wechselrecht gelten Bedingungen bei Indossamenten als nicht geschrieben)*
restrictive endorsement	a) das Vollindossament mit Weitergabeverbot, das Vollindossament mit Rektaklausel, das Rektaindossament b) das Inkassoindossament, das Prokuraindossament
"for collection only"	„zum Einzug", „zum Inkasso"
"pay to the X Bank for collection only," "pay to the X Bank for deposit only"	„an die X Bank zum Einzug", „an die X Bank zur Gutschrift"
pledge endorsement	das Pfandindossament *(in den angelsächsischen Ländern unbekannt)*

allonge	die Allonge
holder	der Inhaber
holder in due course	der rechtmäßige Inhaber
bona fide holder	der gutgläubige Inhaber
preceding endorser, prior endorser, previous holder	der Vormann
subsequent endorser, subsequent holder	der Nachmann

2. Cheque / 2. Scheck

cheque (*US:* check)	der Scheck
cheque book	das Scheckbuch, das Scheckheft
cheque form	das Scheckformular
counterfoil, stub *(US)*	die Scheckleiste
to issue a cheque, to make out a cheque	einen Scheck ausstellen
to draw cheques on a bank	Schecks auf eine Bank ziehen (*oder* ausstellen)
a cheque on the X Bank	ein Scheck auf die X Bank
to draw cheques against a deposit *(US)*	Schecks auf ein Guthaben ziehen
payment by cheque	die Zahlung durch Scheck
to send a cheque in settlement	einen Scheck zum Ausgleich einer Rechnung übersenden
stamp duty on cheques	die Schecksteuer *(in Großbritannien müssen auch die Schecks versteuert werden)*
bearer cheque	der Inhaberscheck
"to bearer"	„an Überbringer"
order cheque	der Orderscheck
open cheque	der Barscheck
crossed cheque	der gekreuzte Scheck, *(ausländische gekreuzte Schecks werden als Verrechnungsschecks behandelt, deshalb auch:)* der Verrechnungsscheck
crossing *(the practice of crossing cheques is unknown in the United States)*	die Kreuzung *(die die Kreuzung betreffenden Bestimmungen des Scheckgesetzes sind in Deutschland noch nicht in Kraft)*

generally crossed cheque	der allgemein gekreuzte Scheck
specially crossed cheque	der besonders gekreuzte Scheck
opening of a crossing	die „Öffnung" einer Kreuzung
bank draft, banker's draft	der Bankscheck
cashier's check *(US) (a check drawn by a bank on its own funds, signed by the cashier)*	ein von einer Bank auf sich selbst ausgestellter Scheck *(wird von einem Kunden gekauft, der einen Scheck auf den betreffenden Bankplatz braucht) (in Deutschland unbekannt)*
marked cheque, certified check *(US)*	der bestätigte Scheck *(in Deutschland haben nur die Landeszentralbanken das Recht, Schecks zu bestätigen)*
travellers' cheque	der Reisescheck
counter check *(US)*	das Quittungsformular für Barabhebungen vom Scheckkonto *(kein Scheck!)*
non-negotiable cheque	der Rektascheck
blank cheque	der Blankoscheck
post-dated cheque	der vordatierte Scheck
a dollar cheque	ein auf Dollar lautender Scheck
cheque account, checking account *(US)*	das Scheckkonto
current account	das laufende Konto, das Kontokorrentkonto
National Giro	der Postscheckdienst (in Großbritannien)
Giro Account	das Postscheckkonto
depositor	der Kontoinhaber
to stop a cheque	einen Scheck sperren
stop-payment notification	die Anweisung an die Bank, einen Scheck zu sperren
to cash a cheque	einen Scheck einlösen
the banker pays (*or:* honours) a cheque	die Bank löst einen Scheck ein
dishonour of a cheque	die Nichteinlösung eines Schecks *(durch die Bank)*
presentment for payment within reasonable time	die Vorlage zur Zahlung innerhalb einer angemessenen Zeit
stale cheque	ein Scheck, der nicht rechtzeitig zur Zahlung vorgelegt wurde

collection	der Einzug, das Inkasso
collection of cheques	der Einzug von Schecks *(durch die Bank)*
to lodge a cheque with a bank for collection, to send (*or:* forward) a cheque to a bank for collection	einen Scheck einer Bank zum Einzug übergeben
collecting banker	die Inkassobank
collection charges	die Inkassogebühren
collection expenses	die Inkassospesen
clearing	das Clearing
cancelled cheques	die eingelösten Schecks
cover	die Deckung
unpaid cheque, dishonoured cheque	der uneingelöste Scheck
"N/A" (no account)	„kein Konto"
"N/F" (no funds)	„keine Deckung"
"I/F" (insufficient funds)	„ungenügende Deckung"
"R/D" (refer to drawer)	„zurück an Aussteller"
"not in order"	„nicht in Ordnung"
uncovered cheque, bad check *(US)*, rubber check *(US)*	der ungedeckte Scheck
issuing bad checks *(US)*	der Scheckbetrug
bad-check laws *(US)*	die Gesetze gegen Scheckbetrug
forged cheque	der gefälschte Scheck
cheque-writer, cheque protector machine	der Scheckschützer

3. Bill — 3. Gezogener Wechsel

bill, draft	der gezogene Wechsel, die Tratte
inland bill, domestic bill	der Inlandswechsel
foreign bill, external bill *(In the United Kingdom a bill is called* "inland bill" *if it is payable within the British Isles; all other bills are* "foreign bills." *In the United States a* "domestic bill" *is one drawn and payable within the same state; a bill drawn in one state and payable in another is a* "foreign bill." *An*	der Auslandswechsel

"external bill" *is a bill drawn in one country and payable in another.)*	
trade bill	der Handelswechsel, der Warenwechsel
finance bill	der Finanzwechsel
accommodation bill	der Gefälligkeitswechsel
interest-bearing draft	die Tratte mit Zinsvermerk
documentary draft	die Dokumententratte, die dokumentäre Tratte
clean draft	die Tratte ohne Dokumente, die nichtdokumentäre Tratte
drawing of a bill	die Wechselziehung, die Wechseltrassierung
to draw a bill on s.b., to value a bill on s.b.	einen Wechsel auf jemanden ziehen
to issue a bill	einen Wechsel ausstellen
we have drawn on you for £300 at three months	wir haben auf Sie einen Dreimonatswechsel über £ 300 gezogen
face of the bill	die Vorderseite des Wechsels
back of the bill	die Rückseite des Wechsels
tenor	der Wortlaut, der Inhalt, der Sinn *(eines Dokuments)*, der Tenor *(eines Urteils)*
tenor, term, maturity *(of a bill)*	die Verfallzeit eines Wechsels *(in diesem speziellen Fall wird das englische Wort* „tenor" *häufig als Synonym für* „term" *verwendet)*
due date, date of maturity	der Verfalltag, der Fälligkeitstag, die Fälligkeit
sight bill, sight draft	der Sichtwechsel, die Sichttratte
at sight, on demand, on presentation	bei Sicht, bei Vorlage
time bill (draft) *(bill payable at a fixed or determinable future time)*	der Ziel-Wechsel
date bill (draft) *(bill payable at a fixed period after date)*	der Datowechsel
term bill (draft) *(bill payable at a fixed period after sight)*	der Nachsichtwechsel, der Zeitsichtwechsel
bill payable on a fixed date	der Tagwechsel
usance	die handelsübliche Laufzeit

usance bill	der Usancewechsel
long bill	der langfristige Wechsel
short bill	der kurzfristige Wechsel
a set of exchange *(foreign bills in a set)*	ein „Satz“ Wechsel, Wechsel in mehreren Ausfertigungen
date and place of issue	das Datum und der Ort der Ausstellung
payable to	zahlbar an
to the order of	an die Order von
"First of Exchange"	die erste Ausfertigung, der Primawechsel
"Second of Exchange"	die zweite Ausfertigung, der Sekundawechsel
"value received"	Wert erhalten *(Valutaklausel)*
bill tax, stamp duty	die Wechselsteuer
revenue stamp	die Stempelmarke
to present a bill for acceptance	einen Wechsel zur Annahme vorlegen
to accept a bill	einen Wechsel annehmen, akzeptieren
accepted	akzeptiert, mit Akzept versehen
acceptor	der Akzeptant
accommodation acceptor	der Gefälligkeitsakzeptant
acceptor for honour, acceptor supra protest	der Ehrenakzeptant
acceptance	die Annahme, das Akzept, die Akzeptierung
banker's acceptance, bank acceptance	das Bankakzept
accommodation acceptance	das Gefälligkeitsakzept
acceptance in blank	das Blankoakzept
unconditional *(or:* absolute) acceptance	das unbedingte Akzept
conditional acceptance	das bedingte Akzept
qualified acceptance	das qualifizierte Akzept
partial acceptance	das Teilakzept
acceptance supra protest, acceptance for honour	das Ehrenakzept, das Interventionsakzept
refusal of acceptance, non-acceptance	die Annahmeverweigerung, die Verweigerung des Akzepts
to accept a bill payable at (a bank), to make a bill payable at, to domicile a bill with	einen Wechsel bei (einer Bank) zahlbar stellen, domizilieren

domiciliation	die Zahlbarstellung
domiciliation commission	die Domizilgebühr
to provide cover, to put the banker in funds	Deckung anschaffen
referee (*or:* addressee) in case of need	der Notadressat, die Notadresse
intervention	die Intervention
to intervene for the honour of the drawer	zu Ehren des Ausstellers intervenieren
guarantee, suretyship	a) die Bürgschaft b) die Wechselbürgschaft, die Avalbürgschaft *(Im Englischen gibt es kein eigenes Wort für Wechselbürgschaft. Nur das kanadische Recht kennt den Begriff* „aval“, *der französischen Ursprungs ist.)*
guarantor, surety	a) der Bürge b) der Wechselbürge, der Avalbürge *(siehe auch S. 67)*
to resort to the surety	den Bürgen in Anspruch nehmen, sich an den Bürgen halten
discount	der Diskont
to discount a draft	einen Wechsel diskontieren
discount rate	der Diskontsatz
rediscount rate	der Rediskontsatz
bankable bill	der bankfähige Wechsel
eligible for rediscounting	rediskontfähig
term of discount	die Diskonttage
face amount, face value	der Nennbetrag
present value	der Tageswert
proceeds of discounting	der Diskonterlös
prolongation	die Verlängerung eines Wechsels, die Prolongation
to retire a bill	einen Wechsel vor Fälligkeit einlösen
payment before maturity	die Zahlung vor Fälligkeit
to fall due	fällig werden
presentment (*or:* presentation) for payment	die Vorlage zur Zahlung
day of payment	der Zahlungstag

payment for honour, payment supra protest	die Ehrenzahlung
days of grace	die Respekttage
to meet (*or:* pay, discharge) a bill	einen Wechsel zahlen, einlösen
to honour a bill	einen Wechsel honorieren *(d. h. zahlen oder annehmen)*
to dishonour a bill	einen Wechsel nicht honorieren
dishonoured bill, bill offering dishonour	der notleidende Wechsel
notice of dishonour	die Notifikation *(Benachrichtigung der Vormänner)*
protest	der (Wechsel-)Protest
noting and protest (*Noting is a preliminary to protest. The notary writes a memorandum on the bill and initials it. At any time after the noting the formal certificate of protest may be issued, which is called* "extending the protest.")	die Protesterhebung
protest for non-acceptance	der Protest mangels Annahme
protest for non-payment	der Protest mangels Zahlung
to have the bill protested	einen Wechsel protestieren lassen
a protested bill	ein zu Protest gegangener Wechsel
deed of protest, protest, certificate of protest *(US)*	die Protesturkunde
notary public	der Notar
time within which protest must be made	die Protestfrist
protest charges	die Protestkosten
"protest waived," "incur no costs," "sans frais"	„ohne Protest", „ohne Kosten"
overdue	verfallen
recourse	der Regreß, der Rückgriff
right of recourse	das Rückgriffsrecht
to have recourse to	Rückgriff nehmen gegen
to come back on s.b., to fall back on s.b.	zurückgreifen auf
to recover an amount from s.b.	sich für einen Betrag an jemandem schadlos halten

re-account	die Rückrechnung
redraft, re-exchange	der Rückwechsel
kiting, kite flying	die Wechselreiterei
kite	a) der Reitwechsel b) der ungedeckte Scheck
forgery	die Fälschung

4. NOTE	4. EIGENER WECHSEL
(negotiable) promissory note	der eigene Wechsel, der Eigenwechsel, der trockene Wechsel, der Solawechsel
individual note, several note	der eigene Wechsel mit einer Unterschrift
joint note	der eigene Wechsel mit zwei oder mehr Unterschriften
accommodation note	der gefälligkeitshalber ausgestellte eigene Wechsel
judgment (*or:* cognovit) note* *(a note authorizing the holder, in case of default, to have judgment entered against the maker without the usual formalities of a lawsuit)*	der Eigenwechsel mit Unterwerfungsklausel
installment note *(US)** *(a note used in connection with installment sales; it covers the purchase price which is payable in installments as stated on the note)*	*ein besonders für das Teilzahlungsgeschäft geschaffener Eigenwechsel, der in Raten fällig wird*
collateral note* *(a note specifying certain collateral which was pledged as security for the payment of the note)*	der durch Sicherheiten gedeckte Eigenwechsel

* *In Deutschland unbekannt.*

B. Translation Exercises | **B. Übersetzungsübungen**

1. English–German | 1. Englisch–Deutsch

1. A cheque which bears a date subsequent to the actual date of issue is said to be "postdated." 2. A person receiving a crossed cheque must hand it to his banker, who will collect it for him and place the amount to the credit of his account. 3. A cheque must be presented for payment within reasonable time. 4. When a cheque is presented and paid at the bank, it is stamped "paid" and charged against the depositor's credit balance. At regular intervals these cancelled cheques are returned to the drawer. 5. A bill of exchange is an unconditional order in writing, addressed by one person to another, signed by the person giving it, requiring the person to whom it is addressed to pay on demand or at a fixed or determinable future time a sum certain in money to or to the order of a specified person, or to bearer. 6. A promissory note is an unconditional promise in writing made by one person to another, signed by the maker, engaging to pay on demand or at a fixed or determinable future time, a sum certain in money to or to the order of a specified person, or to bearer. 7. Where a bill is drawn in a set, each part of the set being numbered and containing a reference to the other parts, the whole of the parts constitutes one bill. 8. As a rule, the drawer, before negotiating the bill or before handing it to the payee, sends it to the drawee for acceptance. 9. The drawee accepts by writing his name across the face of the bill. Generally, he will add the word "accepted" and possibly the date—the latter is important if the bill is payable at a period after sight. 10. The acceptor can domicile the bill, i.e., accept it "payable at the Blank Bank, Blanktown," provided he has been given permission by the banker to do so. 11. The term "accommodation bill" should be applied only to a bill bearing the signature of an accommodation acceptor. 12. An endorsement in blank specifies no endorsee, and a bill so endorsed becomes payable to bearer. 13. Where a bill of exchange has been protested for dishonour by non-acceptance, and is not overdue, any person, not being a party already liable thereon, may, with the consent of the holder, intervene and accept the bill supra protest, for the honour of any party liable thereon. 14. Where the holder of a bill refuses to receive payment supra protest he shall lose his right of recourse against any party who would have been discharged by such payment. 15. If the holder fails to present the bill for payment when it is due, the drawer and the endorsers are discharged from their liability. 16. In the event of non-acceptance or non-payment, notice of dishonour must be given to the drawer and each endorser. 17. When a bill is

dishonoured, the holder, provided that he has taken the requisite proceeding on dishonour, may recover from any party liable: (a) the amount of the bill; (b) interest thereon from the time of presentment for payment if the bill is payable on demand, and from the maturity of the bill in any other case; (c) the expenses of noting, or, when protest is necessary, and the protest has been extended, the expenses of protest. 18. Sometimes a bill is marked "If dishonoured, incur no charges," which means that the drawer does not wish that it be noted and protested.

2. Deutsch–Englisch 2. German–English

1. Der Scheck dient dem Aussteller dazu, bargeldlos aus seinem Guthaben Zahlungen zu leisten. 2. Die Begebung von Schecks erfolgt auf Grund eines mit einer Bank abgeschlossenen Vertrages, wonach diese sich verpflichtet, auf sie gezogene Schecks bis zum jeweiligen Betrag des Scheckguthabens einzulösen. 3. Der Inhaberscheck wird formlos weitergegeben; die Weitergabe eines Orderschecks ist nur durch Indossament möglich. 4. Die Kreuzung des Schecks erfolgt durch zwei gleichlaufende Striche auf der Vorderseite. 5. Ein vordatierter Scheck, der vor dem Ausstellungsdatum vorgelegt wird, ist am Tage der Vorlegung zahlbar. 6. Der gezogene Wechsel enthält: a) die Bezeichnung als Wechsel im Text der Urkunde, und zwar in der Sprache, in der sie ausgestellt ist; b) die unbedingte Anweisung, eine bestimmte Geldsumme zu zahlen; c) den Namen dessen, der zahlen soll (Bezogener); d) die Angabe der Verfallzeit; e) die Angabe des Zahlungsortes; f) den Namen dessen, an den oder an dessen Order gezahlt werden soll; g) die Angabe des Tages und des Ortes der Ausstellung; h) die Unterschrift des Ausstellers. 7. Der eigene Wechsel enthält nicht eine unbedingte *Anweisung,* sondern ein unbedingtes *Versprechen,* eine bestimmte Geldsumme zu zahlen. 8. Ein Wechsel kann ausgestellt werden auf Sicht, auf eine bestimmte Zeit nach Sicht, auf eine bestimmte Zeit nach der Ausstellung, oder auf einen bestimmten Tag. 9. Durch sein Akzept verpflichtet sich der Bezogene, den Wechsel am Verfalltag einzulösen. 10. Jeder Wechsel kann durch ein Indossament übertragen werden, das auf die Rückseite der Urkunde gesetzt wird, auch wenn er nicht ausdrücklich an Order lautet. 11. Alle, die einen Wechsel ausgestellt, angenommen, indossiert oder mit einer Bürgschaftserklärung versehen haben, haften dem Inhaber als Gesamtschuldner. 12. Der Indossant kann zwar seine Haftung durch einen Zusatz zum Indossament („ohne Obligo") ausschalten, doch wird niemand einen solchen Wechsel gern in Zahlung nehmen. 13. Der Aussteller sowie jeder Indossant oder Wechselbürge kann eine Person angeben, die im Notfalle

annehmen oder zahlen soll (Notadresse). 14. Der Wechsel kann zu Ehren eines jeden Wechselverpflichteten, gegen den Rückgriff genommen werden kann, angenommen oder bezahlt werden (Ehrenakzept und Ehrenzahlung). 15. Wird die Annahme verweigert, so kann der Inhaber bereits vor Fälligkeit von seinem Vormann gegen Rückgabe des Wechsels mit Protest Zahlung verlangen. 16. Manchmal verlangt ein Wechselnehmer, daß sich eine als zahlungsfähig und zuverlässig bekannte Person für den Bezogenen verbürgt. Am Verfalltag kann der Wechselinhaber sofort vom Wechselbürgen Zahlung verlangen, d. h. er braucht den Wechsel gar nicht erst dem Bezogenen vorzulegen. 17. Wird der Wechsel bei Verfall nicht bezahlt, so kann der Inhaber gegen die Indossanten, den Aussteller und die anderen Wechselverpflichteten Rückgriff nehmen. 18. Wenn Regreß genommen wird, werden Wechsel und Protest in der Regel erst nach Eingang des Betrages der Rückrechnung ausgeliefert.

V. Stock Exchange — V. Börse

A. Terminology — A. Terminologie

1. Stock Exchange — 1. Börse

English	Deutsch
stock exchange	die Wertpapierbörse
commodity exchange	die Warenbörse
exchange	die Börse *(Oberbegriff)*
official trading	der amtliche Verkehr
official quotation	der amtliche Kurs, die amtliche Notierung
to be officially quoted, to be listed (on the stock exchange)	amtlich notiert werden
unlisted securities, outside securities	die Freiverkehrswerte
trading posts	die Freiverkehrshandelsstellen
The Stock Exchange Daily Official List *(London)*, official quotation list	Amtliches Kursblatt
supervisory body *(e.g. government agency)* for stock exchanges	die Börsenaufsicht
before official hours	vorbörslich
after official hours	nachbörslich
curb market, kerb market, street market	Nachbörse, Vorbörse, Straßenbörse
street prices, prices quoted after official hours	nachbörsliche Kurse
inter-office dealings	der Telefonverkehr
share market	der Aktienmarkt
bond market	der Rentenmarkt
admission of securities to the stock exchange	die Zulassung von Wertpapieren zum Börsenhandel
introduction of securities on the stock exchange	die Börseneinführung
Securities and Exchange Commission *(US)*	die Börsenaufsichtsbehörde
seat	der Börsensitz
Council of the Stock Exchange *(Lon-*	der Börsenvorstand

don), Board of Directors *(NYSE: New York Stock Exchange)*	
ticker	der Börsenfernschreiber
application for listing	der Börseneinführungsantrag
trading post	die Handelsstelle *(an der N. Y. Stock Exchange)*
over-the-counter market, inter-office dealings, non-exchange trading, unofficial market, open market, street market	der außerbörsliche Verkehr
American Stock Exchange	die American Stock Exchange
unofficial dealings (on the stock exchange), free dealing, dealing in the free market	der Freiverkehr
regulated unofficial dealings (on the stock exchange)	der geregelte Freiverkehr
rate on the free market, price on the free market, free market price, free market rate, street prices	der Freiverkehrskurs

2. Types of Securities — 2. Wertpapierarten

government bond	die Regierungsanleihe, die Staatsanleihe
state bond	die Staatsanleihe *(US: of the state)*
municipal bond, communal bond	die Kommunalanleihe
public loans	öffentliche Anleihen
mortgage bonds	Pfandbriefe
industrial bonds	Industrieanleihen
convertible bond	die Wandelanleihe
gilt-edged securities, gilts	die Staatspapiere *(Unterart der mündelsicheren Papiere)*
trustee securities	die mündelsicheren Papiere
fixed interest stocks	die festverzinslichen Papiere
specialities	die Spezialwerte
long-dated funds	die festverzinslichen Papiere mit langer Laufzeit

equities, equity shares	Dividendenpapiere
machine tools	Werkzeugmaschinenproduzenten
gold mines	Goldminen
banks, bank stocks	Banken
stores	Warenhäuser
rubber manufacturing	Gummiverarbeiter
foods	die Nahrungsmittelindustrie
chemicals	Chemiewerte
insurance (issues)	Versicherungen
electronics	elektronische Werte
coppers	Kupferwerte
investment trusts	Investmentgesellschaften
building (issues)	Bauwerte
utilities	Versorgungswerte
fertilizers	Düngemittelhersteller
finance	Finanzierungswerte, Finanzwerte
automobiles	Automobilwerte
drugs	Arzneimittelhersteller
oils, oil issues	Ölwerte
rubbers	Gummiwerte
breweries	Brauereien
shipping (issues)	Reedereien, Schiffahrtswerte
textiles	Textilwerte
aircrafts	Flugzeugwerte, Flugzeugproduzenten
airlines	Fluggesellschaften
motors	Motorenwerte
railroads	Eisenbahnwerte
building materials	Baumaterialhersteller
shipbuilding	Werften
newspapers	Zeitungen
steel	Stahlwerte
papers	Papierproduzenten
electrical equipment	Elektrowerte
property	Aktien von Immobiliengesellschaften
engineering	Maschinenbau
plastics	Kunststoffwerte
odd lot	ungerader Aktienbetrag unter 100 Stück
round lot	100 Stück

no-par stock *(US)*	nennwertlose Aktie
nominal value share, par value share, face value share	Aktie mit Nennwert
blue chips	die besten Aktien, Spitzenwerte
investment trust certificate	das Investmentzertifikat
investment trust unit	der Investmentanteil
outside loans	im Freiverkehr gehandelte Anleihen

3. Persons Concerned / 3. Betroffene Personen

jobber *(GB)*, dealer *(US)*	Effektenhändler für eigene Rechnung, Eigenhändler
turn (of the jobber), jobber's turn	Verdienstspanne des jobber,
(stock)broker, commission broker *(US)*	Broker *(tritt als Kommissionär für die Kunden auf)*
government broker	Börsenvertreter des Staates
brokerage, commission	Provision des broker, Courtage
commission	die Bankenprovision
member of the stock exchange, floor member	das Börsenmitglied
specialist *(NYSE)*	Börsenmitglied, *das auf bestimmte Wertpapiere spezialisiert ist*
odd-lot dealer *(NYSE)*	Händler für ungerade Beträge
floor broker *(NYSE)*	Broker, der Aufträge für andere Broker ausführt
broker firm, brokerage house, commission house *(US)*, wire house *(US)*	Brokerfirma
investment adviser	der Effektenberater
dealer in unlisted securities *(US)*, dealer in outside securities	der Freiverkehrshändler
client, market operator	der Kunde
investor	der Anleger
institutional investor	der institutionelle Anleger
bond house	das Pfandbriefinstitut, die Rentenhändlerfirma

bull	der Haussier
bull market	ein haussierender Markt, steigende Kurse
bear	der Baissier
bear market	der Baissemarkt
bear point	Baissemoment
clerk	der Angestellte eines Börsenmitglieds
authorized clerk	der zum Abschluß von Geschäften ermächtigte Angestellte eines Börsenmitglieds
stock exchange agent, representative (of a bank) on the stock exchange	der Börsenvertreter
power of attorney for the stock exchange	die Börsenvollmacht
stock exchange speculator, stock exchange operator, market operator	der Börsianer, der Berufsspekulant
stag	der Konzertzeichner

4. Stock Exchange Transactions — 4. Börsengeschäfte

spot (*or:* cash) transaction, operation, sale, purchase; dealing for cash	das Kassageschäft
spot market	der Kassamarkt
cash price, spot price	der Kassakurs
cash purchase, cash buying, buying outright	der Kassakauf
cash payment	die Kassaregulierung
future (*or:* forward) transaction (*or:* operation)	das Termingeschäft
future trading, trading in futures	Terminhandel
forward buyer	der Terminkäufer
forward seller	der Terminverkäufer
liquidating price, forward (*or:* future) price (*or:* quotation), price for futures, price for forward delivery	der Terminkurs
speculation in futures	die Terminspekulation
short sale	der Leerverkauf, das Fixgeschäft

to sell short	einen Leerverkauf tätigen, fixen
covering, short covering, bear(ish) covering	der Deckungskauf
to liquidate a speculative position, to take a profit *(bull)*, to cover *(bear)*	glattstellen
liquidation of a speculative position, covering, profit-taking	die Glattstellung
to come in for heavy liquidation	umfangreichen Glattstellungen unterworfen sein
liquidating market	schwache Börse infolge von Glattstellungen
settlement	die Liquidation
account day, settling day, settlement day	der Liquidationstag, der Erfüllungstag *(in London stets ein Dienstag)*
account (period)	die Abrechnungsperiode
for the next account	zum nächsten Liquidationstag
contango	der Report *(Aufschub der Liquidation einer Spekulation à la hausse bis zum nächsten Liquidationstag)*
contango day	der Reporttag
contango rate	der Report, die Prolongationsgebühr *(des Haussiers)*
to contango	die Liquidation bei einer a-la-hausse-Spekulation aufschieben, prolongieren
backwardation (rate)	der Deport, der Deportsatz die Prolongationsgebühr (des Baissiers)
making-up price	der Abrechnungskurs
to postpone payment, to carry over	prolongieren, in Kost geben
transfer of title	der Eigentumsübergang
transferable by delivery	übertragbar durch Übergabe
transferable by deed	übertragbar durch Urkunde
option	das Optionsgeschäft
call option	die Kaufoption, die Bezugsoption
call premium	die Vorprämie
put option	die Verkaufsoption
put and call, P.a.C., pac, straddle *(US)*, spread *(GB)*	das Stellagegeschäft

put premium	die Rückprämie
seller of a spread, seller of a put and call	der Stellagegeber
buyer of a spread, buyer of a put and call	der Stellagenehmer
order at the best price, market order *(US)*	der Bestensauftrag *(Verkauf)* der Billigstensauftrag *(Kauf)*
to sell at the best price	bestens verkaufen
to buy at the best (lowest) price	billigstens kaufen
sell-off	der Glattstellungsverkauf
limit order	der Limitauftrag
lower limit, minimum limit	das untere Limit
maximum limit	das obere Limit
to fix, to reach, to raise, to reduce (*or:* lower) a limit	ein Limit setzen, erreichen, erhöhen, ermäßigen
to limit	limitieren
stop-loss order	der stop-loss-Auftrag
speculative operation, speculative transaction, gamble	das Spekulationsgeschäft
speculative buying, speculative purchases	die Meinungskäufe, die spekulativen Käufe
speculative selling, speculative sales	die Meinungsverkäufe, die spekulativen Verkäufe
to speculate, to venture, to operate	spekulieren
to speculate on the wrong side	falsch spekulieren
to play the stock exchange	auf dem Aktienmarkt spekulieren
to bear, to operate (*or:* to speculate) for a fall	auf Baisse spekulieren
bear market	der Baissemarkt
bearish attitude toward …	die pessimistische Einstellung gegenüber …
to bull, to buy (*or:* speculate) for a rise	auf Hausse spekulieren
bull market	der Haussemarkt, die haussierende Börse
bullish attitude toward …	die Hausseeinstellung gegenüber …

5. Stock Exchange Report | 5. Börsenbericht

5. Stock Exchange Report	5. Börsenbericht
market letter	der Börsenbrief, der Börsenbericht
business done, turnover	der Umsatz
speculative movement	die Spekulationsbewegung
speculative pressure	der Spekulationsdruck
upward movement	die Aufwärtsbewegung
ex bonus shares	ex Berichtigungsaktien, ex Gratisaktien, ex Zusatzaktien
to allot, to scale down	repartieren, rationieren
share index *(GB)*, index of stocks *(US)*	der Aktienindex
Dow-Jones index of industrials	der Dow-Jones-Index für Industriewerte
actuaries' index	vom Verband der Versicherungsmathematiker aufgestellter Index
change of tendency	der Tendenzumschwung
to appreciate	im Kurs steigen
pronounced special movement	die deutliche Sonderbewegung
unsettled	unsicher
irregular, patchy, unsteady	uneinheitlich
brisk business	das rege Geschäft
price adjustment	die Kurspflege
panic selling	die Angstverkäufe
prices are sensitive	die Börse ist unsicher
to move violently	heftig reagieren
change in mood	die Stimmungsänderung
setback, relapse, fall	der Rückgang
investment buying	die Anlagekäufe
to rebuy	zurückkaufen
price level	das Kursniveau
defensive shares	widerstandsfähige Papiere
trend of the market	die Börsentendenz
ex right, xr	ex Bezugsrecht, ex Bez., ohne Bezugsrecht
cum rights, rights on	inklusive Bezugsrecht
to transfer ex dividend	ex Dividende übertragen
ex dividend, xd	ex Dividende, eD
cum new	inklusive Bezugsrecht für junge Aktien

market lacks incentive	die Börse ist lustlos
all-time peak, all-time high *(US)*	der absolute Höchststand
all-time low	der absolute Tiefststand
annual peak	der Jahreshöchststand
the trend of the stock exchange on Thursday was firm	die Börse vom Donnerstag war fest
firm, rising	fest
weak	schwach
cheerful	freundlich, etwas fester
easing, crumbling, slackening	abbröckelnd
neglected	vernachlässigt
unchanged	unverändert
resistant	widerstandsfähig
steady	stetig
firmness	die Festigkeit
fall, drop	der Rückgang
rise	der Anstieg
prices soar	die Kurse haussieren
sharp fall	die Baisse
to advance, to firm, to move up, to gain	anziehen
to rise strongly (*or:* sharply), to turn strong, to go ahead sturdily	scharf anziehen
to remain firm, to keep firm	fest bleiben
to edge up	langsam anziehen
to be marked up	heraufgesetzt werden, höher notieren
upturn, upward movement, improvement	die Kurssteigerung
moderate rise	der leichte Kursanstieg
abrupt rise, sharp advance	der scharfe Kursanstieg
spurt	der plötzliche, sehr scharfe Anstieg
rally, recovery	die Erholung
to rally, to recover	sich erholen
to offset earlier losses	frühere Verluste ausgleichen
widely spread rise, widely spread improvement	der Kursanstieg auf breiter Basis
rise spread over a wide variety (of shares)	ein Anstieg, der sich auf eine Vielzahl von Werten erstreckt
to close dearer	bei Börsenschluß höher notieren

to close 2 p up	bei Börsenschluß 2 Pence höher stehen
to push up prices	die Kurse hochtreiben
chemicals were dearer where changed	die meisten Chemiewerte blieben unverändert, der Rest zog an
section	der Marktbereich, der Markt *(z. B. für Chemiewerte, Banken usw.)*
to give a fillip to the market	der Börse Auftrieb geben
oils were in the van of the advance	die Aufwärtsbewegung wurde von den Ölwerten angeführt
this share closed with a net gain of ...	per Saldo gewann das Papier ...
to dominate trading	das Marktgeschehen beherrschen
insurance issues lagged behind the advances	Versicherungen folgten nur langsam der Aufwärtsbewegung
to fall, to decline, to move down, to lose, to lose ground, to weaken, to dip, to sustain losses	zurückgehen
to ease, to edge down, to drift down	nachgeben, schwächer tendieren, abbröckeln
weakness	die Schwäche
despondent note	die schwache Tendenz, die schwache Haltung
sharp fall, heavy fall	der starke Rückgang, der scharfe Rückgang
marked drop, marked decline	der deutliche Rückgang, der ausgeprägte Rückgang
appreciable loss	der fühlbare Verlust
abrupt downturn	der plötzliche Rückgang
downward movement	die rückläufige Bewegung
... depressed prices	... drückte auf die Kurse, ... drückte die Kurse
aircraft were lower (cheaper) where changed	die Flugzeugwerte blieben größtenteils unverändert, im übrigen waren sie schwächer
net loss	der Per-Saldo-Verlust
hesitant	zurückhaltend
confident	zuversichtlich
lively, brisk	lebhaft
active stocks	rege gehandelte Papiere
active buyers	lebhafte Käufe

unchanged	unverändert
little change	wenig verändert
sluggish, quiet, dull, inactive	lustlos
response, reaction	die Reaktion
technical pattern of the market	die technische Verfassung des Marktes
technical reaction	die technische Reaktion
technical rally	die technische Erholung
thin market, narrow market	der enge Markt
narrowness of the market, shortage of shares	die Marktenge
demand in a market short of stock	die Nachfrage auf einem engen Markt
fresh demand	erneute Kauflust
moderate turnover	mäßiger Umsatz
action (of the market)	die Haltung, die Bewegung, die Reaktion, die Entwicklung (der Kurse)
uptrend	die Aufwärtsbewegung
downtrend	die Abwärtsbewegung
commitment	das Engagement
to be in a downward price movement	eine abwärtsgerichtete Kursbewegung haben
to be in a sidewise price movement	weder steigen noch fallen
price appreciation	Kurssteigerung(en)
to form a base pattern, to base out, to bottom out	eine Widerstandslinie *(untere Kursschwankungsgrenze)* bilden
long-term holdings	langfristige Anlagen
British holders of Ford	englische Fordaktionäre
established shares	solide Werte, Standardpapiere
profit-taking	die Gewinnmitnahmen
at Friday's session	im Verlaufe der Freitagsbörse
the downside potential	die Abschwächungstendenzen, -möglichkeiten
intermediate term upside potential	kürzerfristige Kurssteigerungschancen (*oder:* Kursauftriebsmöglichkeiten, Kurssteigerungsmöglichkeiten)
short-term, short-run	kurzfristig
to market	a) einkaufen b) verkaufen, absetzen

strength in the market, the market's strength	das Steigen der Kurse
weakness in the market	das Abgleiten der Kurse
to hold up well	sich gut halten *(Papier bezüglich des Kurses)*
Wall street's rally	Erholung von Wall Street
slight uncertainty	leichte Unsicherheit (der Börse)
intra-day high	der Tageshöchststand
it will pay the prudent investor....	es wird sich für den umsichtigen Anleger lohnen ...
recommendation	die Empfehlung *(zu kaufen etc.)*
to switch ... into ...	umtauschen in ...
to be fully priced	vollauf bezahlt sein
leader, leading share, high-quality stock, blue chip, favourite	der Spitzenwert
medium-grade stock	die Aktie mittlerer Güte
reasonably valued	vorsichtig bewertet, billig, günstig
promising	vielversprechend, günstig
best profit potentialities	beste Gewinnmöglichkeiten
broad economic trends	allgemeine wirtschaftliche Tendenzen
quotation	die Notierung
price	der Kurs
investment	die Geldanlage, der Anlagewert, die Anlagemöglichkeit
gross yield	die Bruttorendite
stimulant	anregendes Moment
market strength	die Befestigung des Marktes, die Festigkeit des Marktes
selective stock purchases	selektive Aktienkäufe
the market	das allgemeine Kursniveau, die allgemeine Kursbewegung
to be in a general bottoming area	am unteren Wendepunkt sein, sich konsolidieren *(Kurse)*
outlook	die Aussichten
to offer good value for long-range investment purposes *(stocks)*	liegen günstig, sind billig für langfristige Anlagezwecke *(Aktien)*
consolidation	die Konsolidierung
low	der Tiefstand
sound stocks	gute Werte, sichere Werte

to maintain a position in sound stocks, to hold sound stocks	gute Werte behalten, auf guten Werten sitzenbleiben
asked price, offer price, selling price, mainly sellers	Brief, BB, P, p, Angebot
bid price, buying price, mainly buyers	Geld, G, g, Nachfrage
prices negotiated	bezahlt, b
more buyers than sellers	bezahlt Geld, bG, bg
more sellers than buyers	bezahlt Papier, bP, bp, bezahlt Brief, bB
low-priced	niedrignotierend
high-priced	hochstehend
market leader	der Spitzenreiter, der erste Wert einer Branche, der führende Wert einer Branche

6. Miscellaneous Terms / 6. Verschiedenes

safe custody account *(GB)*, custodianship account *(US)*	das Effektendepot, das Depot
securities under special wrapper	das Streifbanddepot, SD
safe custody account, collective deposit, omnibus deposit	das Girosammeldepot
statement of (deposited) securities	der Depotauszug, die Depotaufstellung
depositor (of securities in a bank)	der Depotinhaber, der Depotkunde
safe custody charges	die Depotgebühr
administration of custodianship accounts, administration of safe custody accounts	die Depotverwaltung
deposit account	das Depotkonto
credit (entry)	der Zugang
debit	der Abgang
(advice of) credit to security deposit account	die Depotgutschrift
confirmation slip, advice of execution slip, advice of execution	die Ausführungsanzeige
transfer tax, transfer stamp, stamp tax, stamp duty	die Börsenumsatzsteuer

free of stamp duty	börsenumsatzsteuerfrei
stock exchange value, market value	der Börsenwert
investment in securities	die Wertpapieranlage
to refund	umschulden
refunding	die Umschuldung
coupon rate	der Zinssatz für festverzinsliche Wertpapiere
tip	der Börsentip

B. Translation Exercises

B. Übersetzungsübungen

1. English–German

1. Englisch–Deutsch

1. The new Stock Exchange account opened in quiet and depressed mood yesterday. The usual Monday morning investment buying was not much in evidence and prices receded on small selling. Business was however limited and here and there a modest recovery took place from the day's lowest levels. 2. The Chancellor of the Exchequer's overnight speech had dulled some of the sparkle inspired by Thursday's Bank rate cut when stock markets opened yesterday. Prices were accordingly widened at the outset in many sections with some dealers also moving warily in fear of profit-taking sales. No selling, however, materialized and the previous day's advance was resumed albeit at a slower pace. 3. Buyers were again holding off on reconsideration of the immediate economic outlook and prices continued to drift. A feature of after-hours trading was the marking down of cotton shares by up to 1s. 4. The decline in oils was arrested by a certain amount of bear covering and tins were picking up after Thursday's falls. The number of bargains marked up in all sections totalled 10,806. A good turnover took place in British funds, which closed at the highest levels of the day. Buying was more widely spread and although mediums still commanded the limelight the undated too were improving, if at a slower pace. Leading industrials presented a far from happy appearance with the brunt of the new time selling falling on I.C.I., in anticipation of workers' bonus shares coming on to the market next week. 5. It was a better day for sterling in the foreign exchange markets yesterday. Rising at one stage to $2.79 1/32, the London—New York spot rate finally closed with a net gain of 1/16c at $2.79. The authorities might have lent a little support, but the slight rally in the pound was perhaps more generally attributed to buying by operators who had previously oversold the currency. (1—5 from

"The Times.") 6. The large speculative position that was built up last week when German and other Continental banks and merchants were leaving sterling commitments uncovered and making heavy forward sales of sterling remains open for the most part. The covering of these positions should in due course bring support both to the forward and spot rates. There has already been some narrowing of forward rates. 7. The three months' premium on US dollars has fallen from 1¼ cents at the beginning of this week to 1⅛ cents, and there has also been some narrowing in the larger premiums on Continental currencies. But they remain unusually high. 8. The speculative position in sterling is reflected in rates ranging to very nearly 10 per cent paid on day to day swap operations against French francs. (6—8 from "The Economist.") 9. Our view is that stocks are not yet ready to begin a new general bull market. Basic stimulants are lacking, though intermediate market strength can develop any time. We think that selective stock purchases only are justified, not a bullish attitude toward the general market. 10. The market may now be in a general bottoming area. We would proceed cautiously, but are of the opinion that carefully selected stocks offer good value for long-range investment purposes. 11. Consolidation will be needed, possibly involving a test of recent lows. You should maintain positions in sound stocks, along with reasonable buying reserves. 12. It will pay the prudent investor to weed out equities with poor earnings and/or dividend prospects, and await evidence that the market has formed a stabilized base. Once this has been definitely established, we look for investor sentiment to veer strongly to the optimistic side. 13. SPECIFIC RECOMMENDATIONS. Hold: GENERAL DYNAMICS — Buy: AMERICAN STORES — Sell: BURLINGTON INDUSTRIES, INLAND STEEL — Switch: UNILEVER NV into high-quality PHILIPS LAMPS — Avoid: UNITED FRUIT — BELL & HOWELL ... in relation to visible earning prospects, the medium-grade stock is fully priced — INTERSTATE DEPARTMENT STORES ... still reasonably valued in view of the company's prospects (Herzfeld & Stern). 14. The stock market interpreted Mr. Kennedy's extremely narrow victory margin as a favorable development and, after some slight uncertainty early Wednesday, the Dow-Jones Industrials advanced to an intra-day high of 614.09 on Thursday. Profit-taking in Friday's Armistice Day session brought about a mild correction. Volume indications were favorable with transactions moving above the four-million-share level on Thursday, and dropping to 2,730,000 on Friday's sell-off. 15. Despite the recent happenings in the political, foreign and economic field, the technical pattern of the market shows no great change from the analysis presented in our letter of October 21st. 16. Other groups have patterns that are difficult to interpret, but the compilation above covers most of the more important groups. From a tax-loss point of view, it would appear advisable to switch from the fourth group into the second group for intermediate-term upside potentials, and into the third group for longer-term holding. (9—16 from "Tabell's Market Letter.")

2. Deutsch–Englisch | 2. German–English

1. Eisenbahn- und Chemiewerte gingen bei Börsenschluß leicht zurück. 2. Der starke Kursanstieg bei der Int. Mining Company wurde durch amerikanische Interessenkäufe ausgelöst. 3. IBM hat auf 436 angezogen. Bei Erdölwerten hielt die Kursabbröckelung trotz der etwas optimistischen Zwischenberichte der verschiedenen Gesellschaften an. 4. Die Haltung des Terminmarktes wurde gegen Schluß unsicher. 5. Die Chemiewerte haben sich behauptet. Die Auslandskäufe haben in den letzten Wochen stark zugenommen. 6. An Warenbörsen können nur vertretbare Waren gehandelt werden, meist sind es Metalle (Zinn, Kupfer, Blei, Zink), landwirtschaftliche Erzeugnisse wie Kaffee, Kakao, Kautschuk, Häute und Felle, Getreide oder Textilstoffe (Wolle, Seide). 7. Das Rückprämiengeschäft war heute sehr lebhaft. 8. In Fortsetzung der freundlichen Tendenz, die nach einigen Wochen rückläufiger Entwicklung seit Anfang August wieder das Bild der deutschen Aktienmärkte bestimmt, hat sich die Geschäftstätigkeit zur Monatsmitte hin weiter fühlbar belebt. Dabei ging die Nachfrage nicht nur vom inländischen Börsenpublikum aus, in zunehmendem Maße beteiligte sich vielmehr erneut das Ausland mit wesentlichen Käufen. Insbesondere wurden am Markt der Chemie- und Elektrowerte größere Posten für ausländische Rechnung aus dem Markt genommen. Erhebliche Kauforders trafen zeitweise aus den Vereinigten Staaten ein, wo mit der Diskontsenkung von 3½ auf 3% die Politik des billigen Geldes fortgesetzt wird. Angesichts der nur geringen Abgabeneigung kam es an den deutschen Börsen in einer Reihe von Werten zu neuen Höchstkursen, die allerdings im weiteren Verlauf infolge von Gewinnmitnahmen und Glattstellungen nicht immer gehalten werden konnten. Das Geschäft flaute in den letzten Tagen etwas ab. 9. Hatte sich das Börsengeschehen in der vorangegangenen Berichtszeit mehr und mehr auf einzelne Spezialwerte beschränkt, so ging die Nachfrage jetzt eher in die Breite und erfaßte nahezu alle Marktgebiete. Dabei schenkte man den Aktien der Eisen- und Stahlindustrie zeitweise größere Aufmerksamkeit. 10. Mit neuen Kurssteigerungen standen am Markt der Chemiewerte wiederum die Aktien der IG Farben-Nachfolger im Blickpunkt des Interesses. Nachdem Anfang August Farbenfabriken Bayer stärker favorisiert waren, zogen jetzt

Farbenwerke Hoechst kräftig nach. BASF wurden ebenfalls merklich höher gehandelt. Spätere Gewinnmitnahmen ließen die Kurse abbröckeln. 11. Die Nachfrage nach Siemens und AEG konnte zunächst nur zu weiter anziehenden Kursen befriedigt werden. Zu einer deutlichen Sonderbewegung kam es bei Accumulatoren, die auf Meinungskäufe rund 150 Punkte avancierten. Am Markt der Versorgungswerte setzten RWE (Stamm- und Vorzugsaktien) ihren Anstieg fort. 12. Maschinen- und Motorenaktien strebten weiter nach oben, jedoch schien die Bewegung bei einigen Werten später zum Stehen zu kommen; einzelne Höchstkurse konnten nicht gehalten werden. Von einer Umsatzsteigerung um 25% auf über 1 Mrd. DM berichtet die Klöckner-Humboldt-Deutz AG für das am 30. 6. abgelaufene Geschäftsjahr 1959/60. Stärker noch hat der Export zugenommen, dessen Anteil von 28 auf 32% des Gesamtumsatzes wuchs. Daimler kamen ex Berichtigungsaktien (1 : 1,5) und Dividende (12%) auf der Basis 3800—4000% zur Notiz und gaben dann auf 3550% nach. 13. Stärker in den Nachfragesog gerieten in der Berichtszeit auch Bankaktien. Verschiedentlich mußten Repartierungen vorgenommen werden. 14. Nach dem etwa Mitte Juli eingetretenen Tendenzumschwung stand der Rentenmarkt auch in den letzten 10 Tagen weiterhin im Zeichen einer recht lebhaften Umsatztätigkeit. Die Nachfrage der Kapitalsammelstellen sowie sonstiger in- und ausländischer Anleger konnte auf verschiedenen Gebieten nur zu anziehenden Kursen befriedigt werden. 15. Am Markt der Pfandbriefe und Kommunalobligationen sind die neuen 7%igen Papiere aus Neuemissionen praktisch nicht mehr erhältlich, kleine Restbeträge werden etwa auf der Basis 101% gehandelt. Da man in Börsenkreisen damit rechnet, daß vorerst keine weiteren 7%igen Pfandbriefe und Kommunalobligationen mehr aufgelegt werden, verlagerte sich das Interesse der Anleger zunehmend auf 6- und 6½%ige Titel, die in größeren Posten bei steigenden Kursen aus dem Markt genommen wurden. 16. Rege gefragt waren ferner öffentliche Anleihen, für die sich auch das Ausland stärker interessierte. Neben den 7%igen Anleihen der Bundesbahn, Bundespost und Lastenausgleichsbank fand vor allem die 6%ige Bundesanleihe von 1960 Beachtung, die inzwischen über ihren seinerzeitigen Emissionskurs von 98% heraufgesetzt wurde. 17. Weiter freundlich lagen Industrieobligationen. Während 8%ige Emissionen sich im Kurs nur noch wenig veränderten, z. T. leicht abbröckelten, zogen niedriger verzinsliche Werte eher an. Nachfrage bestand vor allem für 5- und 5½%ige Papiere. 18. Für Wandelanleihen hielt die gute Stimmung an. Zum Teil ergaben sich analog der Bewegung am Aktienmarkt größere Kursgewinne, wie z. B. bei der 7% AEG von 1958, die von 288 auf 311—310% anstieg. (8—18 Deutsche Bank, Börsenbericht.)

VI. Business Organizations and Combinations / VI. Unternehmungen und Zusammenschlüsse

A. Terminology / A. Terminologie

1. General Terms / 1. Allgemeines

business enterprise, commercial enterprise, business, firm, concern	die Unternehmung, das Unternehmen
entrepreneur	der Unternehmer
firm name, trade name	die Firma, der Firmenname
forms of business organization, forms of business enterprise, types of business ownership, types of business units, types of commercial undertaking	die Unternehmungsformen, die Rechtsformen der Unternehmung
establishment, foundation, formation, flotation, promotion	die Gründung (eines Unternehmens)
to establish, to found, to form, to float, to promote, to start, to set up, to organize, to launch, to create	gründen
to set o. s. up in business	sich selbständig machen, ein eigenes Geschäft gründen
dissolution	die Auflösung
to dissolve	auflösen
liquidation, winding-up	die Liquidation
natural person	die natürliche Person
legal entity, body corporate, juristic person	die juristische Person
registration	die Eintragung
to register	eintragen
to do business, to carry on business	Geschäfte tätigen
to make a profit, to realize a profit	einen Gewinn erzielen
commercial register *(Germany)*	das Handelsregister
to incur a loss, to sustain a loss, to suffer a loss	einen Verlust erleiden
to contract debts	Schulden machen

to incur debts, to incur obligations	Verbindlichkeiten eingehen
to acquire rights	Rechte erwerben
to acquire property	Vermögen erwerben
the right to sue and be sued	das Recht zu klagen und verklagt zu werden
liability for business debts	die Haftung für Geschäftsschulden
to be liable for debts	für Schulden haften
limited liability	die beschränkte Haftung
unlimited liability	die unbeschränkte Haftung
joint and several liability	die gesamtschuldnerische Haftung

2. One-man Firm — 2. Einzelunternehmung

one-man firm, sole proprietorship *(US)*, single proprietorship *(US)*, individual proprietorship *(US)*, individual enterprise *(US)*	die Einzelunternehmung, die Einzelfirma
sole trader, sole proprietor *(US)*	der Einzelkaufmann

3. Partnerships — 3. Personalgesellschaften

unincorporated firm	die Personengesellschaft
association of two or more persons	der Zusammenschluß zweier oder mehrerer Personen
a partnership formed between a capitalist and an inventor	eine von einem Kapitalgeber und einem Erfinder gemeinsam gegründete Gesellschaft
trading partnership, commercial partnership, mercantile partnership	die Handelsgesellschaft
non-trading partnership, non-commercial partnership	*etwa:* die Gesellschaft des bürgerlichen Rechts, die BGB-Gesellschaft
joint venture	die Gelegenheitsgesellschaft, die Gemeinschaftsgründung
consortium, syndicate	das Konsortium
ordinary partnership, general partnership *(US)*	*etwa:* die offene Handelsgesellschaft, die OHG

limited partnership	*etwa:* die Kommanditgesellschaft, die KG
a partnership entered into for a definite period (fixed time)	die Gesellschaft auf bestimmte Zeit
a partnership entered into for an indefinite period (undefined time)	die Gesellschaft auf unbestimmte Zeit
partnership assets, partnership property	das Gesellschaftsvermögen
partnership debts	die Schulden der Gesellschaft
partnership capital	das Kapital der Gesellschaft
limited liability capital	das Kommanditkapital
deed of partnership, partnership agreement, articles of partnership, articles of copartnership *(US)*	der Gesellschaftsvertrag
to enter into a partnership agreement, to conclude a partnership agreement	einen Gesellschaftsvertrag schließen
to alter the partnership agreement	den Gesellschaftsvertrag ändern
to carry on a partnership under verbal agreement	eine Gesellschaft auf Grund mündlicher Vereinbarung betreiben
to draw up a written agreement	einen schriftlichen Vertrag aufsetzen
to reduce to writing	schriftlich fixieren
provisions of the partnership agreement, terms of the partnership agreement	die Bestimmungen des Gesellschaftsvertrages
according to (*or:* in accordance with) the provisions of the partnership agreement	gemäß den Bestimmungen des Gesellschaftsvertrages
irrespective of the terms of the partnership agreement	ungeachtet der Bestimmungen des Gesellschaftsvertrages
unless the partnership agreement provides otherwise	wenn im Gesellschaftsvertrag nichts anderes vorgesehen ist
unless otherwise specified in the partnership agreement	wenn der Gesellschaftsvertrag nichts anderes vorsieht
unless otherwise agreed	wenn nichts anderes vereinbart ist
in the absence of contractual agreement to the contrary	wenn keine gegenteilige Abmachung besteht
duration of the partnership	die Dauer des Gesellschaftsvertrages
commencement of the partnership	der Zeitpunkt des Geschäftsbeginns

during the existence (*or:* continuance, life) of the partnership	während des Bestehens der Gesellschaft
the partnership agreement provides for the continuance of the partnership after the death of a partner	der Gesellschaftsvertrag sieht die Weiterführung der Gesellschaft nach dem Tode eines Gesellschafters vor
expiration of the stipulated term	der Ablauf der vereinbarten Frist
partner, copartner, fellow partner	der Gesellschafter, der Teilhaber
silent partner	*der Gesellschafter, der von der Geschäftsführung ausgeschlossen ist (aber nach außen als Gesellschafter in Erscheinung tritt)*
secret partner	*ein Teilhaber, der nach außen nicht in Erscheinung tritt (aber das Recht hat, an der Geschäftsführung teilzunehmen)*
sleeping partner, dormant partner *(a partner who is both "silent" and "secret")*	der stille Gesellschafter, der Stille
general partner	der vollhaftende Gesellschafter, der Komplementär, der persönlich haftende Gesellschafter, der Vollhafter
limited partner, special partner	der beschränkt haftende Gesellschafter, der Kommanditist, der Teilhafter
nominal partner, ostensible partner *(a person "holding out" as a partner)*	jemand, der sich als Gesellschafter ausgibt bzw. ausgeben läßt
active partner	der tätige Gesellschafter
inactive partner	der nicht tätige Gesellschafter
managing partner	der geschäftsführende Gesellschafter
senior partner	der bereits länger im Geschäft befindliche Gesellschafter
junior partner	der später eingetretene Gesellschafter
incoming partner	der neu eintretende Gesellschafter
to admit a new partner	einen neuen Gesellschafter aufnehmen
to enter an existing firm, to join an existing firm	in eine bereits bestehende Firma eintreten
to withdraw, to retire from the partnership	(aus der Gesellschaft) ausscheiden
withdrawal of a partner	das Ausscheiden eines Gesellschafters

withdrawing partner, retiring partner, outgoing partner	der ausscheidende Gesellschafter
to dispose of one's interest in the firm	seinen Geschäftsanteil veräußern
contribution	die Einlage
capital contribution	die Kapitaleinlage
money or property contributed by the partners	die Geld- oder Sacheinlagen der Gesellschafter
partner's investment, partner's interest, partner's share	der Gesellschaftsanteil
drawings, withdrawals	die Privatentnahmen
division of profits and losses	die Aufteilung von Gewinn und Verlust
sharing of profits and losses	die Teilnahme an Gewinn und Verlust
share of the profits	der Gewinnanteil
to share in the profits, to participate in the profits	einen Gewinnanteil erhalten, am Gewinn teilhaben
the partners shall be entitled to share equally in the profits	die Gesellschafter haben ein Recht auf gleichen Anteil am Gewinn
unwithdrawn profits	die nicht entnommenen Gewinne
to contribute equally towards the losses sustained by the firm	die Geschäftsverluste zu gleichen Teilen tragen
to divide the losses per capita	die Verluste nach Köpfen aufteilen
to have unlimited liability for the debts of the partnership	für die Schulden der Gesellschaft unbeschränkt haften
to be liable for partnership debts to the extent of one's investment	für die Schulden der Gesellschaft bis zur Höhe seiner Einlage haften
to take part in the management, to participate in the management	sich an der Geschäftsführung beteiligen
to be entrusted with the management	mit der Geschäftsführung beauftragt sein
to manage (*or:* to operate, to conduct) a business	ein Geschäft führen
to conduct a business jointly	ein Geschäft gemeinsam führen
to devote all one's time to the partnership	der Gesellschaft seine ganze Zeit widmen
scope of authority	der Umfang der Vertretungsmacht
to exceed one's authority	seine Befugnisse überschreiten

right to inspect the books	das Recht der Einsichtnahme in die Bücher
to have access to the books	Zugang zu den Büchern haben
dissolution by agreement (*or:* by assent) of all the partners	die Auflösung durch Beschluß sämtlicher Gesellschafter
to petition the court for dissolution	beim Gericht Antrag auf Auflösung stellen
dissolution by decree of court	die Auflösung durch gerichtliche Entscheidung
dissolution by operation of the law	Auflösung kraft Gesetzes
winding up the affairs of the partnership	die Liquidation der Gesellschaft
to wind up the affairs of the partnership	die Gesellschaft liquidieren

4. Cooperative Societies / 4. Genossenschaften

cooperation*, cooperative system	das Genossenschaftswesen
cooperative movement	die Genossenschaftsbewegung
cooperative society, cooperative association *(US)*	die Genossenschaft
public register of cooperative societies	das Genossenschaftsregister *(im Vereinigten Königreich wird das Genossenschaftsregister vom Registrar of Friendly Societies geführt)*
member of a cooperative society	der Genosse
registered cooperative society with (un)limited liability	eingetragene Genossenschaft mit (un)beschränkter Haftpflicht
cooperative society with (un)limited guarantee	Genossenschaft mit (un)beschränkter Nachschußpflicht
cooperative retail society, consumers' cooperative society, consumers' cooperative association, consumers' cooperative	die Konsumgenossenschaft, der Konsumverein
wholesale cooperative society, wholesale cooperative association, wholesale cooperative	die Einkaufsgenossenschaft

* *Es gibt folgende Schreibweisen:* cooperation, co-operation, coöperation.

cooperative productive society, producers' cooperative	die Produktionsgenossenschaft
marketing cooperative	die Absatzgenossenschaft
building society, savings and loan association *(US)*	die Baugenossenschaft, der Bausparverein
credit cooperative, credit union *(US)*	die Kreditgenossenschaft, der Kreditverein
farmers' cooperative, farm cooperative, agricultural cooperative	die landwirtschaftliche Genossenschaft
agricultural credit cooperative, rural credit union	*etwa:* die Raiffeisenkasse
cooperative union	der Genossenschaftsverband

5. Companies and Corporations — 5. Kapitalgesellschaften

joint-stock company	die Kapitalgesellschaft *(in Großbritannien)*
unlimited company, joint-stock company *(US)*	die Gesellschaft mit unbeschränkter Haftung *(in der Praxis selten)*
company limited by guarantee	die Gesellschaft mit beschränkter Nachschußpflicht *(im allgemeinen ein „Verein mit idealen Zielen")*
company limited by shares, limited liability company, limited company	die englische AG *bzw.* GmbH
public limited company	*eine (englische) Gesellschaft, deren Anteile öffentlich gehandelt werden*
private limited company	*das Gegenteil einer public limited company, entspricht daher etwa der deutschen GmbH bzw. Familien-AG*
company limited by shares, but having one or more general partners *(Germany)*	die Aktienkommanditgesellschaft, die Kommanditgesellschaft auf Aktien, die KGaA
changing a partnership into a limited company	die Umwandlung einer Personalgesellschaft in eine AG
one-man company	die Einmann-Gesellschaft
public corporation	die Körperschaft des öffentlichen Rechts
private corporation	die Körperschaft des Privatrechts

quasi-public corporation *(US)*	*eine private Gesellschaft, die eine für die Öffentlichkeit wichtige Tätigkeit ausübt und deshalb öffentlicher Reglementierung und Aufsicht unterliegt (z. B. die Federal Reserve Banks)*
stock corporation *(US)*	die amerikanische AG bzw. GmbH
nonstock corporation *(US)*	*etwa:* der rechtsfähige Verein
nonprofit corporation *(US)*	der gemeinnützige Verein
domestic and foreign corporations *(US)*	*in jedem Einzelstaat werden die vom betreffenden Staat konzessionierten Gesellschaften „domestic", die von anderen Staaten konzessionierten Gesellschaften „foreign" genannt*
alien corporation *(US)*	die ausländische Gesellschaft
open corporation *(US)*	*entspricht der englischen* public limited company
closed corporation *(US)*	*entspricht der englischen* private limited company
law relating to joint-stock companies	das Aktienrecht
Companies Act, as amended in 1967	*das englische Aktiengesetz von 1967 (in den USA gibt es kein einheitliches Aktienrecht; jeder Einzelstaat hat seine eigenen gesetzlichen Bestimmungen)*
amendment of the law relating to joint-stock companies	die Aktienrechtsreform
to float a company, to promote a company, to establish a company	eine AG gründen
promoter, incorporator, organizer	der Gründer
memorandum of association, articles of incorporation *(US) (a contract between the company and the outside world)*	*etwa:* die Satzung
articles of association, bylaws *(US) (a contract between the company and the members, containing the internal regulations of the company)*	*etwa:* die Satzung
the signatures are to be acknowledged by a notary public	die Unterschriften müssen notariell beglaubigt werden
charter	die Charter, die Konzession(surkunde)
to charter	konzessionieren

application for a charter	der Antrag auf Erteilung einer Konzession
name of the company, corporate name *(US)*	die Firma einer AG, der Firmenname einer AG
registered office of the company	der eingetragene Sitz der Gesellschaft
object of the company, the objects for which the company is established, the purpose for which the company is formed	der Unternehmungszweck, der Gesellschaftszweck
ultra vires acts of the corporation	Handlungen, die nicht mit dem Gesellschaftszweck in Einklang stehen
share capital, capital stock *(US)*	das Aktienkapital, das Grundkapital, das Stammkapital *(Geschäftskapital einer GmbH)*
increase in the share capital (capital stock)	die Kapitalerhöhung, die Kapitalaufstockung
to increase the share capital by …	das Kapital um … erhöhen
reduction of the share capital	die Herabsetzung des Aktienkapitals
to reduce the share capital	das Aktienkapital herabsetzen
authorized capital	das autorisierte Kapital *(der Betrag, bis zu dem eine Gesellschaft Aktien ausgeben darf)*
registered capital	das eingetragene Kapital
issued capital, issued stock	das ausgegebene Kapital, d. h. die ausgegebenen Aktien
unissued capital, unissued stock *(US)*	die nicht ausgegebenen Aktien
outstanding stock *(US)*	die in den Händen der Aktionäre befindlichen Aktien
fully paid capital	das voll einbezahlte Kapital
partly paid capital	das teilweise einbezahlte Kapital
paid-in capital	das einbezahlte Kapital
unpaid capital	die ausstehenden Einzahlungen auf das Grundkapital
called-up capital	das zur Einzahlung aufgerufene Kapital
uncalled capital	das noch nicht zur Einzahlung aufgerufene Kapital
to make a call on shares	(Aktionäre) zur Einzahlung einer Einlage auffordern

to pay a call on shares	den eingeforderten Betrag einzahlen
calls in arrear	nicht rechtzeitig geleistete Einzahlungen
shareholder, stockholder *(US)*	der Aktionär
shareholder (stockholder) of record	der im Aktienbuch der Gesellschaft eingetragene Aktionär
principal shareholder, controlling shareholder, major shareholder	der Großaktionär
small shareholder	der Kleinaktionär
controlling interest *(either majority of stock or strong minority; the latter may be sufficient for purposes of control if the rest of the stock is widely scattered)*	die maßgebliche Beteiligung
majority interest, majority of stock	die Mehrheitsbeteiligung, die Aktienmehrheit
annual general meeting of shareholders	die Jahreshauptversammlung
to summon shareholders to the general meeting	die Aktionäre zur Hauptversammlung einberufen
statutory meeting	die satzungsmäßig vorgeschriebene Hauptversammlung
extraordinary meeting, special meeting	die außerordentliche Hauptversammlung
proxy	die Stimmrechtsermächtigung, die Stimmrechtsvollmacht; der Bevollmächtigte, der Stellvertreter
voting by proxy	die Ausübung des Stimmrechts auf Grund einer Stimmrechtsermächtigung
board of directors*	die Verwaltung, der Verwaltungsrat *(einer englischen oder amerikanischen Kapitalgesellschaft)*
supervisory board *(Germany)*	der Aufsichtsrat *(einer deutschen AG)*
managing board *(Germany)*	der Vorstand *(einer deutschen AG)*
chairman of the board of directors	der Vorsitzende des Verwaltungsrates
director	das Mitglied des Verwaltungsrates

* Den von den Aktionären gewählten „directors" obliegt die Geschäftsführung. Wenn nicht alle directors aktiv an der Geschäftsführung beteiligt sind, so haben die übrigen ungefähr die gleiche Funktion wie der Aufsichtsrat einer deutschen AG.

director's emoluments	die Bezüge eines Verwaltungsrats-mitglieds
stock qualification	*die in den* articles of incorporation *festgesetzte Mindestanzahl von Aktien (Pflichtaktien), die ein Mitglied des Verwaltungsrats besitzen muß*
qualification shares	die Pflichtaktien
officers of a corporation, executive committee	die Geschäftsleitung einer corporation (*sie wird im allgemeinen von den Mitgliedern des* board of directors *aus ihrer Mitte gewählt und besteht aus einem* president, *einem oder mehreren* vice-presidents, *einem* secretary *und einem* treasurer *bzw.* einem secretary-treasurer)
manager	der Geschäftsführer *(kein Mitglied des board of directors)*

Shares	*Aktien*
share (of stock), stock *(US)*	die Aktie
to issue shares (stock)	Aktien ausgeben
old share	die alte Aktie
new share	die junge Aktie
paid-up share, fully paid share	die voll einbezahlte Aktie
partly paid share	die teilweise einbezahlte Aktie, die nicht voll einbezahlte Aktie
people's share *(Germany)*	die Volksaktie
parcel of shares, block of shares	das Aktienpaket
class of shares	die Aktiengattung
listed share	die an der Börse zugelassene Aktie
share index, index of stocks	der Aktienindex
nominal value, par value	der Nennwert
book value	der Buchwert
market value	der Marktwert, der Kurswert
bearer share	die Inhaberaktie
registered share	die Namensaktie
par value share	die Aktie mit Nennwert
no-par-value share	die nennwertlose Aktie
voting share	die stimmberechtigte Aktie

non-voting share	die nicht stimmberechtigte Aktie
ordinary share, ordinary, common stock *(US)*	die Stammaktie
preference share, preferred stock *(US)*, debenture stock *(US)*	die Vorzugsaktie
redeemable preference share, redeemable (*or:* callable) preferred stock *(US)*	die rückkaufbare Vorzugsaktie
cumulative preference share, cumulative preferred stock *(US)*	die kumulative Vorzugsaktie
non-cumulative preference share, non-cumulative preferred stock *(US)*	die nichtkumulative Vorzugsaktie
participating preference shares, participating preferred stock *(US)*	die partizipierende Vorzugsaktie
non-participating preference share, non-participating preferred stock *(US)*	die nichtpartizipierende Vorzugsaktie
deferred share	die Nachzugsaktie
founder's share	die Gründeraktie
bonus share	die Gratisaktie
bonus stock *(US)*	die Freiaktie *(wird als Geschenk, Prämie und dgl. ausgegeben)*
company's holdings of its own shares, treasury stock *(US)*	der Bestand an eigenen Aktien
forfeited shares	die kaduzierten Aktien
forfeiture of shares	die Kaduzierung von Aktien
subscription to shares	die Zeichnung von Aktien
to subscribe to shares	Aktien zeichnen
subscription right, stock right, option on new shares, shareholder's preemptive right	das Bezugsrecht
to invite subscriptions to shares	Aktien zur Zeichnung auflegen
subscriber (to shares)	der Zeichner *(von Aktien)*
oversubscription	die Überzeichnung *(einer Emission)*
to allot (shares)	repartieren, (Aktien) zuteilen
allotment (of shares)	die Repartierung, die Zuteilung *(von Aktien)*
dividend	die Dividende
cash dividend	die Bardividende

stock dividend	die Stockdividende
dividend in kind, commodity dividend	die Sachdividende
scrip dividend *(US)*	der Anrechtschein auf eine *(zu einem späteren Zeitpunkt zur Auszahlung kommende)* Dividende
interim dividend	die Zwischendividende
final dividend	die Schlußdividende
total dividend	die Gesamtdividende
to recommend a dividend, to propose a dividend	eine Dividende vorschlagen
to declare a dividend	eine Dividende erklären
to distribute a dividend	eine Dividende ausschütten
to pass the dividend	keine Dividende ausschütten
dividend warrant	der Anrechtschein auf eine Dividende bei Namensaktien
dividend coupon	der Dividendenschein, der Dividenden-Kupon
right to receive a dividend	der Dividendenanspruch
to be entitled to a dividend	Anspruch auf Dividende haben
yield	die Rendite
share certificate, stock certificate *(US)*	die Aktienurkunde
share warrant to bearer	das englische Inhaberaktien-Zertifikat
stock warrant *(US)*	der Berechtigungsschein *(für den Bezug neuer Aktien)*
scrip	der Interimsschein
share register, share ledger, shareholders' ledger, stockholders' ledger *(US)*	das Aktienbuch
transfer book, stock-transfer journal *(US)*	*das Buch, in dem die laufenden Umschreibungen von Aktien erfaßt werden (praktisch das „journal" zum share register)*
transfer agent	der Transferagent *(meistens eine Bank, führt das transfer book)*
closing of the transfer book	das Schließen des transfer book *(das t. b. wird geschlossen, bevor die Hauptversammlung zusammentritt, und bleibt geschlossen, bis die Dividende ausgezahlt worden ist; während dieser Zeit finden keine Umschreibungen statt)*

transfer deed	die Übertragungsurkunde
cum dividend, cum div.	einschließlich Dividende
ex dividend, ex div.	ex Dividende
cum rights, rights on	inklusive Bezugsrecht
ex rights	ohne Bezugsrecht, ex Bezugsrecht, ex Bez.
cum new	inklusive Bezugsrecht für junge Aktien
at a premium	über dem Nennwert, über Pari
at a discount	unter dem Nennwert, unter Pari
Debentures	*Obligationen*
debenture, bond *(US)*	die Schuldverschreibung, die Obligation
debenture holder, bondholder	der Inhaber einer Schuldverschreibung
fixed-interest-bearing securities	die festverzinslichen Wertpapiere
corporate bond *(US)*	die Industrieobligation
registered debenture, registered bond *(US)*	die Namensschuldverschreibung, die Namensobligation
debenture to bearer, coupon bond *(US)*	die Inhaberschuldverschreibung, die Inhaberobligation
interest coupon	der Zinsschein, der Zins-Kupon
coupon sheet	der Kuponbogen
talon	der Erneuerungsschein, der Talon
simple (naked) debenture, unsecured bond *(US)*, debenture bond *(US)*	die ungesicherte Schuldverschreibung
secured debenture, secured bond	die gesicherte Schuldverschreibung
mortgage debenture, mortage bond	die hypothekarisch gesicherte Schuldverschreibung; der Pfandbrief *(a special kind of mortgage bond issued by the German mortgage banks)*
equipment bond *(US)*	durch bewegliches Anlagevermögen *(z. B. das rollende Material einer Eisenbahngesellschaft)* gesicherte Schuldverschreibung
collateral trust bond *(US)*	durch Wertpapiere gesicherte Schuldverschreibung

guaranteed debenture, guaranteed bond	durch Bürgschaft *(einer anderen Gesellschaft)* gesicherte Schuldverschreibung
profit-sharing bond, participating bond	die Gewinnschuldverschreibung *(Schuldverschreibung mit Gewinnbeteiligung)*
income bond *(US)*	*besondere Art der Schuldverschreibung, die nur bei vorhandenem Gewinn verzinst wird*
savings bond	*eine besonders für den Sparer bestimmte, nicht übertragbare Form der Staatsanleihe mit einer Laufzeit von ca. 10 Jahren*
baby bond *(US)*	die Schuldverschreibung mit einem Nennwert bis zu $ 100
straight bonds	zum gleichen Termin fällig werdende Teilschuldverschreibungen
serial bonds	zu verschiedenen Terminen fällig werdende Teilschuldverschreibungen
irredeemable debenture, irredeemable bond *(US)*, perpetual bond *(US)*, annuity bond *(US)*	die Schuldverschreibung ohne Tilgungsverpflichtung
redeemable debenture, redeemable (callable) bond *(US)*	die Schuldverschreibung mit Tilgungsverpflichtung, die kündbare Schuldverschreibung
convertible bond (*US*)	die Wandelschuldverschreibung
to redeem (*or:* to retire) debentures (bonds)	Schuldverschreibungen tilgen (einlösen)
redemption (*or:* retirement) of debentures (bonds)	die Tilgung (Einlösung) von Schuldverschreibungen
to call (debentures, bonds) for redemption	(Schuldverschreibungen) zur Tilgung aufrufen
callable by lot	auslosbar
determined by lot	durch das Los bestimmt
sinking fund	der Amortisationsfonds

6. Business Combinations — 6. Unternehmungszusammenschlüsse

combination	der Zusammenschluß
horizontal combination	der horizontale Zusammenschluß
vertical combination	der vertikale Zusammenschluß
group, combination, combine	der Konzern *(das englische Wort* „concern" *hat die Bedeutung „Firma", „Unternehmen"; ein* „banking concern" *ist demnach einfach eine Bank, kein Bankkonzern)*
trust	a) die treuhänderische Verwaltung, das Treuhandverhältnis b) der „Massachusetts trust" c) der Trust, das Großunternehmen mit marktbeherrschender Stellung
Massachusetts trust	*eine besondere, in Massachusetts entstandene Unternehmensform. Das Unternehmen wird von sog. trustees verwaltet, die praktisch unumschränkte Vollmachten haben. An Stelle von Aktien werden* trust certificates *ausgegeben. Die Inhaber dieser Zertifikate, die oft fälschlicherweise* „shareholders" *genannt werden, sind die* beneficiaries, *die Nutznießer des* trust.
holding company	die Holding-Gesellschaft, die Holding, die Dachgesellschaft
pure holding company	die reine *(d. h. keine andere Tätigkeit ausübende)* Holding
operating holding company	die Holding, die auch noch eine andere Tätigkeit ausübt, die tätige Holding
major holding company	die übergeordnete Holding
minor holding company, intermediate holding company, subholding company	die Zwischenholding
pyramiding	die Verschachtelung
parent company	die Muttergesellschaft

subsidiary company, subsidiary	die Tochtergesellschaft
affiliated company, affiliate	die Tochtergesellschaft, die Schwestergesellschaft, die Konzerngesellschaft
amalgamation, fusion	die Fusion, die Verschmelzung
merger	die Fusion *(durch Aufnahme)*
to merge	fusionieren
a company becomes merged in another	eine Gesellschaft geht in einer anderen auf
consolidation	die Fusion *(durch Neugründung)*
cartel, pool	das Kartell (*im angelsächsischen Sprachgebrauch wird das Wort* „cartel" *vor allem auf internationale Kartelle angewandt)*
cartelization, formation of a cartel (*or:* cartels)	die Kartellierung, die Kartellbildung
cartel agreement	der Kartellvertrag
gentlemen's agreement	*etwa:* das Frühstückskartell
outsider	der Außenseiter, der Outsider
syndicate *(Germany) (a kind of pool or cartel)*	das Syndikat
international cartel	das internationale Kartell
producers' association, cartel	das Produktionskartell
compulsory cartel	das Zwangskartell
price-fixing agreement	die Preisabsprache, das Preiskartell
market-sharing agreement	das Gebietskartell
output-restriction agreement	das Produktionskartell
division of markets	die Abgrenzung der Verkaufsgebiete
pooling of profits	die Gewinnpoolung
to fix minimum prices	Mindestpreise festlegen
to fix production quotas	Produktionsquoten festlegen
interlocking directorates	Personalunion bei den Verwaltungen verschiedener Unternehmen
community of interests	die Interessengemeinschaft
interlacing of capital interests	die Kapitalverflechtung
decartelization, decentralization, deconcentration	die Entflechtung
recartelization, reconcentration, reversal of decartelization	die Rückverflechtung
monopoly	das Monopol

perfect monopoly	das totale Monopol
monopolistic competition	die heterogene Konkurrenz
oligopoly	das Oligopol
polypoly	das Polypol
pure competition	die homogene, polypolistische Konkurrenz
concentration of economic power in the hands of a few	die Zusammenballung wirtschaftlicher Macht in den Händen weniger
restraint of trade (*or:* of competition)	die Wettbewerbsbeschränkung
combination in restraint of trade	der wettbewerbsbeschränkende Zusammenschluß
Monopolies Commission	das britische Kartellamt
Restrictive Practices Court	das britische Kartellgericht
anti-trust laws	die amerikanischen Kartellgesetze
German anti-trust law, German law on cartels	das deutsche Kartellgesetz
Federal Trade Commission	das US-Kartellamt

B. Translation Exercises

B. Übersetzungsübungen

1. English–German

1. Englisch–Deutsch

1. In general, it may be said that each partner is an agent of the partnership firm so far as partnership business is concerned. 2. The limited partnership permits members to escape liability beyond the amount of capital contributed. These particular members are called special partners; those who manage the business and assume full personal responsibility are known as general partners. 3. Dissolution of a partnership may be effected by act of the parties, by operation of law, or by a decree of the court. 4. A corporation differs from a partnership in several respects. First, a corporation is created by the state, but a partnership comes into existence as the result of a contract between parties. Second, a corporation is a legal entity, capable of owning property and performing many legal acts similar to those of an ordinary person. In contrast to this, a partnership is not a separate and distinct legal entity, and its business transactions, in the main, must be carried out in the name of one or more of its members. Third, a corporation, in the absence of statutes, may be perpetual in its existence. Unlike the partnership, the death of one member does not dissolve the corporation. Fourth, the individual member's ownership in the cor-

poration is represented by shares which are transferable without bringing about a dissolution, as is the case ordinarily in the transfer of a partnership interest. Fifth, whereas in a partnership each partner may be liable for the full partnership indebtedness, a stockholder in a corporation is generally liable only to the amount of his shares of stock. 5. At the time of its formation a corporation receives a charter from the state, granting it authority to issue a specified amount of capital stock. 6. A corporation may issue both common and preferred stock. 7. Closed corporations do not offer their securities for public sale. The stocks of open corporations are bought and sold on the open market; they may be listed on one or more stock exchanges, or sold "over the counter." 8. The most important rights of the stockholders may be summarized as follows: to participate in profits, to inspect the books, to restrain the ultra vires acts of the corporation, to a preference in subscribing for new shares, and to share in the assets upon dissolution of the corporation. 9. The direct management of corporate affairs is vested in a board of directors, who in turn are selected by the stockholders. The number and eligibility of the board depend upon the charter and by-laws. 10. The general meeting of shareholders decides on the appointment and dismissal of the board of directors, the appointment of auditors, and the distribution of profits. 11. There are two general types of bonds: registered bonds and coupon bonds. Registered bonds are registered by the corporation that issues them, and the interest and the principal are paid by check to the registered owners. Coupon bonds, on the other hand, are payable to bearer. The interest may be collected by tearing off a coupon and cashing it at a bank on or after the date specified. 12. A holding company is a corporation organized for the purpose of holding stock in other corporations to an extent that gives the holding company some measure of control over its subsidiaries. 13. Horizontal combinations are large business organizations composed of a number of separate plants or enterprises of the same kind and having one central management. 14. In contrast, a vertical combination is formed of plants performing successive steps in production under the same central management. 15. A merger of corporations consists in the uniting of two or more corporations by the transfer of property of all to one of them, which continues in existence, the others being merged therein. Consolidation, on the other hand, is the union of two or more corporations into a new one; the consolidating companies surrender their separate existence and become parts of the new corporation.

1. Im allgemeinen wird die Geschäftsführung einer offenen Handelsgesellschaft einem oder mehreren Gesellschaftern anvertraut. 2. Der stille Gesellschafter ist nicht zur Vertretung und Geschäftsführung berechtigt. Er erhält lediglich eine Abschrift der Jahresbilanz, die er an Hand der Bücher nachprüfen kann. Am Gewinn und Verlust nimmt er nach Maßgabe des Vertrages teil. 3. Bei den Personengesellschaften unterliegen die an die Gesellschafter ausgeschütteten Reingewinne der Einkommensteuer, bei der Aktiengesellschaft dagegen der Körperschaftssteuer. 4. Die OHG wird aufgelöst durch: a) Ablauf der vertraglich vereinbarten Zeit, b) Beschluß der Gesellschafter, c) Kündigung, d) Tod eines Gesellschafters, sofern nicht vertraglich etwas anderes vereinbart ist, e) Konkurs der Gesellschaft oder eines Gesellschafters, f) gerichtliche Entscheidung. 5. In Deutschland müssen eingetragene Genossenschaften mindestens sieben Mitglieder haben. 6. Die Firma wurde 1930 gegründet. Zehn Jahre später beschlossen die Inhaber, sie in eine Kapitalgesellschaft umzuwandeln. 7. Die gesetzliche Rücklage einer Aktiengesellschaft muß in Deutschland mindestens 10% des Grundkapitals betragen. 8. Die Satzung muß Einzelheiten über den Sitz der Gesellschaft, die Firma, den Gegenstand des Unternehmens, die Höhe des Grundkapitals und die Nennbeträge der einzelnen Aktien sowie über die Zusammensetzung des Vorstands enthalten. 9. Die Organe der deutschen Aktiengesellschaft sind die Hauptversammlung, der Aufsichtsrat und der Vorstand. 10. Die außerordentliche Hauptversammlung der Gesellschaft hat grundsätzlich einer Kapitalaufstockung zugestimmt. 11. Die Haftung eines Aktionärs ist auf den Nennwert seiner Aktie beschränkt; er haftet also nicht persönlich für die Verbindlichkeiten der Gesellschaft wie der Gesellschafter einer OHG. 12. Grundsätzlich gewährt jede Aktie das Stimmrecht. Vorzugsaktien können als Aktien ohne Stimmrecht ausgegeben werden. 13. Den Inhabern von kumulativen Vorzugsaktien wird eine bestimmte Dividende zugesichert; reicht der Gewinn eines Jahres zu ihrer Bezahlung nicht aus, so muß der Differenzbetrag aus dem Gewinn der folgenden Jahre nachgezahlt werden. 14. Namensaktien werden unter Bezeichnung des Inhabers in das Aktienbuch eingetragen. 15.Obligationen sind festverzinsliche Wertpapiere, die oft hypothekarisch gesichert sind. 16. Horizontale Konzerne entstehen durch den Zusammenschluß gleichartiger Betriebe; vertikale Konzerne fassen dagegen Betriebe verschiedener Produktionsstufen zusammen, und zwar wenn möglich von der Rohstofferzeugung bis zum Fertigprodukt. 17. Die Mitglieder eines Kartells verpflichten sich z. B. dazu, die gleichen Lieferungs- und Zahlungsbedingungen einzuhalten, sich an Preisabsprachen

zu halten, nur innerhalb des ihnen zugeteilten Absatzgebietes zu verkaufen, nur die Warenmenge herzustellen, die einer festgesetzten Produktionsquote entspricht, oder gewisse Rationalisierungsmaßnahmen durchzuführen. 18. Die Rückverflechtungstendenzen in der Montanindustrie werden von den Gewerkschaften nicht gern gesehen. 19. Die Thyssenhütte hat mit einer Zeche und einem Unternehmen der weiterverarbeitenden Industrie fusioniert. 20. Das Syndikat ist die straffste Form eines Kartells, wobei der unmittelbare Verkehr zwischen Produzent und Abnehmer durch Einschaltung einer syndikateigenen Verkaufsgesellschaft (Verkaufskontor) unterbrochen wird.

VII. Enterprises: Internal Aspects *

VII. Unternehmungen: Innere Aspekte *

A. Terminology / A. Terminologie

1. General Terms / 1. Allgemeines

business administration (theory)	die Betriebswirtschaftslehre
entrepreneur	der Unternehmer
enterprise, firm	die Unternehmung (*weniger korrekt, aber häufiger:* „das Unternehmen")
theory of the firm	die Unternehmungstheorie
business unit (*or:* establishment)	der Betrieb
large enterprise (*or:* firm)	der Großbetrieb
medium-sized enterprise (*or:* firm)	der Mittelbetrieb, der mittlere Betrieb
small enterprise (*or:* firm)	der kleine Betrieb, der Zwergbetrieb
producing firm, manufacturing enterprise	der Produktionsbetrieb, der Fabrikationsbetrieb
trading enterprise, commercial enterprise	das Handelsunternehmen
craftsman's establishment, craftsman's business	der handwerkliche Betrieb
industrial enterprise	der Industriebetrieb, der gewerbliche Betrieb
private enterprise	das Privatunternehmen, das private Unternehmertum, die freie Wirtschaft
state-owned enterprise, public enterprise	das staatliche Unternehmen
nationalized enterprise	das verstaatlichte Unternehmen
semi-public enterprise	das halbstaatliche Unternehmen
freedom of enterprise	die Unternehmensfreiheit
part privately and part publicly owned enterprise	das gemischtwirtschaftliche Unternehmen

* *See also under:* Business Organizations and Combinations, Bookkeeping and Accounting, Trade and Commerce etc.

* *Im übrigen siehe unter:* Unternehmungen und Zusammenschlüsse, Rechnungswesen, Handel usw.

collective farm *(USSR)*	der Kolchos (*fälschlich:* „die Kolchose")
state farm *(USSR)*	der Sowchos (*fälschlich:* „die Sowchose")
public enterprise	der Staat als Unternehmer, das öffentliche Unternehmen
marginal enterprise, marginal producer	der Grenzbetrieb
operation analysis	die Betriebsanalyse
business structure	die Betriebsstruktur
management planning	die Betriebsplanung
fixed assets, capital assets	das Anlagevermögen
current assets, floating capital, working assets	das Umlaufvermögen
working capital	das Betriebskapital
sales, turnover	der Umsatz
producer's price	der Erzeugerpreis
operating expenditure, working expense	der Betriebsaufwand, die Aufwendungen, der Aufwand
earnings, profits	der Ertrag, der Gewinn
increase in earnings	die Ertragssteigerung
earning assets	die werbenden (Geld-)Anlagen
productivity	die Produktivität
increase in productivity	die Produktivitätssteigerung
rationalization	die Rationalisierung
trading profits, operating result	der Betriebsgewinn, das Betriebsergebnis, der Betriebserfolg
net trading surplus	der Reingewinn vor Versteuerung
net trading profit	der Reingewinn nach Versteuerung
earning power, earning capacity	die Ertragskraft
capitalized value	der Ertragswert
average yield, average returns	der Durchschnittsertrag
profitability	die Rentabilität
business year, financial year, fiscal year	das Geschäftsjahr, das Rechnungsjahr, das Finanzjahr
per working day	arbeitstäglich
growth prospects	die Wachstumschancen, die Wachstumsaussichten
23% margin, 23% increase, growth rate of 23%	die 23%ige Zuwachsrate

economic outlook	die wirtschaftlichen Aussichten
course of business, business trend, trend of affairs	der Geschäftsgang
costs, expense	die Kosten
cost analysis	die Kostenanalyse
factor in costs	der Kostenfaktor
cost accounting	die Kostenrechnung
type of costs	die Kostenart
cost centre	die Kostenstelle
departmental expenses	die Abteilungskosten
product, product unit, service	der Kostenträger (Produkt)
basis of allocation	der Schlüssel (zur Verteilung der Kosten)
fixed charges	die fixen Kosten
variable costs	die variablen Kosten
overhead costs, overheads, general costs, apportionable costs, (indirect) expense, oncost	die Gemeinkosten
manufacturing expense	die Fertigungsgemeinkosten
administrative expense, administrative overhead	die Verwaltungsgemeinkosten
selling expense	die Vertriebsgemeinkosten
to charge costs directly to the department	Kosten direkt auf die Abteilung verrechnen
to allocate to	umlegen auf, verrechnen auf, zumessen
average costs	die Durchschnittskosten
marginal costs, terminal costs	die Grenzkosten
incidental expenses, incidentals, accessory charges	die Nebenkosten
cost of materials, material costs	die Materialkosten
labour costs	die Lohnkosten
manufacturing cost, factory cost, cost of production, production cost	die Herstellungskosten
prime cost, cost price, original cost	die Selbstkosten
to sell under (below) cost price	unter dem Selbstkostenpreis verkaufen
distribution costs, marketing costs	die Vertriebskosten
piece costs	die Stückkosten

job order cost accounting	die Stückkostenrechnung
calculation	die Kalkulation
calculation of costs	die Kostenkalkulation
to absorb costs	Kosten auffangen
fall in costs, law of decreasing costs	die Kostendegression
to cut costs	die Kosten einschränken
order	der Auftrag
placing of orders	die Auftragserteilung
counter-order	die Auftragsstornierung
orders on hand, orders in hand	der Auftragsbestand
timed ordering	die terminierten Bestellungen
lengthening order books	der wachsende Auftragsbestand
incoming orders, orders booked	der Auftragseingang
inflow of export orders, export orders booked	der Auftragseingang aus dem Ausland
order book	das Auftragsbuch
to meet orders, to fill orders, to execute orders	den Bestellungen nachkommen, die Aufträge ausführen
backlog of orders, backlog of unfilled orders	der Auftragsüberhang
to lag behind incoming orders	hinter dem Auftragseingang herhinken
"cushion" of orders in hand	das Auftragspolster
flow of new orders, rush of orders	die Auftragswelle
index of orders booked	der Auftragsindex
delivery period, delivery date	die Lieferfrist, der Liefertermin
available production facilities, available production capacities	die verfügbaren Produktionskapazitäten
exploiting of the market situation	die Ausnutzung der Marktlage
minimum of average total costs, optimum output, optimum cost	das Betriebsoptimum, die Gewinnschwelle
minimum of average variable costs	das Betriebsminimum, die Produktionsschwelle

2. Organization — 2. Organisation

organization theory	die Organisationslehre
management	die Unternehmensleitung, die Geschäftsführung, -leitung

management practice	die Erfahrung in der Betriebsführung, die Betriebsführungspraxis
superior	der Vorgesetzte
executive	die Führungskraft, der leitende Angestellte
"white-collar" worker	der Angestellte, die männliche Bürokraft
subordinate, inferior	der Unterstellte, der Untergebene
subordination	die Unterstellung
authority	die Autorität, die Befugnis, die Ermächtigung
jurisdiction, sphere of responsibility	der Kompetenzbereich, der Verantwortungsbereich
terms of reference	der Aufgabenbereich
sphere of activities	der Tätigkeitsbereich
instruction	die Weisung, die Auftragserteilung *(innerbetrieblich)*
authorized to give instructions	weisungsberechtigt
chain of command, channel for orders	der Anordnungsweg, der „Dienstweg"
unbroken line of authority and instruction	die Einheit der Auftragserteilung
line *(or:* scalar) organization	die Linienorganisation, die Skalarorganisation *(geradlinige Weisungswege)*
staff organization	die Staborganisation *(meist beratende Abteilungen ohne Weisungsbefugnis)*
line-only principle	das „Nur-Linie"-Prinzip
staff-only principle	das „Nur-Stab"-Prinzip
line-and-staff principle	das Stablinienprinzip *(Liniensystem mit Stabstellen kombiniert)*
line-staff relationship	das Stab-Linien-Verhältnis
line	die Linie, die Linienkräfte
staff	der Stab, die Stabskräfte *(mitunter wird der Ausdruck* „staff" *auch für Belegschaft verwendet)*
line activity (-ies)	die Linientätigkeit
staff activity (-ies)	die Stabtätigkeit
line position	die Linienstelle

line section	die Linieninstanz
staff position	die Stabstelle
staff section	die Stabinstanz
functional principle	das Funktionsprinzip
specialization	die Spezialisierung
team	das Arbeitsteam
team-work	die Gemeinschaftsarbeit
department	die Abteilung
head of department, department head, chief of department, departmental manager	der Abteilungsleiter
office manager	der Büroleiter
secretariat(e), office	das Sekretariat
purchasing department	die Einkaufsabteilung
sales department	die Verkaufsabteilung, der Verkauf
marketing department	die Vertriebsabteilung, der Vertrieb
production department, production division	die Produktionsabteilung, die Fabrikation, die Produktion
store, stock	das Lager
in stock	auf Lager
planning department	die Planungsabteilung
research department	die Forschungsabteilung, die Entwicklungsabteilung
personnel department	die Personalabteilung
accounting department	die Buchführung(sabteilung)
finance department, financial section	die Finanzabteilung

3. Financing* / 3. Finanzierung*

to finance	finanzieren
financing	die Finanzierung
finances	die Finanzen
disordered finances, disorganized finances	die ungeregelten Finanzen
shattered finances	die zerrütteten Finanzen
high finance	die Hochfinanz

* *See also under* "Finance Markets," p. 52.

* *Siehe auch unter* „Finanzmärkte", S. 52.

financier, money lender	der Geldgeber, der Financier, der Finanzmann
investor	der Anleger, der Geldanleger
money transaction, financial operation, financial transaction	das Geldgeschäft, die Finanztransaktion
financing transactions, financing activity	die Finanzierungstätigkeit
financing method	die Finanzierungsart, die Finanzierungsmethode
financing plan	der Finanzierungsplan
financing costs, financing charges	die Finanzierungskosten
financing charge	die Finanzierungsgebühr
financing burden	die Finanzierungslast
finance company, financing company, financing agency	die Finanzierungsgesellschaft
financing service	der Finanzierungsdienst
short-term financing	die kurzfristige Finanzierung
medium-term financing	die mittelfristige Finanzierung
long-term financing	die langfristige Finanzierung
interim financing, intermediate financing	die Zwischenfinanzierung
self-financing	die Selbstfinanzierung
financial policy, management of finances	die Finanzgebarung
financial position	die Finanzlage, die Vermögenslage
financial embarrassment	die schlechte Finanzlage
financial risk	das finanzielle Risiko
financing syndicate	das Finanzierungskonsortium
financial participation	die finanzielle Beteiligung, die Finanzbeteiligung
financial requirements, monetary requirements	der Finanzbedarf
financial institute, financial institution, financial house	das Finanzierungsinstitut
financial report	der Finanzbericht
finance, financial world, financial organization	das Finanzwesen
credit market	der Kreditmarkt
capital market	der Kapitalmarkt

money market	der Geldmarkt
advance payment, down payment	die Vorauszahlung
want of capital, want of funds, lack of capital	der Kapitalmangel
wealth	das Vermögen, der Reichtum
funds, means	das Vermögen, das Kapital, die (finanziellen) Mittel
property	das Vermögen, der Besitz, das Eigentum
assets	das Vermögen, die Aktiva
personal property, personalty	das bewegliche Vermögen
real property, real estate, realty	das unbewegliche Vermögen, der Grundbesitz
special assets, separate assets	das Sondervermögen *(z. B. das Firmenvermögen im Gegensatz zum sonstigen Vermögen einer Person)*
debt redemption	die Schuldentilgung
service *(e. g., loan service)*	der Zinsendienst, die Bedienung *(einer Anleihe etc.)*
capital yield	der Kapitalertrag
security, collateral (security)	die Sicherheit
mortgage	die Hypothek
land charge	die Grundschuld
fund	der Fonds
public funds, public means	die öffentlichen Mittel, die Gelder der öffentlichen Hand, die öffentlichen Gelder
subsidy, subvention, grant	die Subvention, der Zuschuß der öffentlichen Hand, die Staatsbeihilfe
official financing assistance	die öffentlichen Finanzierungshilfen
contribution "a fonds perdu"	der verlorene Zuschuß
to assume an obligation	eine Verpflichtung eingehen (*oder:* übernehmen)
to meet a liability, to discharge a liability	eine Verpflichtung erfüllen
to repudiate financial obligations, to withdraw from one's financial engagements	sich finanziellen Verpflichtungen entziehen
to decline a liability	eine Verpflichtung ablehnen

4. Capital Expenditures, Investment — 4. Investitionen

Bei der Verwendung der nachfolgenden Ausdrücke ist vorsichtig zu verfahren, da „investment“ sowohl „Investition“ als auch „Geldanlage“ bedeutet.

capital expenditure, investment, capital investment, capital project	die Investition
capital expenditure plan	der Investitionsplan, das Investitionsprojekt
capital expenditure programme	das Investitionsprogramm
investment activity	die Investitionstätigkeit
propensity to invest	die Investitionsneigung
investment demand	die Investitionsnachfrage
investment boom	der Investitionsboom
investment sum, amount of investment	der Investitionsbetrag
misinvestment, misdirected capital expenditure	die Fehlinvestition
financing of capital projects	die Investitionsfinanzierung
direction of capital investment	die Investitionslenkung
rate of investment, investment ratio	die Investitionsquote
capital project	das Investitionsvorhaben
investments (effected)	die Investitionsleistungen
loan to finance a capital project, development loan	der Investitionskredit
capital cost(s)	die Investitionskosten
investment aid	die Investitionshilfe
capital goods	die Investitionsgüter
prospects as regards capital investment	die Investitionsaussichten
capital expenditures	die Investitionsaufwendung
plant-expanding investment, capital expenditure for purposes of expansion, investment in expansion, capital widening	die Erweiterungsinvestition
capital investment for rationalization purposes	die Rationalisierungsinvestition
capital deepening	die Verbesserungsinvestition

equipment investment, capital expenditure on equipment	die Ausrüstungsinvestition
investments in foreign countries	die Auslandsinvestitionen *(d. h. im Ausland)*
foreigners' investments	die ausländischen Investitionen *(im Inland)*
investments in material assets	die Sachinvestitionen, die Anlageinvestitionen
portfolio investment	die Portefeuille-Investition
reinvestment	die Reinvestition, die Wiederanlage, die Neuanlage
initial investments	die Anfangsinvestitionen
current investments	die laufenden Investitionen
industrial investments	die gewerblichen Investitionen, die industriellen Investitionen
public capital expenditures, government capital expenditures	die öffentlichen Investitionen, die Investitionen der öffentlichen Hand
new investment	die Neuinvestition
drop in investments	der Investitionsschwund
excessive investments	die Überinvestitionen, die übermäßigen Investitionen
restriction of investments	die Investitionsbeschränkung
incentive to invest	der Investitionsimpuls (*oder:* -anreiz)
promotion of investments	die Investitionsförderung
capital output ratio	der Kapitalkoeffizient

B. Translation Exercises — B. Übersetzungsübungen

1. English–German — 1. Englisch–Deutsch

1. According to the latest estimates of private direct overseas investment British industry invested £249 million overseas in 1960, an increase of 27 per cent on 1959, while investment in Britain by overseas companies at £141 million was down slightly on 1959, due entirely to a drop in unremitted profits. 2. As to capital expenditure, falling profit margins have forced our enterprise to restrict its expenditure to projects that seem sure to show an adequate return on capital and to reduce costs at the same time. 3. A substantial increase in the Company's turnover and a rise in its profitability has led us to make further

extensions to our manufacturing department, at the same time installing machinery which will rationalize the productive potential of the Company. 4. Simplified central-office control as well as the ease in fixing responsibility are advantages, a certain lack of specialization is the main disadvantage of the line organization. 5. The line-staff principle incorporates specialists into an industrial organization with little modification of the line principle, the specialists being limited to an advisory capacity at several appropriate levels. 6. Variable costs increase as production increases, whereas fixed costs remain constant or almost constant. 7. The term "unit cost" refers to the cost of a single unit of the product. 8. In addition to the consolidated accounts which include full explanatory notes, we have attached to our report an analysis of income expenditure, a statement of the employment of capital and two graphs, one showing annual rates of output and the other net earnings for previous years. 9. Although the cost increases arising from falling production were not offset by an increase in prices, the results after taxation for the current financial year could be maintained at last year's level, due to a substantial tax reduction. 10. During the year under report, we have focussed our attention on the rehousing and expansion of production facilities in our manufacturing divisions, despite the heavy cost of re-equipment and the dislocation of production schedules with consequent reductions in the turnover and profitability of those divisions.

2. Deutsch–Englisch

2. German–English

1. Unter Betriebsanalyse versteht man eine allgemeine Untersuchung über alle Kapital-, Kosten-, Aufwands- und Ertragselemente eines Betriebes. 2. Die Europäische Produktivitätszentrale bemüht sich, die Rationalisierung der Betriebe zu fördern. 3. Durch die Kapitalmarktmisere der Jahre nach dem Zweiten Weltkrieg waren deutsche Unternehmen auf die Selbstfinanzierung angewiesen, die durch die Steuergesetzgebung unterstützt wurde. 4. In Anbetracht der rückläufigen Konjunktur und unseres sinkenden Auftragsbestandes empfiehlt es sich, unseren Investitionsplan zu überprüfen, um nach Möglichkeit Erweiterungsinvestitionen einzuschränken und Rationalisierungsinvestitionen den Vorzug zu geben. 5. Die Gemeinkosten unseres Produktionsunternehmens setzen sich aus Fertigungsgemeinkosten, Verwaltungsgemeinkosten und Vertriebsgemeinkosten zusammen. 6. Aus unserer Betriebsanalyse ergibt sich, daß unser Verfahren das beste ist, um die Fabrikationsgemeinkosten so auf die Kostenträger umzulegen, daß jeder anteilsmäßig zu ihrer Tragung heran-

gezogen wird. 7. Da unsere Unternehmung einem schnellwachsenden Industriezweig angehört, beurteilen wir die Zukunftsaussichten zuversichtlich. Unsere Zuwachsraten dürften weiterhin erheblich über dem industriellen Durchschnitt liegen. 8. Die Linienorganisation setzt sich aus einer ununterbrochenen Kette einfacher Autoritätsbeziehungen, wie sie zwischen einem Vorgesetzten und einem Untergebenen bestehen, zusammen, die von der obersten Führungskraft bis zum letzten Arbeiter reicht. Die erforderliche Spezialisierung wird durch die Bildung beratender Stellen, sogenannter Stäbe, erreicht (Stabsprinzip). In den Großbetrieben werden fast immer das Linien- und das Stabprinzip kombiniert, so daß sich eine Stab-Linien-Organisation ergibt.

# VIII. Bookkeeping and Accounting	# VIII. Rechnungswesen
A. Terminology	**A. Terminologie**
1. General Terms	1. Allgemeines
bookkeeping *(the systematic recording of business transactions)*	die Buchführung
single-entry bookkeeping	die einfache Buchführung
double-entry bookkeeping	die doppelte Buchführung
manual bookkeeping	die handschriftliche Buchführung
mechanical bookkeeping, mechanized bookkeeping, machine bookkeeping	die Maschinenbuchführung
electronic bookkeeping	die elektronische (Maschinen-)Buchführung
bookkeeping method	die Buchführungsmethode
duplicating bookkeeping (system)	die Durchschreibebuchführung
loose-leaf system	das Lose-Blatt-System
accounting *(the art and practice of an accountant)*, accountancy	das Buchhaltungs- und Bilanzwesen
sound accounting practice	die ordnungsmäßige Buchführung
management accounting, managerial accounting for decision-making	das Rechnungswesen für die besonderen Zwecke der Unternehmensleitung
responsibility accounting, activity accounting	das Rechnungswesen zur Kontrolle der Wirtschaftlichkeit der einzelnen Verantwortungs- und Funktionsbereiche
property accounting, plant accounting	die Anlagenbuchhaltung
personnel accounting	die Personalbuchhaltung, die Lohn- und Gehaltsbuchhaltung
budgetary accounting	die Finanzplanung, die Haushaltplanung, die Vorschaurechnung
cost accounting	die Kostenrechnung, die Kalkulation
tax accounting	die Steuerbuchführung

governmental and institutional accounting	die kameralistische Buchführung
accountant *(a graduate of accountancy)*	der (Bilanz-)Buchhalter *(mit abgeschlossenem Studium)*, der Sachverständige des Rechnungswesens, der qualifizierte Buchhalter
public accountant	der freiberuflich tätige Buchhaltungsfachmann
private accountant	der unselbständig tätige Buchhaltungsfachmann
Chartered Accountant, C. A.	der Wirtschaftsprüfer *(GB) (Mitglied eines der drei Institutes of Chartered Accountants. Voraussetzung für die Mitgliedschaft bei diesen Berufsverbänden ist die Ablegung einer Prüfung.)*
Certified Public Accountant, C. P. A. *(US)*	der Wirtschaftsprüfer *(in den USA werden die Voraussetzungen für die Führung dieser Berufsbezeichnung von den Einzelstaaten festgelegt)*
accounts department, accounting department, bookkeeping department	die Buchhaltung(sabteilung)
head of the accounting (bookkeeping) department, comptroller, controller *(US)*	der Leiter der Buchhaltung, der Leiter der Abteilung Rechnungswesen
chief accountant	der erste Buchhalter, der Chefbuchhalter
bookkeeper	der Buchhalter, der Bücherrevisor
accounts clerk	die Buchhaltungskraft, der Buchhalter
bookkeeping machine operator	der Maschinenbuchhalter
accounts receivable accountant	der Kundenbuchhalter
accounts payable accountant	der Lieferantenbuchhalter
wages clerk, payroll clerk *(US)*	der Lohnbuchhalter
cost accountant	der Betriebsbuchhalter *(der die innerbetriebliche Abrechnung bzw. Kostenrechnung leitet)*
financial accountant	der Finanzbuchhalter

audit	die Buchprüfung, die Rechnungsprüfung
to audit *(to verify accounting records)*	die Bücher prüfen
auditor	der Rechnungsprüfer, der Abschlußprüfer
external audit	die Prüfung durch unabhängigen Wirtschaftsprüfer
internal audit	die innerbetriebliche Rechnungsprüfung, die Revision
audit report, auditor's report	der Prüfungsbericht
reporting	die Rechnungslegung
financial statement	der Abschluß
accounting period	der Buchungszeitraum, die Rechnungsperiode
business year, fiscal year *(US)*	das Geschäftsjahr

2. Inventory and Valuation — 2. Inventur und Bewertung

inventory, stocktaking	die Bestandsaufnahme, die Inventur
to take inventory, to take stock	die Inventur machen
physical inventory	die körperliche Inventur, die Bestandsaufnahme
perpetual inventory	die permanente Inventur
inventory sheet	die Inventaraufstellung, das Bestandsverzeichnis
opening stock, beginning inventory	der Anfangsbestand
closing stock, ending inventory	der Schlußbestand
plus additions at cost	+ Zugänge zu Einstandspreisen
less retirements	abzüglich Abgänge
valued at cost or market, whichever is lower; valued at the lower of cost or market	bewertet zu durchschnittlichen Anschaffungskosten bzw: zum niedrigeren Marktpreis
valuation	die Bewertung
undervalued	unterbewertet
overvalued	überbewertet
depreciation	die Wertminderung
depreciation allowance	die Abschreibung

physical depreciation	die technische Entwertung *(durch den Gebrauch)*
non-physical depreciation	die wirtschaftliche Entwertung *(durch Verbesserungen, neue Erfindungen etc.)*
depletion	die Substanzverringerung
depreciable value	der Abschreibungsgrundwert
rate of depreciation	der Abschreibungssatz
depreciation charge	der Abschreibungsbetrag, die Abschreibungsquote
depreciated value, book value	der Restwert, der Buchwert
to write off	(vollständig) abschreiben
to write down	(teilweise) abschreiben
straight-line method of depreciation	die Abschreibung vom Anschaffungswert, die lineare Abschreibung
reducing (declining, decreasing) balance method of depreciation	die Abschreibung vom Restwert, die degressive Abschreibung
direct method of depreciation	die direkte Abschreibemethode
indirect method of depreciation	die indirekte Abschreibemethode *(Der Anschaffungswert bleibt immer unberührt auf der Aktivseite in der Bilanz, aber auf der Passivseite taucht ein entsprechend anwachsender Wertberichtigungsposten auf.)*
initial cost *(of an asset)*, original cost	der Anschaffungswert
life, service life	die Lebensdauer *(einer Maschine etc.)*
probable life	die voraussichtliche Lebensdauer
wear and tear	die natürliche Abnützung
obsolescence	das Veralten
to become obsolete	veralten
scrap value	der Schrottwert
trade-in value	der Wert, zu dem etwas in Zahlung genommen wird

3. Balance Sheet — 3. Bilanz

balance sheet	die Bilanz
certified balance sheet	die geprüfte Bilanz

consolidated balance sheet	die konsolidierte Bilanz, die Konzernbilanz
to prepare a balance sheet, to draw up a balance sheet	die Bilanz aufstellen
window dressing	das Frisieren der Bilanz
balance sheet item	der Bilanzposten
pro memoria item	der Erinnerungsposten
account form *(of the balance sheet)*	die Kontenform *(kontenmäßige Gegenüberstellung von Aktiva und Passiva)*
report form	die Staffelform *(listenmäßige Aufstellung der Aktiva und Passiva)*
balance sheet equation *(assets = liabilities and proprietorship)*	die Bilanzgleichung
work sheet	die Abschlußübersicht, die Betriebsübersicht
trial balance	die Probebilanz
trial balance of balances *(i. e., the standard form of trial balance)*	die Saldenbilanz
trial balance of totals	die Summenbilanz
assets	die Aktiva, die Aktiven, die Besitzteile, die Vermögenswerte
business assets	das Betriebsvermögen
personal (*or:* private) assets	das Privatvermögen
fixed (*or:* capital, permanent) assets	das Anlagevermögen
current (*or:* liquid, quick, circulating, floating) assets	das Umlaufvermögen
intangible assets	immaterielle Werte *(Goodwill, Patente, etc.)*
cash	die Kasse
petty cash	die Portokasse
cash in bank	das Bankguthaben
debtors, accounts receivable *(US)*	die Forderungen
trade debtors, trade accounts receivable	die Forderungen aus Warenlieferungen und Leistungen
other debtors	sonstige Forderungen
doubtful accounts, doubtful debts	die zweifelhaften Forderungen, die Dubiosen
uncollectible accounts, bad debts, uncollectible receivables	die uneinbringlichen Forderungen

long-term receivables	die langfristigen Forderungen
bills receivable, notes receivable	die Besitzwechsel, die Wechselforderungen *(bei den* „notes" *handelt es sich um Solawechsel)*
mortgage receivable	die Hypothekenforderung
stock-in-trade, merchandise on hand, merchandise inventory *(US)*	der Warenbestand
stock in (*or:* on) hand, inventory *(US)*	die Vorräte
raw materials and supplies	die Roh-, Hilfs- und Betriebsstoffe
work in process (*or:* progress)	die halbfertigen Erzeugnisse
marketable securities at cost	börsenfähige Wertpapiere zum Ankaufskurs
investments (in subsidiary companies)	die Beteiligungen
goodwill	der Goodwill, der Firmenwert, der Geschäftswert
land and buildings	die Grundstücke und Gebäude
furniture and fixtures	die Betriebs- und Geschäftsausstattung
office equipment	die Büroausstattung, die Büroeinrichtung
factory equipment	die Fabrikeinrichtung
machinery	die Maschinen, die maschinellen Anlagen
accrued income	die antizipativen Aktiva *(noch nicht eingenommene Erträge)*
deferred expense	die transitorischen Aktiva *(im voraus bezahlte Aufwendungen)*
liabilities	die Passiva, die Passiven, die Schulden
business liabilities	die Geschäftsschulden
personal liabilities	die Privatschulden, die privaten Verbindlichkeiten
current liabilities, short-term liabilities	die laufenden Verbindlichkeiten, die kurzfristigen Verbindlichkeiten, das kurzfristige Fremdkapital
fixed liabilities, long-term liabilities	die langfristigen Verbindlichkeiten, das langfristige Fremdkapital
contingent liability	die Eventualverbindlichkeit
creditors, accounts payable *(US)*	die Verbindlichkeiten (aus Lieferungen und Leistungen)

bills payable, notes payable	die Schuldwechsel, die Wechselverbindlichkeiten
mortgage payable	die Hypothekenschulden
accrued expense	die antizipativen Passiva *(noch nicht bezahlte Aufwendungen)*
deferred income	die transitorischen Passiva *(im voraus eingenommene Erträge)*
equity capital, proprietary capital, proprietorship *(US)*, net worth *(the total proprietorship of a corporation, consisting of the capital stock plus the surplus or minus the deficit) (US)*	das Eigenkapital
borrowed capital	das Fremdkapital
working capital *(excess of current assets over current liabilities)*	das Umlaufvermögen nach Abzug der laufenden Verbindlichkeiten
general reserves	die (offenen) Rücklagen
hidden (*or:* secret) reserves	die stillen Reserven
statutory reserves	die gesetzlichen Rücklagen
voluntary reserves	die freien Rücklagen
to transfer to reserves	den Rücklagen zuführen
provision, allowance, reserve	die Rückstellung
valuation reserves	die Wertberichtigungen
liability reserves	die Rückstellungen für ungewisse Verbindlichkeiten
provision for depreciation, reserve for depreciation, allowance for depreciation	die Wertberichtigung auf das Anlagevermögen
provision for doubtful debts, reserve for bad debts	die Wertberichtigung auf das Umlaufvermögen (Abschreibung auf Forderungen)
sinking fund reserve	die Rückstellung für Tilgungsfonds, die Tilgungsrücklage
provision for taxes, reserve for taxes	die Rückstellung für Steuern

4. Profit and loss Account / 4. Gewinn- und Verlustrechnung

profit and loss account, profit and loss statement, income statement	die Gewinn- und Verlustrechnung

the nominal accounts are closed into the profit and loss statement	die Erfolgskonten werden über das Gewinn- und Verlustkonto abgeschlossen
operating income	die Betriebserträge
non-operating income	die betriebsfremden Erträge
income from sales	die Erträge aus Warenverkäufen, der Warenertrag
gross sales	der Bruttoumsatz, der Bruttoverkaufserlös
net sales	der Nettoumsatz, der Nettoverkaufserlös
purchase allowances	Preisnachlässe, nachträglich von Lieferern gewährt *(bei Sachmängeln)*
purchase returns	Warenrücksendungen an Lieferer
purchase discounts	Skonti, von Lieferern gewährt
cost of goods sold	der Wareneinsatz *(Wert der verkauften Waren zum Einstandspreis)*
operating expenses	die Betriebsaufwendungen
non-operating expenses	die betriebsfremden Aufwendungen
sales allowances	Preisnachlässe, nachträglich an Kunden gewährt *(bei Sachmängeln)*
sales returns	Warenrücksendungen von Kunden
sales discounts	Skonti, an Kunden gewährt
carriage inwards, transportation in, freight inward, freight in *(US)*	die Frachtspesen *(Bezugskosten)*
carriage outwards, freight outward *(US)*	die Frachtspesen *(Verkaufskosten)*
selling expenses, distribution expenses, marketing expenses	die Verkaufs-, die Vertriebskosten
advertising expenses	die Werbekosten
administrative expenses	die Verwaltungskosten
personnel expenses	die Personalkosten, die Personalausgaben
salaries and commissions	die Gehälter und Provisionen
storage costs	die Lagerkosten
maintenance costs	die Unterhaltungskosten *(Gebäude)*, die Wartungskosten *(Maschinen, Geräte etc.)*
organization expenses	die Gründungskosten

direct costs	die direkten Kosten
indirect costs, overhead costs, burden, oncost	die indirekten Kosten, die Gemeinkosten
profit	der Gewinn
gross profit	der Rohgewinn
net profit	der Reingewinn
to determine the net profit	den Reingewinn feststellen
loss	der Verlust
gross loss	der Bruttoverlust
net loss	der Nettoverlust

5. Records and Accounts — 5. Bücher und Konten

records	die Aufzeichnungen, die Unterlagen, die Geschäftsbücher
accounting records, books of account	die Geschäftsbücher
to doctor books	die Bücher fälschen
books of original entry	die Grundbücher
subsidiary books	die Nebenbücher
journal	das Journal
two-column journal	das Zweispaltenjournal
multi-column journal	das Mehrspaltenjournal
cash journal	das Kassenbuch
purchase journal	das Einkaufsbuch
sales journal	das Verkaufsbuch
journal entry	die Journalbuchung
to journalize	ins Journal eintragen
to post (a journal entry to the ledger)	übertragen (eine Journalbuchung ins Hauptbuch)
posting reference	der Übertragungshinweis
ledger	das Hauptbuch
ledger accounts	die Hauptbuchkonten
account	das Konto
account sheet	das Kontenblatt
account title, title of account, name of account	die Kontenbezeichnung

skeleton account, "T"-account	das T-Konto
chart of accounts	der Kontenplan
personal accounts	die Personenkonten
impersonal accounts	die Sachkonten
real accounts, permanent accounts, balance sheet accounts	die Bestandskonten
nominal accounts, temporary accounts, income and expense accounts	die Erfolgskonten
income accounts, revenue accounts	die Ertragskonten
expense accounts	die Aufwandskonten
mixed accounts	die gemischten Konten (Bestands-Erfolgs-Konten)
asset accounts	die Aktivkonten
liability accounts	die Passivkonten
cash account	das Kassenkonto
cash receipts	die Kasseneingänge
cash disbursements (*or:* payments)	die Kassenausgänge
disbursement voucher	die Kassenanweisung, der Ausgabebeleg
to prove cash	abrechnen, die Kasse abstimmen
cash proof	die Kassenabrechnung
"cash over"	der Kassenüberschuß
"cash short"	der Kassenfehlbetrag, das Kassenmanko, das Kassendefizit
mixed merchandise account	das gemischte Warenkonto
proprietorship account *(US)*	das Kapitalkonto
drawing account	das Konto Privatentnahmen
summarizing account	das Sammelkonto
balance sheet account	das Bilanzkonto
debit side *(of an account)*	die Sollseite *(eines Kontos)*
"Dr."	„Soll“
to debit, to charge	belasten
debtor	der Schuldner
debit note, debit memorandum, debit memo *(US)*	die Belastungsanzeige
credit side *(of an account)*	die Habenseite *(eines Kontos)*
"Cr."	„Haben“
to credit	gutschreiben

to credit an account with an amount, to credit an amount to a person's account, to place (*or:* pass, carry) an amount to a person's account	einen Betrag einem Konto gutschreiben
creditor	der Gläubiger
credit note, credit memorandum, credit memo *(US)*	die Gutschriftsanzeige
column	die Spalte
right-hand column	die rechte Spalte
left-hand column	die linke Spalte
folio column	die Foliospalte
explanation column	die Textspalte
explanation, particulars, details	der Buchungstext
to open an account	ein Konto eröffnen
transaction	der Geschäftsvorfall
two accounts were affected by this transaction	durch diesen Geschäftsvorfall wurden zwei Konten berührt
voucher	der (Buchungs-)Beleg
to insert the date	das Datum einsetzen
entry	die Buchung
to make an entry	buchen, eine Buchung vornehmen
opening entry	die Eröffnungsbuchung
debit entry	die Sollbuchung
credit entry	die Habenbuchung
(set of) entries	der Buchungssatz
give the entries	nenne den Buchungssatz!
to ... by ... *(debit entries are sometimes preceded by the word "to," credit entries by the word "by")*	an ... für ... *(Kontenanruf — Soll- und Habenbuchungen)*
"to Sundries"	„an Verschiedene"
sundry creditors	diverse Gläubiger
footing	die Addition *(der einzelnen Seiten eines Kontos vor der Saldierung)*
to foot	addieren *(eine Spalte im Journal, die linke oder rechte Seite eines Kontos)*
to refoot	nochmals addieren, nachaddieren, die Richtigkeit einer Addition prüfen
balance	der Saldo

to balance an account	ein Konto ausgleichen
credit balance	der Habensaldo
debit balance	der Sollsaldo
balance carried down, bal. c/d	der Saldovortrag
to carry down *(to transfer the balance of an account that has been ruled off to a line immediately below the ruling in order to reopen the account)*	*(einen Saldo)* vortragen
to carry forward *(to transfer the total of a column of figures to another column or page)*	*(eine Zwischensumme)* vortragen
to close and rule an account	ein Konto abschließen
to rule off	unterstreichen
a double ruling is placed below the totals	die Endsummen werden doppelt unterstrichen
reconciliation	die Abstimmung *(von Konten etc.)*
to reconcile	abstimmen
verify	(die Richtigkeit) prüfen
tick, check mark *(US)*	das Abhakungszeichen
to tick off, to check off	abhaken
error	der Fehler
source of errors	die Fehlerquelle
to trace an error	einen Fehler feststellen, aufspüren
to make a correction	eine Korrektur vornehmen
correcting entry, cancellation of an entry	der Storno, die Stornierung
to make a correcting entry, to cancel an entry	stornieren

B. Translation Exercises

B. Übersetzungsübungen

1. English–German

1. Englisch–Deutsch

1. The duplicating system does away with the time-consuming work of posting the journal entries to their respective ledger accounts. The entries, which are made direct into the ledger accounts, are automatically copied on journal sheets by means of a carbon. By using additional carbons, statements can be prepared simultaneously. 2. The Companies Act provides that every company

must appoint one or more auditors whose duty it is to check the accuracy of the books of the company and to report thereon to the shareholders. 3. In calculating depreciation it is necessary to know (a) the original cost of the fixed asset; (b) the probable life of the asset; and (c) the probable trade-in value or scrap value of the asset at the time it will be discarded or replaced. 4. Book debts are usually classed good, doubtful, and bad. Bad debts are written off. To write off an uncollectible account, the reserve for bad debts is debited and the debtor's account as well as the accounts receivable account in the ledger are credited. 5. The work sheet provides the information needed in preparing the balance sheet and profit and loss statement. 6. There are two kinds of trial balances: the trial balance of totals, which lists the debit total and the credit total of each account, and the trial balance of balances. 7. Intangible assets include goodwill, patents, copyrights, and trademarks. 8. In the journal, transactions are recorded in chronological order. 9. The difference between the two sides of an account is known as the balance. It may be either a debit balance or a credit balance. 10. Real accounts are more or less permanent in nature; their balances are carried forward from one accounting period to the next. The balances of the nominal accounts are transferred to profit and loss at the close of each fiscal year.

2. Deutsch–Englisch | 2. German–English

1. Bei der doppelten Buchführung wird jeder Geschäftsvorfall zweimal verbucht, und zwar einmal im Soll eines Kontos und einmal im Haben eines anderen Kontos. 2. Die Durchschreibebuchführung bringt eine erhebliche Vereinfachung der Buchungsarbeiten mit sich. 3. Die während eines Geschäftsjahres durch Abnutzung eingetretenen Wertminderungen werden bei den Abschlußarbeiten von den betreffenden Aktiven abgesetzt und in der Gewinn- und Verlust-Rechnung als sogenannte Abschreibungen auf der Aufwandseite berücksichtigt. 4. Rückstellungen bildet ein Unternehmen zur Abdeckung von Verbindlichkeiten oder Lasten, die sich der Höhe nach nicht oder nicht genau bestimmen lassen. 5. Rücklagen sind eine Art Ersparnisse. Das Unternehmen bildet sie zur Deckung noch nicht entstandener Verbindlichkeiten. Man unterscheidet gesetzliche und freie Rücklagen. 6. Durch die Einsetzung aktiver und passiver Rechnungsabgrenzungsposten in die Bilanz werden die Aufwendungen und Erträge der aufeinanderfolgenden Geschäftsjahre oder Buchungsperioden voneinander abgegrenzt. 7. Die linke Seite einer Bilanz (Aktiva) zeigt, wie das Vermögen einer Firma angelegt ist, die rechte Seite

(Passiva) einer Bilanz läßt erkennen, woher die Gelder der Firma kommen. Wenn man von den Aktiven die Verbindlichkeiten absetzt, erhält man das Eigenkapital. 8. Aus dem Abschluß der Warenkonten ergibt sich der Rohgewinn (bzw. Rohverlust), der in die Gewinn- und Verlustrechnung eingesetzt wird. Die Gewinn- und Verlustrechnung selbst weist den Reingewinn oder Reinverlust eines Zeitabschnittes, meist eines Geschäftsjahres, aus. 9. Die Geschäftsvorfälle werden in chronologischer Reihenfolge im Journal festgehalten. 10. Wenn ein Kunde Waren gegen bar erhält, so wird das Kassenkonto belastet und das Warenverkaufskonto erkannt (Buchungssatz: Kasse an Warenverkauf).

IX. Bankruptcy, Arrangement, Compromise

IX. Konkurs und Vergleich

A. Terminology

A. Terminologie

Bankruptcy Act, bankruptcy law	die Konkursordnung
bankruptcy proceedings	das Konkursverfahren
to become bankrupt (*or:* insolvent), to go bankrupt (*or:* into bankruptcy), to fail	Konkurs machen, in Konkurs gehen
"to go bust"	„Pleite gehen"
indebtedness	die Verschuldung
insolvency	die Zahlungsunfähigkeit
bankruptcy	der Bankrott, der Konkurs
fraudulent bankruptcy	der betrügerische Bankrott
to commit an act of bankruptcy *(GB)*	einen Konkursgrund setzen
petition in bankruptcy, bankruptcy petition	der Antrag auf Konkurseröffnung, der Konkursantrag
to file (*or:* to present) one's own petition (*or:* one's bankruptcy petition), to declare o.s. bankrupt	den Konkurs anmelden
receiving order in bankruptcy *(GB)*	*etwa:* der Konkurseröffnungsbeschluß *(der* „receiving order" *ist ein vom englischen Verfahren vorgeschriebener Gerichtsbeschluß, der dem Gemeinschuldner noch die Möglichkeit beläßt, seine Vermögensverhältnisse frei nach eigener Entscheidung zu ordnen, ihn jedoch darauf hinweist, daß das Gericht ihm vermittels eines* „adjudication order" *jedoch die Verfügungsbefugnis über sein Vermögen entziehen und diese einem* „trustee" (Konkursverwalter) *übertragen wird, falls es dem Gemeinschuldner nicht gelingt, innerhalb einer vom Gericht bestimmten Frist seine Verhältnisse in Ordnung zu bringen)*

adjudication order	*etwa:* der Konkurserklärungsbeschluß
public notice (*or:* announcement) of adjudication in bankruptcy	die öffentliche Bekanntmachung der Konkurseröffnung
to declare bankrupt	jemandem den Konkurs erklären
adjudication in bankruptcy (*or:* of insolvency)	die Konkurserklärung
bankruptcy notice *(GB)*	befristete Zahlungsaufforderung an einen Urteilsschuldner unter Androhung eines Konkursverfahrens
settlement proceedings *(to avoid bankruptcy)*	das Vergleichsverfahren *(zur Abwendung des Konkurses)*
to propose a settlement	einen Vergleich beantragen
debtor	der Schuldner
bankrupt, adjudicated bankrupt	der Gemeinschuldner
creditor in bankruptcy	der Konkursgläubiger
to settle with the creditors	sich mit den Gläubigern vergleichen
arrangement (*or:* settlement) with the creditors	das Abkommen (*oder:* die Einigung) mit den Gläubigern
settlement out of court, private arrangement	der außergerichtliche Vergleich
compulsory composition *(a compromise reached by the majority of the non-preferential creditors with the bankrupt and which can be made binding upon the whole body of the non-preferential creditors)*	der Zwangsvergleich *(D) (beim Konkurs oder Vergleichsverfahren von der Mehrheit der nicht bevorrechtigten Gläubiger mit dem Schuldner abgeschlossener Vergleich, der durch Bestätigung des Gerichts auch für die nicht zustimmenden Gläubiger bindend ist)*
confirmation of a settlement by the court	die gerichtliche Bestätigung des Vergleichs
meeting of creditors	die Gläubigerversammlung
contestation	die Anfechtung
suspension of a bankruptcy	Aussetzung des Konkursverfahrens
closing of bankruptcy proceedings	die Konkursbeendigung, die Aufhebung des Konkurses (*oder:* des Konkursverfahrens)
closing (*or:* suspending) of bankruptcy proceedings due to inadequate assets	die Einstellung mangels Masse
dividend in a bankrupt's estate	die Konkursdividende
costs involved in bankruptcy	die Konkurskosten

realization (*or:* sale) of a bankrupt's assets	der Konkursverkauf
by public auction	durch öffentliche Versteigerung
discharge of a bankrupt	*etwa:* Freistellung (*oder:* Rehabilitierung) des Gemeinschuldners *(In England erlangt der Gemeinschuldner damit die endgültige Befreiung von seinen nach Bezahlung der Konkursdividende verbleibenden restlichen Verbindlichkeiten. Der Gemeinschuldner gilt damit wieder als zahlungsfähig. In Deutschland haftet der Gemeinschuldner nach Abschluß des Konkursverfahrens für den Fall unbeschränkt weiter, daß es ihm nicht gelingt, durch einen Vergleich während des Konkursverfahrens (das ist durch Zwangsvergleich) oder durch einen späteren Vergleich nach Beendigung des Konkursverfahrens seine noch offenen Verbindlichkeiten zu erledigen.)*
a suspended and conditional discharge *(GB)*	eine befristete und bedingte Freistellung
bankruptcy of an estate (*or:* of the estate of a deceased person)	der Nachlaßkonkurs
undischarged bankrupt	ein nicht freigestellter Gemeinschuldner
public examination of the bankrupt	öffentliche gerichtliche Vernehmung
bankrupt's estate (*or:* assets)	die Konkursmasse
statement of affairs	die Konkursbilanz
schedule of a bankrupt's debts	die Gläubigerliste, die Konkurstabelle
claim against the bankrupt's estate	die Masseforderung
general body of creditors	die Gläubigermasse
privileged (*or:* preferred; *or:* preferential) creditor	der bevorzugte Gläubiger, der Vorzugsgläubiger
non-privileged (*or:* non-preferential) creditor	der nicht bevorrechtigte Gläubiger, der Gläubiger einer gewöhnlichen Konkursforderung
creditor on mortgage, mortgage creditor, mortgagee	der Hypothekengläubiger

pawnee, pledgee, holder of a pledge	der Pfandgläubiger
secured creditor	der gesicherte Gläubiger
suspension (*or:* stoppage) of payments, failure, insolvency	die Zahlungseinstellung
to suspend (*or:* to stop) one's payments	seine Zahlungen einstellen
trustee (*or:* assignee; *or:* receiver) in bankruptcy, trustee of a bankrupt's estate	der Konkursverwalter *(wird vom Konkursgericht zur Verwaltung der Konkursmasse eingesetzt)*
loss of the right to manage his estate *(by a bankrupt)*	der Verlust (*oder:* Entzug) seines Rechtes der Vermögensverwaltung *(beim Gemeinschuldner)*
bankruptcy court, court of bankruptcy	das Konkursgericht
judge in bankruptcy *(GB)*	der Konkursrichter
registrar in bankruptcy *(GB)*	*etwa:* der Rechtspfleger
joint paying off of all creditors	die gemeinschaftliche Befriedigung aller Gläubiger
to claim a debt against a bankrupt	eine Forderung gegen den Gemeinschuldner haben
claim to a separation of an asset from the bankrupt's estate	der Aussonderungsanspruch
preferential settlement	die abgesonderte Befriedigung (aus Gegenständen), die bevorzugte Befriedigung
right to a preferential settlement	das Recht auf abgesonderte Befriedigung
reclaiming property from the bankrupt's estate	die Herausverlangung des Eigentums aus der Konkursmasse
right to pursuit	das Verfolgungsrecht
to separate an asset from the bankrupt's estate	einen Gegenstand (aus der Masse) aussondern
to prove one's claim (*or:* one's debt), to lodge (*or:* to tender) a proof of debt, to prove against the estate of a bankrupt	eine Forderung zur Konkursmasse anmelden

B. Translation Exercises

B. Übersetzungsübungen

1. English–German

1. Englisch–Deutsch

1. A petition may be filed against a person within four months after the commission of an act of bankruptcy. 2. A partnership, including a limited partnership containing one or more general partners, may be adjudged a bankrupt either separately or jointly with one or more or all of its general partners. 3. A discharge in bankruptcy shall release a bankrupt from all of his provable debts, whether allowable in full or in part, except such as are due as a tax levied by the United States. 4. The receiver or trustee may, with the approval of the court, compromise any controversy arising in the administration of the estate upon such terms as he may deem for the best interest of the estate. 5. It is ordered that a first (or second, etc., or final) dividend of ... per cent be, and it hereby is, declared on all unsecured claims, not entitled to priority, allowed against the estate of the above-named bankrupt, in accordance with the following dividend sheet. 6. It appearing that, after due notice by mail, no objection to the discharge of said bankrupt was filed within the time fixed by the court, it is ordered that the said ... be, and he hereby is, discharged from all debts and claims which are made provable by said Act against his estate, except such debts as are, by said Act, excepted from the operation of a discharge in bankruptcy. 7. To the creditors of ..., of ..., in the County of ..., in the district aforesaid: Notice is hereby given that on the ... day of ... 19.., the said ... filed a petition in this court proposing an arrangement with his creditors under the provisions of chapter XII of the Act of Congress relating to bankruptcy, and that a meeting of his creditors will be held at ... in ... on the ... day of ..., 19.., at ... o'clock in the ... noon, at which place and time the said creditors may attend, prove their claims, examine the debtor, present written acceptances of the proposed arrangement, a summary of the liabilities of said debtor as shown by his schedules, and a summary of the appraisal of the property of said debtor. 8. The debts to have priority, in advance of the payment of dividends to creditors, and to be paid in full out of bankrupt's estate, and the order of payment, shall be (1) the actual and necessary costs and expenses of preserving the estate subsequent to filing the petition, (2) wages not to exceed $600 to each claimant, etc. 9. Any petitioner may file a petition hereunder stating that the petitioner is insolvent or unable to meet his debts as they mature and that he desires to effect a plan for the composition of his debts. 10. "Arrangement" means any plan of a debtor for the settlement, satisfaction, or extension of the time of payment of his unsecured debts,

upon any terms. 11. The confirmation of an arrangement shall discharge a debtor from all his unsecured debts and liabilities provided for by the arrangement.

2. Deutsch–Englisch — 2. German–English

1. Die Konkursmasse dient zur gemeinschaftlichen Befriedigung aller persönlichen Gläubiger, welche einen zur Zeit der Eröffnung des Verfahrens begründeten Vermögensanspruch an den Gemeinschuldner haben (Konkursgläubiger). 2. Die Ansprüche auf Aussonderung eines dem Gemeinschuldner nicht gehörigen Gegenstandes aus der Konkursmasse bestimmen sich nach den außerhalb des Konkursverfahrens geltenden Gesetzen. 3. Zur abgesonderten Befriedigung dienen die Gegenstände, welche der Zwangsvollstreckung in das unbewegliche Vermögen unterliegen, für diejenigen, welchen ein Recht auf Befriedigung aus denselben zusteht. 4. Die Massegläubiger haben ein Recht auf Vorwegberichtigung der Massekosten und der Masseschulden. 5. Der von der Gläubigerversammlung gebilligte Zwangsvergleich bedarf der Bestätigung durch das Konkursgericht. 6. Schuldner, welche ihre Zahlungen eingestellt haben oder über deren Vermögen das Konkursverfahren eröffnet worden ist, werden wegen betrügerischen Bankrotts mit Zuchthaus bestraft, wenn sie Vermögensstücke verheimlicht haben, um ihre Gläubiger zu benachteiligen.

X. Industry — X. Industrie

A. Terminology — A. Terminologie

1. General Terms — 1. Allgemeines

industry	die Industrie
manufacturing plant, industrial plant	der Industriebetrieb
industrial	industriell, Industrie- ..., Gewerbe ...
manufacturer, industrialist	a) der Industrielle b) der Gewerbetreibende
industrialist, business tycoon *(US)*	der Großindustrielle
captain of industry	der Industriekapitän
to industrialize	industrialisieren
industrialization	die Industrialisierung
age of industry	das Industriezeitalter
period of promoterism	die Gründerjahre *(nach 1870)*
industrial development	die industrielle Entwicklung
industrial expansion	die industrielle Expansion
industrial country	der Industriestaat, das Industrieland
industrial area	das Industriegebiet, das Industriegelände
industrial centre, manufacturing centre	das Industriezentrum, das Produktionszentrum
manufacturing concern	das Produktionsunternehmen
industrial enterprise	das Industrieunternehmen
home industry	die einheimische Industrie
local industry, regional industry	die ortsansässige Industrie, die örtliche Industrie
homework	die Heimarbeit
domestic industry	die Hausindustrie
industrial output, industrial production	die industrielle Produktion
index of industrial production	der industrielle Produktionsindex
productivity index	der Produktivitätsindex
industrial product, manufactures *(only pl.)*	das Industrieerzeugnis, das Industrieprodukt
industrial worker	der Industriearbeiter

standardization	die Normung, die Vereinheitlichung, die Typisierung
industrial standard	die Industrienorm
commercial standardization (of commodities)	die Warennormung
to standardize, to normalize	normen
British Standards Institution	das britische Institut für Industrienormen, der britische Normenausschuß
standardization of factories	die Betriebsvereinheitlichung
standardized production	die genormte Produktion
processed product	das Veredelungsprodukt, das weiterverarbeitete Erzeugnis
to process, to finish	veredeln
finished product	das Fertigprodukt, das Fertigerzeugnis
semi-finished article (*or:* product)	das Halbfertigerzeugnis, das Halbfabrikat, das Halbzeug *(nur in der Metallindustrie)*
individual production	die Einzelfertigung
mass production, production in bulk, quantity production	die Massenproduktion
serial production, serialization, duplicate production, multiple production	die Serienfertigung, die Serienherstellung
series	die Serie
serialize	serienmäßig herstellen
parcel, lot	die Partie *(einheitliche Sendung, gewährleistet eine gewisse Einheitlichkeit der Rohstoffe)*
charge	die Charge *(einmaliger Stoffeinsatz, z. B. eine Beschickung eines Hochofens)*
assembly line	das Fließband
flow production, serial production, standardized production, progressive operations	die Fließfertigung, die Fließarbeit
conveyer-line production	die Fließbandfertigung
progressive assembly	die Fließbandmontage
assembly-line worker	der Fließbandarbeiter

automation, automatization	die Automatisierung, die „Automation“
to automate, to automatize	automatisieren
materials	die Werkstoffe, die Baustoffe
material testing	die Werkstoffprüfung

2. Protection of Industrial Property — 2. Schutz des gewerblichen Eigentums

industrial property	das gewerbliche Eigentum
patent	das Patent, die Patentschrift
to patent, to grant a patent	patentieren
patent office	das Patentamt
grant of a patent, issue of a patent, issuance of a patent	die Eintragung eines Patents
lapse of a patent, expiration of a patent	der Ablauf eines Patents, das Erlöschen eines Patents
exploitation of a patent	die Auswertung eines Patents, die Verwertung eines Patents
assignment of a patent	die Übertragung eines Patents
owner of the patent, patentee, patent holder	der Patentinhaber
patent roll, patent register	die Patentrolle
filing fee	die Patent(anmeldungs-)gebühr
patent annuity, renewal fee	die Patent(jahres-)gebühr
patent infringement, infringement of a patent (of patents)	die Patentverletzung
patent specification, patent description	die Patentbeschreibung
patent attorney, patent lawyer, patent agent	der Patentanwalt
patent committee	die Patentkommission
protection by letters patent	der Patentschutz
to apply for a patent for something	etwas zum Patent anmelden
to permit a patent to lapse, to permit a patent to expire, to abandon a patent, to drop a patent	ein Patent verfallen lassen
claim, patent claim	der Patentanspruch

licence	die Lizenz
patent licence	die Patentlizenz
exclusive licence	die ausschließliche Lizenz
non-exclusive licence	die einfache Lizenz, die nicht ausschließliche Lizenz
sublicence	die Unterlizenz
selling licence	die Verkaufslizenz
licence agreement, licence contract	der Lizenzvertrag, die Lizenzvereinbarung
licensor	der Lizenzgeber
licensee, licenced firm	der Lizenznehmer, der Lizenzinhaber, der Lizenzträger
general licensee	der Generallizenznehmer
sub-licensee	der Unterlizenznehmer
grant of a licence, issuance of a licence	die Lizenzerteilung
terms of the licence	die Lizenzbedingungen
licence fee	die Lizenzgebühr
duration (*or:* period, term) of the licence	die Lizenzdauer
to revoke a licence	eine Lizenz zurückziehen
to suspend a licence	eine Lizenz zeitweilig außer Kraft setzen
trade-mark	das Warenzeichen
to register	eintragen
register of trade-marks	die Warenzeichenrolle
cancellation of a trade-mark	die Löschung eines Warenzeichens
trade-mark protection	der Warenzeichenschutz
trade-mark owner	der Inhaber eines Warenzeichens
trade-mark act	das Warenzeichengesetz
trade-mark law	das Warenzeichenrecht

3. Branches of Industry and Industrial Products / 3. Industriezweige und Industrieerzeugnisse

big industry	die Großindustrie
small industry	die Kleinindustrie
key industry	die Schlüsselindustrie

heavy industry	die Schwerindustrie
light industry	die Leichtindustrie
basic goods industry, basic materials industry	die Grundstoffindustrie
basic goods, basic materials	die Grundstoffe
capital goods industry, producer goods industry	die Investitionsgüterindustrie die Produktionsgüterindustrie
capital goods, producer goods	die Investitionsgüter, die Produktionsgüter
consumer goods industry	die Konsumgüterindustrie
consumer goods	die Verbrauchsgüter
durables, durable consumer goods	die Gebrauchsgüter, die langlebigen Verbrauchsgüter
manufacturing industry, processing industry	die verarbeitende Industrie, die weiterverarbeitende Industrie
coal and steel industries	die Montanindustrie
mining industry	die Bergbauindustrie, der Bergbau
mine	das Bergwerk
miner	der Bergmann
coal mining	der Kohlebergbau
coal mine	die Zeche
coal output	die Kohlenförderung, die Kohlenproduktion
hard coal	die Steinkohle
brown coal, lignite	die Braunkohle
coke	der Koks
coal field, coal district	das Kohlenfeld
exploitation	der Abbau, die Förderung
to mine coal	Kohle abbauen, Kohle fördern
coal shortage	die Kohlenknappheit
pithead stock	die Haldenbestände *(gelagerte Kohle)*
heap, bank	die Halde *(die Schlacke, der Abraum usw.)*
iron and steel producing industry	die Eisen- und Stahlindustrie, die eisenschaffende Industrie
ironworking industry	die eisenverarbeitende Industrie
ironworks	das Eisenhüttenwerk
pig iron	das Roheisen
steel	der Stahl

crude steel	der Rohstahl
high-grade steel	der Edelstahl
ore	das Erz
iron ore	das Eisenerz
blast furnace	der Hochofen
scrap	der Schrott
non-ferrous metals	die Nichteisenmetalle, die NE-Metalle
steel mill, steel works	das Stahlwerk
to roll	walzen
roll	die Walze
rolling mill	das Walzwerk
rolling train, train of rolls, mill train	die Walzstraße
rolled sheet (*or:* plate)	das Walzblech
rolled steel	der Walzstahl
foundry	die Gießerei
wire-drawing mill	die Drahtzieherei
steel forming	die Stahlverformung
metal-working industry	die metallverarbeitende Industrie
tube works, tube mill	das Röhrenwerk
tube	das Rohr
hardware	die Metallwaren
light metal	das Leichtmetall
oil industry	die Erdölindustrie, die Mineralölindustrie
petroleum production	die Erdölgewinnung
oil field, (oil) pool	das Erdölfeld
oil-well drilling installation	die Erdölbohranlage
derrick	der Bohrturm
tanker	der Tanker
pipe line	die Ölleitung, die Pipeline
wood-based industry, timber-based industry	die Holzindustrie
woodworking industry	die Holzverarbeitungsindustrie
sawmill	das Sägewerk
wood processing	die Holzverarbeitung
woodworking	die Holzbearbeitung
paper industry	die Papierindustrie
paper mill	die Papierfabrik

paper manufacturer	der Papierhersteller
paper machine	die Papiermaschine
paper pulp	der Papierbrei, die Papiermasse, der Zellstoff
rubber industry	die Gummiindustrie
wood-pulp industry, cellulose industry	die Zelluloseindustrie
plastics industry	die Kunststoffindustrie
German Plastics Industry Alliance	die Arbeitsgemeinschaft der Deutschen Kunststoff-Industrie
plastics-producing industry	die kunststofferzeugende Industrie
plastics-processing industry	die kunststoffverarbeitende Industrie
primary plastics product	das Kunststoffvorprodukt
fuel industry	die Brennstoffindustrie
compact fuel, solid fuel	die festen Brennstoffe
liquid fuel	die flüssigen Brennstoffe
gaseous fuel	die gasförmigen Brennstoffe
fuel	der Treibstoff, der Kraftstoff, der Brennstoff
fuel supply	die Brennstoffversorgung, die Treibstoffversorgung
natural gas	das Erdgas
gas field	das Erdgasfeld
bed, deposit	das Vorkommen, das Lager, die Lagerstätte
brick industry	die Ziegelindustrie
brickworks	die Ziegelei
brick	der Ziegelstein
tile	der Dachziegel
textile industry	die Textilindustrie
spinning mill	die Spinnerei
yarn	das Garn
weaving mill	die Weberei
loom	der Webstuhl
fabric, textile	das Gewebe, der Stoff
fibre	die Faser
synthetic fibre	die Kunstfaser, die Chemiefaser
knitwear manufacture, knitwear factory, knitting department	die Wirkerei

textiles	die Textilien
clothing industry	die Bekleidungsindustrie
chemical industry	die chemische Industrie
petrochemical industry	die petrochemische Industrie
pharmaceutical industry	die pharmazeutische Industrie
dyestuff industry	die Farbstoffindustrie
soap industry	die Seifenindustrie
leather industry	die Lederindustrie
footwear industry	die Schuhindustrie
footwear, footgear	die Fußbekleidung
glass industry	die Glasindustrie
aircraft industry	die Flugzeugindustrie, die Luftfahrtindustrie
toy industry	die Spielwarenindustrie
jewelry industry	die Schmuckwarenindustrie
film industry, motion-picture industry	die Filmindustrie
pottery industry, ceramics industry	die keramische Industrie
food processing industry	die Nahrungsmittelindustrie
motor-vehicle industry, motor industry, automobile industry *(US)*, automotive industry *(US)*	die Kraftfahrzeugindustrie, die Automobilindustrie
motor-vehicle industry	der Fahrzeugbau
motor-car, automobile *(US)*	das Straßenfahrzeug, das Automobil
passenger car	der Personenwagen
lorry, van, truck *(US)*	der Lastkraftwagen, der Lkw
commercial vehicle	das Nutzfahrzeug
small car	der Kleinwagen
bus, motor coach	der Omnibus
mechanical engineering, machine building	der Maschinenbau
engineering industry	die Maschinenindustrie
electrical equipment industry, electrical engineering, electric industry	die elektrotechnische Industrie, die Elektroindustrie
optical industry	die optische Industrie
optical good, optical instrument	das optische Gerät, der optische Artikel
machine tools industry	die Werkzeugmaschinenindustrie
machine tool	die Werkzeugmaschine
appliance industry	die Haushaltsgeräteindustrie

household goods	der Hausrat
cleaning and personal hygiene goods industry	die Reinigungs- und Körperpflegemittelindustrie
food, beverages and tobacco industry	die Nahrungs- und Genußmittelindustrie
precision engineering, light engineering industry	die feinmechanische Industrie
precision instruments	die feinmechanischen Geräte
watch and clock industry	die Uhrenindustrie
shipbuilding industry	die Schiffsbauindustrie, die Werftindustrie
building industry, building trade	die Bauindustrie
luxury goods industry	die Luxusgüterindustrie
power generation, generation of electricity, electric power production	die Stromerzeugung, die Erzeugung elektrischer Energie
electric current	der elektrische Strom
direct current, d. c., D. C.	der Gleichstrom
alternating current, a. c., A. C.	der Wechselstrom
three-phase a. c.	der Drehstrom
water power	die Wasserkraft
power resource, source of energy	die Energiequelle, der Energieträger
demand for energy, energy requirements	der Energiebedarf
power supply	die Energieversorgung
power consumption	der Energieverbrauch, der Stromverbrauch
power station, generating station, generating plant	das Kraftwerk
thermal power plant	das Wärmekraftwerk
heating plant	das Heizkraftwerk
hydro-electric power plant	das Wasserkraftwerk
hydro-electric power production	die Wasserkrafterzeugung
hydro-electric energy, hydro-electric current	der Wasserkraftstrom
oil-fired station	das ölbefeuerte Kraftwerk
nuclear power station	das Atomkraftwerk

B. Translation Exercises | **B. Übersetzungsübungen**

1. ENGLISH–GERMAN | 1. ENGLISCH–DEUTSCH

1. The index of industrial production shows signs of an increase in output. 2. Although the motor industry responded very quickly in June to the relaxation of hire purchase restrictions, car output for that month continued to drop. 3. During the nadir of the motor recession last November, the index dropped only two points to 119, an indication of the strength of the buoyant parts of the economy, such as the capital goods industries, chemicals, electricity, paper and printing, and drink and tabacco. 4. In rejecting the steel industry's case for an increase in prices last autumn the Iron and Steel Board took into account the increases in costs arising directly and indirectly from rises in the prices of coal and coke, but not the wage increases that the steelmasters have since agreed to pay. 5. If the Central Electricity Generating Board receives permission to build a 3,000 megawatt oil-fired power station, it will postpone the construction of another nuclear power station. 6. The oil-fired station would be on land close to Esso's refinery, which would ensure it a good bargain on fuel oil, and thus is in an already industrialized part of the area. (3, 4, 6 from "The Economist.") 7. Today paper manufacture and conversion ranks as the sixth-largest industry in Britain. In order to assess properly the paper's industrial potential it is indispensable to consider the fact that each one of us uses, on average, 180 pounds of paper and paper products every year. 8. The assembly-line technique is a system of production in which, by a rather extreme application of the principle of division of labour, a number of individual, interchangeable parts, or subassemblies, are brought together into a completely assembled or finished unit. A conveyer belt is frequently used to carry the work under construction between lines of employees, each of whom performs a given operation on the partially constructed unit as it reaches a designated point in the line, the last employee in the line performing his operation to complete the unit. 9. A patent is the right of exclusive proprietorship of an invention granted by a government to a person or organization for a term of years. In the United States (1949) patents are granted for any new and useful art, machine, process, or substance, including distinct and new forms of plants, for a term of 17 years. For designs, patents are granted for terms of 3½, 7, or 14 years. Patent rights may be enforced through the courts. 10. The Patent Office is a major unit of the Department of Commerce of the United States which has charge of all matters pertaining to applications for patents and administers federal trade-mark laws. Through its various examiners and its

Board of Appeal, the office passes finally upon the patentability of all inventions which may be submitted to it and determines the question of priority of invention when conflicting claims arise. (8, 9, 10 by Sloan and Zurcher.) 11. An owner of a patent may grant a licence for the manufacture of the patented article. 12. Trade-marks may be registered with the Patent Office in the United States.

2. Deutsch–Englisch 2. German–English

1. Man unterscheidet die Grundstoffindustrie, die Investitions- und Produktionsgüterindustrie und die Verbrauchsgüterindustrie. 2. Die erste industrielle Revolution war durch die Einführung der Maschinen gekennzeichnet, die zweite industrielle Revolution, die begonnen hat, steht im Zeichen der Automation. 3. Die wichtigsten Industriezentren Deutschlands liegen im Rheinland, in Hessen und in Württemberg. Dort finden wir vor allem den Kohlebergbau, die eisenschaffende Industrie, die eisenverarbeitende Industrie, die Maschinenindustrie, die chemische Industrie, die Glasindustrie und die Textilindustrie der Bundesrepublik. 4. In der Sowjetunion wurde in den letzten Jahren vor allem die Schwerindustrie entwickelt, seit einigen Jahren aber wird auch die Konsumgüterindustrie mehr gefördert. 5. Musikinstrumente und Spielwaren werden vielfach in Heimarbeit hergestellt. 6. In der modernen Kraftfahrzeugindustrie spielt die Fließbandarbeit eine große Rolle. 7. Die Industrialisierung gewisser Entwicklungsländer hat in den letzten Jahren große Fortschritte gemacht. 8. Die Vereinigten Staaten besitzen eine bedeutende Tankerflotte. 9. Die Sowjetunion verfügt über gewaltige Erdölvorkommen. 10. Frankreich hat die Kapazität seiner Energieerzeugung nach dem Zweiten Weltkrieg erheblich vergrößert. 11. Die Kunststoffindustrie hat in den letzten Jahren einen gewaltigen Aufschwung erfahren. 12. Die Schutzzölle sollen die einheimische Industrie gegen ausländische Konkurrenz schützen. 13. Gewisse Industrien arbeiten durchgehend, z. B. Hochöfen, Erdölraffinerien, Elektrizitäts- und Gaswerke, andere arbeiten im allgemeinen nur an Werktagen, z. B. der Bergbau, die Textilindustrie, der Maschinenbau usw. 14. Frankreich hat nach dem Zweiten Weltkrieg im Rahmen des sogenannten Monnet-Plans eine Reihe neuer Hochöfen und Walzstraßen gebaut und damit die Produktionskapazität seiner eisenschaffenden Industrie stark erhöht. 15. Im Laufe der letzten Jahre wurde das Heizöl zu einem gefährlichen Konkurrenten für die festen Brennstoffe. 16. Das Fließband ist aus der modernen Massenfertigung nicht mehr hinwegzudenken. Unter Fließfertigung versteht man eine örtlich fortschreitende, zeitlich bestimmte, lückenlose Folge von Arbeitsgängen unter Berücksichtigung des kürzesten Transportweges.

XI. Crafts and Trades

XI. Handwerk und Gewerbe

A. Terminology

The German term "Gewerbe" *has no English equivalent. It is defined in Brockhaus as follows: "any professional, profit-making activity by which more valuable goods are produced by working or processing materials."*

"Gewerbliche Wirtschaft," *for instance, is used as a collective designation for industry and allied trades.*

In German commercial law, on the other hand, "Gewerbe" *is used as a hold-all for a great variety of profit-making activities, as in* "Gewerbesteuer," *which is payable by any enterprise that makes or trades in any type of product.*

Hence any English translation of the word "Gewerbe" *must necessarily be a circumscription.*

The expressions dealt with in this chapter relate only to crafts and trades and allied activities. See also Industry, Trade and Commerce, and Labour (Vocational Training).

A. Terminologie

Für den deutschen Ausdruck „Gewerbe" *gibt es kein englisches Äquivalent. Im Brockhaus wird er wie folgt definiert: „Jede auf Erwerb gerichtete berufsmäßige Tätigkeit, die durch Stoffbearbeitung oder Stoffveredelung ... wertvollere Güter herstellt."*

„Gewerbliche Wirtschaft" *z. B. wird als Sammelbezeichnung für Industrie und Handwerk verwendet.*

Andererseits wird „Gewerbe" *im deutschen Handelsrecht als allumfassender Begriff für die verschiedensten Erwerbstätigkeiten benützt, wie z. B. in* „Gewerbesteuer", *die von jedem Unternehmer, der Produkte irgendeiner Art herstellt oder vertreibt, zu entrichten ist.*

Jede englische Übersetzung des Wortes „Gewerbe" *muß daher notwendigerweise eine Umschreibung sein.*

Die in diesem Kapitel behandelten Ausdrücke beziehen sich lediglich auf das Handwerk und dem Handwerk verwandte Tätigkeiten. Siehe auch Industrie, Handel und Arbeit (Berufsausbildung).

trade	der praktische Beruf, das Handwerk
a carpenter by trade	seines Zeichens ein Zimmermann
craft	das Handwerk, das Gewerbe *(obwohl* „craft" *und* „trade" *oft als Synonyme benützt werden, wird bei* „craft" *größere Geschicklichkeit vorausgesetzt, oft sogar Kunstfertigkeit; unter Umständen*

	ist „craft" *also mit* „Kunsthandwerk" *zu übersetzen)*
tradesman	der Handwerker (*z. B.* Bauhandwerker)
craftsman	der Handwerker, der Kunsthandwerker
craftsmanship	die Geschicklichkeit, die Fertigkeit, die Kunstfertigkeit, die Güte der geleisteten Arbeit
excellent craftsmanship is the hallmark of our products	unsere Produkte sind durch ihre hervorragende Ausführung gekennzeichnet
skilled trade	der gelernte Beruf, das Handwerk *(eigentlich ein Beruf, in dem mehr verlangt wird als reine Handfertigkeit)*
handicraft	der handwerkliche Beruf, die Handarbeit, das Handwerk, *(oft für handwerkliche Tätigkeit mit künstlerischem Einschlag benützt, z. B. der Goldschmied, also auch:)* das Kunstgewerbe
handicraftsman	der Handwerker, der Kunstgewerbler
arts and crafts	das Kunstgewerbe
arts and crafts shop	das Kunstgewerbegeschäft
handicrafts school, arts and crafts school	die Kunstgewerbeschule
handicrafts instruction	der Werkunterricht
trade school	die Handwerkerschule
handcrafted	handgefertigt, kunstgewerblich
artisan	der gelernte Arbeiter
itinerant tradesman	der Wandergeselle, der Handwerksbursche
craftsman class, tradesman class	der Handwerkerstand
craft organization	die Handwerksorganisation
guild, gild	die Zunft, die Gilde, die Innung *(in den englischsprechenden Ländern haben die* „guilds" *keine praktische Bedeutung mehr)*
craft fraternity	die Handwerkervereinigung

guild system	das Zunftwesen
guild member	der Zunftgenosse, das Innungsmitglied
handicrafts enterprise	der Handwerksbetrieb, der handwerkliche Betrieb
Chamber of Handicrafts *(German regional organizations whose functions in the handicraft sphere are comparable to those of the Chambers of Commerce in the commercial field)*	die Handwerkskammer
handicrafts register	die Handwerksrolle
advancement of crafts	die Gewerbeförderung

B. Translation Exercises — B. Übersetzungsübungen

1. English–German — 1. Englisch–Deutsch

1. The old craft fraternities and guilds in the English-speaking countries have not died out completely, but have no practical importance nowadays. 2. The widespread belief that the traditional form of apprenticeship no longer exists in Great Britain and the USA is a fallacy. 3. It is common practice to couple practical training with theoretical instruction at technical evening schools and similar institutions. 4. The sandwich-course system is a type of training programme in which learners or apprentices are released at intervals from their practical work to enable them to participate in courses at technical institutes. 5. In this era of industrialization and specialization the old type of highly skilled craftsman has lost much of his former importance.

2. Deutsch–Englisch — 2. German–English

1. Die Handwerkskammern vertreten gegenüber den Behörden die berufsständischen und wirtschaftlichen Interessen der Handwerker ihres Bezirkes. 2. Die Handwerkskammern können Fachschulen gründen und sind an der Organisation der handwerklichen Lehre und an der Berufsberatung beteiligt. 3. In Deutschland müssen alle Handwerker in die Handwerksrolle eingetragen sein. 4. Besonders im Lande Bayern gibt es eine große Anzahl handwerklicher Betriebe. 5. Unter Kunstgewerbe versteht man die handwerkliche, auch maschinelle Herstellung von Gebrauchsgegenständen, bei deren Gestaltung nicht nur die Zweckmäßigkeit, sondern auch die Formschönheit eine wichtige Rolle spielt.

XII. Agriculture — XII. Landwirtschaft

A. Terminology and Explanations — A. Terminologie und Erläuterungen

Der Wortschatz der Landwirtschaft ist ungeheuer reich, denn er umfaßt eine Reihe von Gebieten, wie Wirtschaft, Recht, Technik, Chemie, Zoologie, Botanik usw. Wir können daher im Rahmen dieses Werkes nur eine kleine Auswahl wichtiger Ausdrücke bringen, die besonders häufig vorkommen. Im Deutschen finden wir vielfach in Zusammensetzungen das Wort „Agrar ...", *z. B.* Agrarreform, Agrarpolitik, Agrarrecht, Agrarpresse *usw. Nur in wenigen Fällen, z. B. im Ausdruck* „agrarian reform" = „die Agrarreform, die Bodenreform" *finden wir im Englischen das Adjektiv* „agrarian". *Am häufigsten entsprechen dem deutschen* „Agrar ..." *das englische Eigenschaftswort* „agricultural" *und Zusammensetzungen mit* „farm ...", *z. B.* „agricultural cycle" = „der Agrarzyklus", „agricultural policy" = „die Agrarpolitik" (*allerdings* „agrarian politics" = „die Agrarpolitik" als Wissenschaft), „farm product", „agricultural product" = „das Agrarprodukt". *Daneben trifft man noch ziemlich häufig das Adjektiv* „rural" *an, z. B. in* „rural engineering" = „die Agrartechnik", *wenn auch* „rural" *meist mit* „Land-" *und* „ländlich" *zu übersetzen sein wird, wie etwa in* „rural exodus" = „die Landflucht" *und* „rural environment" = „die ländliche Umgebung, das ländliche Milieu". *Im Deutschen kann statt der Zusammensetzung mit* „Agrar ..." *häufig ein anderer Ausdruck mit* „Land ...", „Landwirtschafts ...", „landwirtschaftlich" *oder* „ländlich" *gebildet werden. So kann man* „Landtechnik" *statt* „Agrartechnik" (= „agricultural engineering") *sagen,* „Landwirtschaftsnachrichten" *statt* „Agrarnachrichten" (= „agricultural news"), „landwirtschaftliche Erzeugung" *statt* „Agrarproduktion" (= „agricultural production") *usw.*
Bei Übersetzungen ist diesen Spracheigenheiten besondere Aufmerksamkeit zu widmen.

1. General Terms — 1. Allgemeines

agriculture, farming, husbandry	die Landwirtschaft *(im weitesten Sinne einschließlich Tierzucht, Gartenbau, Jagd, Fischerei, Forstwirtschaft)*
forestry	die Forstwirtschaft
hunt, hunting	die Jagd, die Jägerei
agricultural economics, rural economics	die Agrarwirtschaft

agricultural policy, agrarian policy *(as a science)*	die Agrarpolitik
farm credit, agricultural loan	der Agrarkredit
agricultural country	das Agrarland
agricultural law	das Agrarrecht
farm, farm enterprise, agricultural enterprise	der landwirtschaftliche Betrieb
manor farm, farm estate	das Gut, der Gutsbetrieb
farm, farmholding, agricultural holding, farmstead	der Bauernhof, der Hof, das (Bauern-) Gut *(süddeutsch)*
large farm, large estate	der Großbetrieb
medium farm, medium-sized farm	der Mittelbetrieb
small farm, small holding	der Kleinbetrieb
very small farm, very small holding, croft *(Scotl.)*	der Zwergbetrieb
farmhouse, living quarters	das Wohngebäude
farm buildings, estate buildings	die Wirtschaftsgebäude (npl)
agronomist	der Agrarwissenschaftler, der Agronom
agricultural graduate, agriculturist	der Diplomlandwirt
great land owner	der Großgrundbesitzer
estate owner, land owner	der Gutsbesitzer
estate manager, farm manager	der Gutsverwalter, der Verwalter
farmer, peasant, husbandman	der Bauer *(soziologischer Begriff)*
farmer	der Landwirt *(wirtschaftlicher Begriff)*
crofter	der (schottische) Kleinbauer
farmhand	der Knecht
farm servant, maid	die Magd
milker, dairyman, cowman	der Melker, der Schweizer
day labourer, casual labourer	der Tagelöhner
type (*or:* mode) of culture	die Bewirtschaftungsart
owner-occupancy, self-management	die Eigenbewirtschaftung, die Selbstbewirtschaftung
farm tenancy, lease, farm lease	die Pacht, die Verpachtung
landlord, lessor	der Verpächter
tenant farmer, tenant, lease-holder, lessee	der Pächter
to let on lease	verpachten
to take on lease, to lease	pachten

lease, tenancy contract, leasehold deed, tenancy agreement	der Pachtvertrag
share farming, share leasing, share tenancy, crop-share, share cropping *(US)*	die Halbpacht, die Teilpacht, die Anteilpacht
share-farmer, sharecropper *(US)*, metayer	der Teilpächter, der Halbpächter
farm held on share tenancy	das Teilpachtgut, das Halbpachtgut
perpetually renewable lease, heritable lease, copyhold	die Erbpacht *(in Deutschland: 99 Jahre)*
family farm	der Familienbetrieb
model farm	der (landwirtschaftliche) Musterbetrieb
settlement, colony, housing estate, land settlement	die Siedlung, das Siedlungswesen
settler, smallholder	der Siedler
settlement area	das Siedlungsgebiet
land settlement scheme	das Siedlungsprogramm
to resettle	umsiedeln
resettlement, resettling	die Umsiedlung
splitting up of farm units, subdivision of agricultural units	die Flurzersplitterung
consolidation of holdings, reallocation of land	die Flurbereinigung
land reform	die Bodenreform
transfer of farmsteads from congested villages	die Aussiedlung von Höfen aus zu engen Dorflagen
upgrading of farms, enlargement of too small holdings	die Aufstockung zu kleiner Betriebe
to enlarge existing farms	aufstocken
land register, land charge register *(BE)*	das Grundbuch
"import and stockpiling agencies," marketing boards	die Einfuhr- und Vorratsstellen *(Bundesrepublik)*
to market	absetzen
farm mechanization	die Mechanisierung der Landwirtschaft
crop rotation, farming rotation	die Fruchtfolge, der Fruchtwechsel
three-field system, three-year crop-rotation system	die Dreifelderwirtschaft

sowing, seeding	die Saat, das Säen
seed	die Saat, das Saatgut
harvesting, harvest	die Ernte
crop prospects, harvest prospects	die Ernteaussichten
crop damage	die Ernteschäden
loss, deficit, shortfall	der Ausfall, der Minderertrag
crop failure	die Mißernte
crop yield	der Ernteertrag
output, yield, production, return	der Ertrag *(wirtschaftlich)*
produce of soil, crop yield	der Bodenertrag
average yield	der Durchschnittsertrag
law of diminishing returns	das Gesetz des abnehmenden Bodenertrags
extensive cultivation	die extensive Bodenbewirtschaftung
intensive cultivation	die intensive Bodenbewirtschaftung
agricultural engineering	die Landtechnik, die Agrartechnik
processing industry	die Veredelungswirtschaft, die Verarbeitungsindustrie
processing of agricultural products	die Verarbeitung landwirtschaftlicher Erzeugnisse, die Veredelung landwirtschaftlicher Erzeugnisse
processing on the spot	die Verarbeitung an Ort und Stelle, die Veredelung an Ort und Stelle
reorganization of agriculture *(e. g. in the Common Market)*	die Umstellung der Landwirtschaft *(z. B. im Gemeinsamen Markt)*
agricultural advisory service, agricultural extension service	das landwirtschaftliche Beratungswesen, der landwirtschaftliche Beratungsdienst
agricultural commodities market	der Agrarmarkt
corn market, grain market	der Getreidemarkt
corn exchange	die Getreidebörse
livestock market, cattle market	der Viehmarkt
the market is poorly supported	der Markt ist nicht ausreichend beschickt, der Markt ist schwach beschickt
glut	die (Markt-) Schwemme, das Überangebot
market organization, marketing regulations	die Marktordnung

compulsory delivery	die Ablieferungspflicht
delivery quota	das Ablieferungssoll, das Ablieferungskontingent
food economy	die Ernährungswirtschaft
food	die Ernährung *(allgemein und volkswirtschaftlich)*
nutrition	die Ernährung *(im biologisch-medizinischen Sinn)*
food requirements, food needs	der Nahrungsmittelbedarf
food consumption, consumption of foodstuffs	der Nahrungsmittelverbrauch
Food and Agriculture Organization of the UN (FAO)	die Organisation (der UN) für Landwirtschaft und Ernährung (*meist kurz:* FAO)
farmers' cooperative, farm cooperative, agricultural cooperative	die landwirtschaftliche Genossenschaft, die Agrargenossenschaft
farmers' association, farmers' union, National Farmers' Union *(GB)*	der Bauernverband
Federal Ministry of Food, Agriculture and Forestry	das Bundesministerium für Ernährung, Landwirtschaft und Forsten
ministry of agriculture *(general)*, Ministry of Agriculture, Fishery and Food *(GB)*, Department of Agriculture *(US)*	das Landwirtschaftsministerium
"Green Report" *(annual report of the German Federal Government on the agricultural situation)*	der Grüne Bericht
"Green Plan" *(annual agrarian scheme of the German Federal Government)*	der Grüne Plan
arable land, tilled land	das Ackerland
fallow land	das Brachland, die Brache
to lie fallow	brachliegen
humus	der Humus
loam	der Lehm
peat	der Torf
reclamation of wasteland	die Erschließung von Ödland
reclamation	die Urbarmachung, die Rückgewinnung
use of land, utilization of land	die Bodennutzung

soil characteristics	die Bodenbeschaffenheit
tillage, tilling, cultivation of soil	die Bodenbearbeitung
soil improvement, soil conditioning	die Bodenverbesserung
irrigation	die Bewässerung
draining, drainage	die Entwässerung, die Dränage
pest	der Pflanzenschädling
pest control, insect control	die Schädlingsbekämpfung
plant protection, crop protection	der Pflanzenschutz
manure	der Dünger, der Mist
fertilizer, chemical fertilizer	der Kunstdünger
manuring	die Düngung *(mit Mist)*
fertilizing	die Düngung mit Kunstdünger
subsidized fertilizers	subventionierte Düngemittel (npl)
natural fertility	die natürliche Fruchtbarkeit
cultivation	der Pflanzenbau, der Anbau
to cultivate, to grow	anbauen
area(s) under cultivation, area(s) under crops	die Anbauflächen, die bebauten Flächen
cultivation methods	die Anbaumethoden
acreage restrictions, crop restrictions, restriction of cultivation	die Anbaubeschränkung
predatory exploitation, waste of natural resources	der Raubbau
cultivation of cereals, grain growing, grain farming	der Getreidebau
floriculture	der Blumenbau
market gardening *(BE)*, truck farming *(US)*, vegetable growing	der Gemüseanbau
cultivation of root and tuber crops	der Hackfruchtbau
fruit growing	der Obstbau
flax growing	der Flachsbau
viticulture, viniculture, winegrowing	der Weinbau
wine-grower	der Winzer
viticultural	Weinbau ..., Wein ...
hop growing	der Hopfenanbau
gardening	der Gartenbau
nursery, nursery garden	die Baumschule
grassland	das Grünland
paddock	die Koppel

pasture ground	die Weide
meadow	die Wiese
grassland farming, grassland utilization	die Grünwirtschaft
afforestation	die Aufforstung, die Wiederaufforstung
animal husbandry	die Viehhaltung
animal breeding, stock breeding	die Tierzucht, die Viehzucht
horse breeding, horse husbandry	die Pferdezucht
stud	das Gestüt
cattle breeding	die Rinderzucht
sheep breeding, sheep husbandry	die Schafhaltung, die Schafzucht
goat breeding	die Ziegenzucht
pig breeding, hog production *(US)*	die Schweinezucht
poultry breeding, poultry farming	die Geflügelzucht
poultry farm	die Geflügelfarm
keeping of small animals	die Kleinviehhaltung, die Kleintierzucht
rabbit keeping	die Kaninchenzucht
beekeeping, apiculture	die Bienenzucht, die Imkerei
dairy, creamery	die Molkerei
cheese dairy, cheese factory	die Käserei
hundredweight, cwt.	der Zentner, Ztr.
quintal	der Doppelzentner, dz
hectare	der Hektar, ha
Dutch acre *(in Prussia 25.5 a, in Bavaria 34 a, in Saxony 27.7 a, in Württemberg 31.5 a, in Baden 36 a, in Hannover 26.2 a)*	der Morgen

2. Agricultural Products — 2. Landwirtschaftliche Erzeugnisse

agricultural production	die landwirtschaftliche Erzeugung, die Agrarproduktion
farm products	die Agrarerzeugnisse, die Agrarprodukte
vegetable products	die pflanzlichen Produkte

wood, timber	das Holz
cereals, corn, grain	das Getreide, die Cerealien
ear, spike	die Ähre
wheat	der Weizen
(common) rye	der Roggen
barley	die Gerste
common oat	der Hafer
maize, corn *(US)*	der Mais
sorghum, millet	die Hirse
rice	der Reis
pulse crops, pulses, legumes	die Hülsenfrüchte
pea, green pea	die Erbse
bean	die Bohne
soybean, soya bean	die Sojabohne
lentil	die Linse
lupin *(BE)*, lupine *(US)*	die Lupine
root and tuber crops, root crops	die Hackfrüchte
beet, mangel, turnip	die Rübe
sugar beet	die Zuckerrübe
potato	die Kartoffel
vegetables	das Gemüse
early vegetables	das Frühgemüse
fodder plant, forage plant	die Futterpflanze
fodder	das Futtermittel
clover, trefoil	der Klee
hay	das Heu
textile plant	die Textilpflanze
cotton	die Baumwolle
flax	der Flachs, der Lein
hemp	der Hanf
jute	die Jute
medicinal plant	die Arzneipflanze
spice plant	die Gewürzpflanze
dye plant	die Farbstoffpflanze
hop	der Hopfen
tropical and subtropical fruits	die Südfrüchte
oil plants, oil crops	die Ölpflanzen, die Fettpflanzen
rape, cole	der Raps
animal product	das tierische Produkt

dairy produce, dairy products, milk products	die Molkereierzeugnisse, die Milchprodukte
animals for slaughter	das Schlachtvieh
fatstock	das Mastvieh
fat hogs	die Mastschweine
beef cattle	die Schlachtrinder
hides and skins	Häute und Felle
leather	das Leder
wool	die Wolle

3. Agricultural Machinery — 3. Landwirtschaftliche Maschinen

farm machine	die Landmaschine, die landwirtschaftliche Maschine
tractor	der Traktor, der Schlepper
plough, plow *(US)*	der Pflug
harrow	die Egge
seed drill, drilling machine	die Sämaschine, die Drillmaschine
reaper, mover	die Mähmaschine
binder	der Binder, die Bindermaschine
mow-binder, binder and reaper	der Mähbinder
threshing-machine, thresher	die Dreschmaschine
combine harvester, combine, harvester	der Mähdrescher
picking machine	die Pflückmaschine
scrub-clearing machine, land clearing machine	die Rodemaschine
milking machine, mechanical milker	die Melkmaschine
livestock scales	die Viehwaage

B. Translation Exercises — B. Übersetzungsübungen

1. English–German — 1. Englisch–Deutsch

1. The Agricultural Adjustment Act of 1933 was designed to control the prices of farm products by regulating the production of those products. Farmers

were asked to co-operate by reducing acreage planted in certain products, and received cash payments from the government to compensate them for such reduction in acreage. The funds for these payments were to be raised by a processing tax. 2. This tax was levied upon millers, packers, and other processors of agricultural commodities, the returns from which were used to compensate farmers for the difference between the market price of the unprocessed commodity and the higher parity price authorized by law. 3. The agricultural parity is the price for certain farm products which is assumed to give those products an exchange value, for things that the farmer needs to buy, equivalent to that which existed at a specified period of time called the "base period." (1—3 from "Dictionary of Economics" by Sloan and Zurcher.) 4. If Britain goes into Europe it is committed to struggle to see that the European support prices are fixed at a level which is not so far above the world market level that Europe is condemned to eating only its own expensively-produced food while excluding by stringent import controls cheaper food grown in the rest of the world, especially in the overseas British Commonwealth. 5. The lesson of this year's beef and lamb fiasco is either that Britain, even if outside Europe, must accept a further reduction in the amount of its resources that are tied up in agriculture—or else that it must impose restrictions on imports of food in order to keep the present global guarantee of total income to British farmers. 6. Though it began primarily as an exhibition for livestock, the Smithfield Show has now become the principal trade fair for British manufacturers of agricultural machinery, tractors and equipment. (4—6 from "The Economist.") 7. Floods and the outbreak of foot-and-mouth disease made 1961 a gloomy year for British farmers, and it is probable that this will be reflected in the sales of our new combine harvester. 8. Farmers tend to reduce their flocks, if feed is high in price in relation to poultry and eggs. 9. Milk reaches the consumer in the form of fluid milk and cream, evaporated milk (unsweetened), condensed milk (sweetened), cheese, butter, and ice cream. 10. As in the case of wheat there are many farmers who must already sell at harvest time because they are unable to bear the cost involved in storing their corn on the farm.

2. DEUTSCH–ENGLISCH 2. GERMAN–ENGLISH

1. Die französischen Agrarexporte nach Deutschland haben in den letzten Jahren stark zugenommen. Dies gilt besonders für Molkereiprodukte und Fleisch. 2. Der Vertrag über die Gründung der Europäischen Wirtschaftsgemeinschaft sieht eine gemeinsame Agrarpolitik der Mitgliedstaaten vor.

3. Ein Fragebogen über die Zahl der beschäftigten Arbeitskräfte wurde an alle landwirtschaftlichen Betriebe verschickt. 4. Die Landwirtschaft im weitesten Sinne umfaßt Tierzucht, Pflanzenbau, Forstwirtschaft, Jagd und Fischerei. 5. Die wichtigsten Getreidearten sind Weizen, Roggen, Gerste, Hafer, Mais, Reis und Hirse. 6. Die Hülsenfrüchte, die in dieser Gegend gebaut werden, sind Bohnen, Erbsen, Wicken, Linsen und Lupinen. 7. Nach der Größe der Betriebe unterscheidet man Groß-, Mittel-, Klein- und Zwergbetriebe. 8. Die Anbaubeschränkung ist eine agrarpolitische Maßnahme, um eine Überproduktion gewisser Pflanzen zu verhindern. 9. Die Mechanisierung der Landwirtschaft hat in den letzten Jahren große Fortschritte gemacht, zahlreiche Betriebe haben Schlepper, Elektromotoren, Mähbinder oder Mähdrescher erworben. 10. Der Mähdrescher mäht das Getreide, drischt es und bindet das Stroh in einem Arbeitsgang. Er ermöglicht eine große Ersparnis an Arbeitskräften, Zeit und Kosten. Allerdings rentiert er sich nur, wenn er von Großbetrieben oder landwirtschaftlichen Produktionsgenossenschaften eingesetzt wird. 11. In Österreich spielt die Grünlandwirtschaft eine bedeutende Rolle. 12. Die spanische Regierung hat große Beträge für die Wiederaufforstung ausgegeben. 13. Frankreich hat nicht nur eine bedeutende Landwirtschaft, sondern auch eine wichtige Veredelungswirtschaft, z. B. Müllerei, Imkerindustrie, Brauerei, Weinbereitung, Essigfabrikation, Obst- und Gemüseverarbeitung, Öl- und Fettfabrikation, Fleischverarbeitung, Molkerei usw. 14. Die Düngemittel sowie die Treibstoffe für Schlepper, Motoren usw. werden von der Regierung subventioniert. 15. Die Rationalisierung ist in der Industrie viel leichter als in der Landwirtschaft, für die das Gesetz des abnehmenden Bodenertrages gilt. 16. In Deutschland mißt man dem Stand der Getreidepreise große Bedeutung zu, da sie in gewisser Hinsicht das allgemeine Niveau der Agrarpreise bestimmen. 17. Die Zuckerrübenanbaufläche hat sich in Deutschland gegenüber der Vorkriegszeit fast verdoppelt. 18. Die in der Bundesrepublik bestehenden Einfuhr- und Vorratsstellen müssen sich an die Weisungen des Bundesministeriums für Ernährung, Landwirtschaft und Forsten halten. 19. Obwohl die deutsche Agrarproduktion 70 bis 75% des Nahrungsmittelbedarfs deckt, führt Deutschland große Mengen von Nahrungsmitteln ein. 20. Eines der Hauptziele der deutschen Agrarpolitik ist, die deutsche Landwirtschaft im Hinblick auf den Gemeinsamen Markt wettbewerbsfähig zu machen.

XIII. Building and Construction Industry / XIII. Bauwirtschaft

A. Terminology / A. Terminologie

1. General Terms / 1. Allgemeines

building industry, building trade	das Baugewerbe, die Bauwirtschaft
building industry proper	das Bauhauptgewerbe
ancillary building trade	das Baunebengewerbe
construction engineering	der Hochbau
civil engineering	der Tiefbau
public building, public works	der öffentliche Bau, die öffentliche Bautätigkeit
building for trade and industry	der Wirtschaftsbau
house-building, housing construction	der Wohnungsbau
publicly assisted housing (*or:* house-building, dwellings)	der öffentlich geförderte Wohnungsbau
social housing construction	der soziale Wohnungsbau
privately financed house building	der freifinanzierte Wohnungsbau
privately financed dwelling, privately financed housing unit	die freifinanzierte Wohnung
building land	das Bauland
road construction, road building	der Straßenbau
steel construction	der Stahlbau
winter building	der Winterbau
owner-occupied house	das Eigenheim
public building	das öffentliche Gebäude
building for trade, industry or farming	das Wirtschaftsgebäude, das wirtschaftlich genutzte Gebäude
residential building	das Wohngebäude
non-residential building	das Nichtwohngebäude
residential settlement, residential estate, housing estate	die Wohnsiedlung
start of building	der Baubeginn
to start a building project	ein Bauvorhaben (*oder:* Bauprojekt) in Angriff nehmen
set date	der gesetzte Termin

dwelling unit	die Wohnungseinheit
space enclosed	der umbaute Raum
rental of dwellings, lease of dwellings	die Wohnungsvermietung
Board of Works, building authority	das Bauamt, die Baubehörde
building permit	die Baugenehmigung
officially approved by inspectors	baupolizeilich genehmigt
newly approved dwellings	neu genehmigte Wohnungen
Federal Ministry for Housing	das Bundesministerium für Wohnungsbau
building activity, business in the building industry	die Baukonjunktur
building boom	der Bauboom
to kindle the building boom	die Baukonjunktur anheizen
building output	die Bauproduktion
building works	die Bauleistungen
desire to build	die Baulust
brisk housing activity	die lebhafte Wohnbautätigkeit
roughly: bare masonry and carpentry *(no English equivalent)*	der Rohbau
building season	die Bausaison
housing shortage	die Wohnungsnot, das Wohnungsdefizit
housing control	die Wohnungszwangswirtschaft
housing conditions	die Wohnverhältnisse

2. Persons involved / 2. Am Bau beteiligte Personen

owner, client, promoter, purchaser, sponsor	der Bauherr, der Auftraggeber
person wishing to build	der Baulustige, der Bauwerber, der Bauinteressent
architect	der Architekt
architect directing construction	der bauleitende Architekt
contractor, building enterprise	der Bauunternehmer
builder	der Bauträger
site superintendent	der Bauleiter, der Bauführer
construction engineer	der Bauingenieur
resident engineer	der bauleitende Ingenieur

foreman, overseer	der Polier, der Vorarbeiter
construction worker	der Bauarbeiter
bricklayer, mason	der Maurer
carpenter	der Zimmermann
fitter	der Installateur
locksmith	der Schlosser
glazier	der Glaser
tiler, slater	der Dachdecker
plumber	der Klempner, der Rohrleger

3. Building Machinery / 3. Baumaschinen

building machine	die Baumaschine
crane	der Kran
dredger, excavator	der Bagger
lift, elevator	der Aufzug
compactor	der Verdichter, das Verdichtungsgerät
stamper, tamper	der Stampfer
air hammer	der Preßlufthammer
air drill	der Preßluftbohrer
pile driving plant, piling plant	die Rammanlage
caterpillar (tractor)	der Raupenschlepper
building material processing machine	die Baustoffmaschine
concrete mixer	die Betonmischmaschine

4. Building materials / 4. Baumaterialien

building material	der Baustoff
cement	der Zement
lime	der Kalk
brick	der Ziegelstein
tile	der Dachziegel
concrete	der Beton
reinforced concrete	der Eisenbeton, der armierte Beton
armouring, armament, reinforcement	die Armierung
prestressed concrete	der Spannbeton

gravel	der Kies
sand	der Sand
timber	das Holz
asphalt	der Asphalt
tar	der Teer

5. Construction Financing — 5. Finanzierung

financial institution	das Finanzierungsinstitut
house-building association	der Wohnungsbauverband
non-profit-making building society	die gemeinnützige Wohnungsbaugesellschaft
mortgage bank, land bank	Hypothekenbank
real estate loan institution	das Realkreditinstitut
building and loan association, building society	die Bausparkasse
saving for building purposes, saving through building and loan associations, saving through building societies	das Bausparen
savings agreement for building purposes	der Bausparvertrag, der Bausparbrief
target amount specified in a savings agreement for building purposes	die Bausparsumme
balance on savings account with building society	das Bausparguthaben
period for which savings are blocked	die Sperrfrist
group financing	die Gemeinschaftsfinanzierung
housing loan	das Wohnungsbaudarlehen
tenant's contribution to building costs	der Baukostenzuschuß
depreciation concessions, depreciation privileges	die Abschreibungserleichterungen
the tax concessions under Art. 7b of the Income Tax Law	die Steuererleichterungen nach § 7b EStG
tax concession to promote house-building	die steuerliche Vergünstigung für den Wohnungsbau
housing law	das Wohnungsbaugesetz

building costs	die Baupreise
building funds, building capital	die Baumittel *(Geld)*
building expenditure	der Bauaufwand
estimated building cost	der veranschlagte Bauaufwand
(capital) expenditure on building	die Bauinvestitionen
industrial building expenditure	die gewerblichen Bauinvestitionen
public expenditure on building	die öffentlichen Bauaufwendungen
promotion of housing construction	die Förderung des Wohnungsbaus
governmental housing programme	das staatliche Wohnungsbauprogramm
change in the method of assistance	die Umstellung des Förderungsmodus
government promotion measures	die öffentlichen Förderungsmaßnahmen
subsidies, subventions	die Subventionen
capital subsidy	die Kapitalsubvention
interest subsidy	die Zinssubvention
interest terms	die Zinsbedingungen
mixed subsidy	die Mischsubvention
public monies, budgetary funds	die öffentlichen Gelder, die Haushaltsgelder
mortgage*	die Hypothek*
mortgagor, mortgager	der Hypothekenschuldner
mortgagee	der Hypothekengläubiger
mortgage loan	das Hypothekendarlehen
first mortgage loan	die erststellige Hypothek, die erstrangige Hypothek
mortgage deed	der Hypothekenbrief
construction mortgage	die Bauhypothek
residential mortgage	die Wohnungsbauhypothek
to create a mortgage, to deliver a mortgage	eine Hypothek bestellen
to take up a mortgage	eine Hypothek aufnehmen
to encumber a property	ein Grundstück belasten

* The terms "mortgage" and "Hypothek" are not legally identical, but for anything but specialized legal translations their meanings are sufficiently close to each other.

* Die Ausdrücke „mortgage" und „Hypothek" sind, juristisch gesehen, nicht identisch. Sie decken sich jedoch so weitgehend, daß sie in einer nicht juristischen Übersetzung ohne weiteres als Äquivalente verwendet werden können.

to place a mortgage on a property	ein Grundstück mit einer Hypothek belasten
to lend against real estate	ein Hypothekendarlehen geben
amortization	die Amortisierung
redemption of a mortgage	die Rückzahlung (Tilgung) einer Hypothek
assurances	die (Kredit-) Zusagen
assurance of mortgage loans, promise of mortgage loans	die Hypothekenzusagen
mortgage loans promised for house building	Hypothekenzusagen für den Wohnungsbau
loans promised but not yet paid out	noch nicht durch Auszahlungen erledigte Zusagen
the newly promised mortgage loans	die neuen Hypothekenzusagen
interest rates for mortgages	die Hypothekenzinsen

6. Award of Contracts — 6. Auftragsvergabe

building order	der Bauauftrag
carry-over of old projects	der Überhang alter Bauvorhaben
invitation to tender	die Ausschreibung, die Angebotseinholung
public invitation to tender	die öffentliche Ausschreibung
limited invitation to tender	die beschränkte Ausschreibung
to invite tenders, to put up for tender	eine Ausschreibung veranstalten
submission	die Submission
by tender	durch Ausschreibung, auf dem Submissionswege
winning bid *(US)*, winning tender	die Zuschlagssubmission
to give out in tender	in Submission geben
obligation to invite tenders	die Ausschreibungsverpflichtung
competitive tendering procedure, contract-awarding procedure, bidding procedure	das Vergabeverfahren
by private contract, privately	freihändig
bid, tender, offer	das Angebot
sealed tender	das versiegelte Submissionsangebot
highest tender	das Höchstangebot

lowest tender	das Mindestangebot
variable tender, flexible tender	das elastische Angebot
alternative tender, alternate tender	das Alternativangebot
bid bond *(US)*	die Bietungsgarantie
form	das Angebotsblankett, das Angebotsformular
bill of quantities	das Leistungsverzeichnis
item	die Position
pay item	die kostenvergütete Position
bidder, tenderer	der Bieter, der Submittent
competitive bidder	der Gegenbieter
base bidder	der Hauptbieter
lowest bidder, lowest tenderer	der Mindestfordernde
successful bidder	der Auftragnehmer, der erfolgreiche Submittent
to lodge a tender, to make a tender, to put in a tender, to send in a tender, to file a tender	ein Angebot einreichen
within the limits of the amount stated in the public announcement	im Rahmen des ausgeschriebenen Betrages
opening date, submission date, tendering date, date set for the opening of tenders	der Submissionstermin, der Angebotseröffnungstermin
summary of forms, schedule of forms	die Angebotsgegenüberstellung
award of contract, contract award, letting of contract, contract-letting	die Auftragserteilung, die Vergabe, die Auftragsvergabe
acceptance of the tender, contract award	der Zuschlag
to accept the tender, to award the contract	den Zuschlag erteilen

B. Translation Exercises

B. Übersetzungsübungen

1. English–German

1. Englisch–Deutsch

1. The building industry is now large enough to cope with the problem of replacing or modernizing the large number of hopelessly out-dated houses.

2. The Royal Institution of British Architects proves by its latest sample survey of the commissions received by private architects that no sign of any pause in the boom in private house building can be seen. 3. The high cost and the scarcity of loans and land for building explain the low number of new starts on private houses. 4. Although building societies increased the rate on shares, the net receipts of new savings were still falling in the period under review. 5. The London Brick Company pared the price of 1000 common bricks by 2 s. per 1000 because of increased productivity. 6. The building industry is displaying all the usual symptoms of extreme pressure. Tender prices have been rising sharply: The Builders' index has jumped from 384 in February (1939 = 100) to 413 this month, partly as the result of higher material costs and partly from the month's wage increase and reduction in the standard working week. In house building, the picture is almost 1947 all over again: starts have levelled off, completions have dropped, but the number of houses in various stages of construction has been shooting up. ("The Economist.") 7. A rate of 7 per cent on old mortgages originally contracted at low rates stretches repayments over a long period of time.

2. Deutsch–Englisch 2. German–English

1. Der Aufschwung der Bautätigkeit, der für die Aufrechterhaltung einer gesamtwirtschaftlichen Expansion von großer Bedeutung ist, hat im Jahre 1959 ausgesprochenen Boomcharakter angenommen. 2. Die Bauaufwendungen sowie die Neuplanungen haben sich stark erhöht. Allein im Hochbau, dessen Ausdehnung von der des Tiefbaus 1960 noch erheblich übertroffen wurde, überstieg der veranschlagte Bauaufwand für die in diesem Zeitraum genehmigten neuen Bauprojekte die Summe des Vorjahres um rund 16 v.H. 3. Trotz der Umstellung der öffentlichen Förderung des Wohnungsbaus von der Kapitalsubvention auf die Zinssubvention übertraf die Expansion des Wohnungsbaus die des öffentlichen Baus und des Wirtschaftsbaus in der Berichtsperiode immer noch wesentlich. 4. Die Baulust vieler Privatleute, die durch Bausparkassen und steuerliche Vergünstigungen noch gefördert wird, hat in den letzten Jahren zu einer solch lebhaften Wohnbautätigkeit geführt, daß die nach dem Kriege angeordnete Wohnungszwangswirtschaft schrittweise abgeschafft werden kann. 5. Unser Bauunternehmen sucht Maurer, Schlosser und Zimmerleute für unser Bauprojekt, das im Rahmen des Winterbauprogramms in der Wohnsiedlung Fürstenried am 1. November begonnen wird. 6. Der Mangel an Bauarbeitern zwingt die Bauunternehmer zu immer größerem Einsatz

arbeitssparender Baumaschinen. 7. Gewisse Mißbräuche der freihändigen Vergabe durch die Militärverwaltung wurden von der Presse heftig kritisiert. 8. Alle Submittenten werden gebeten, ihre Angebote in dreifacher Ausfertigung einzureichen. 9. Die Vergabe bedeutender öffentlicher Arbeiten muß durch Ausschreibung erfolgen. 10. Der Zuschlag wurde der Gesellschaft X erteilt. 11. Das öffentliche Vergabewesen ist in den meisten Ländern durch Gesetz geregelt.

XIV. Trade and Commerce: General Structure*

XIV. Handel: Aufbau*

A. Terminology

A. Terminologie

1. General Terms

1. Allgemeines

trade	der Handel *(der Austausch von Gütern und Leistungen)*; der handwerkliche Beruf, *z. B.* the trade of the carpenter, the trade of book-binding
commerce	der Handel *(die mit der Verteilung zusammenhängenden kaufmännischen Funktionen; der Begriff* „commerce" *umfaßt* trade, warehousing, transport, banking *und* insurance)
to trade	Handel treiben, handeln, tauschen
to trade in cotton	mit Baumwolle handeln
to trade under the name of ...	unter der Firma ... Handel treiben
to commercialize	kommerzialisieren
commercialization	die Kommerzialisierung
business	das Geschäft, die Geschäfte
to do business	Geschäfte tätigen
barter	der Tauschhandel
to barter	Tauschhandel treiben
traffic	der Handel *(vor allem der illegale Handel)*; der Verkehr
narcotics traffic	der Rauschgifthandel
slave traffic, slave trade	der Sklavenhandel
trader, merchant	der Kaufmann, der Händler
businessman	der Geschäftsmann
customs of the trade, customary practices, commercial usage	die Handelsbräuche, die Handelsusancen
customary in trade	handelsüblich

* *Siehe auch unter:* Internationaler Handel, Werbung, Transportwesen, Bankwesen, Versicherungswesen.

* *See also under:* International Trade, Advertising, Transport, Banking, Insurance.

private trading	der private Handel
state trading	der staatliche Handel
state trading enterprise	das staatliche Handelsunternehmen
domestic trade, domestic commerce	der Binnenhandel, der Inlandshandel
foreign trade, foreign commerce	der Außenhandel
intrastate commerce	der Handel innerhalb eines Einzelstaates *(der USA)*
interstate commerce	der Handel zwischen den Einzelstaaten *(der USA)*
overseas trade	der Überseehandel
coastal trade	der Küstenhandel
ocean trade	der Seehandel
cotton trade	der Baumwollhandel
Department of Trade	das britische Handelsministerium
chamber of commerce, board of trade *(US)*	die Handelskammer
Board of Trade *(GB)*	das frühere britische Handelsministerium
Department of Commerce	das Handelsministerium *(der USA)*
trade mission, commercial mission	die Handelsmission
commercial attaché	der Handelsattaché
commercial section *(e. g., of an embassy)*	die Wirtschaftsabteilung *(z. B. einer Botschaft)*
trade association	der Wirtschaftsverband, der Fachverband
chamber of commerce	die Handelskammer
commercial law	das Handelsrecht
commercial court	das Handelsgericht
commercial world, business world	die Geschäftswelt
commercial centre (*US:* center)	das Handelszentrum
commercial activity	die kaufmännische Tätigkeit
commercial traveller (*US:* traveler)	der Handlungsreisende
commercial language	die Handelssprache
commercial correspondence, business correspondence	die Handelskorrespondenz
commercial school, business school	die Handelsschule
commercial college, business college	die höhere Handelsschule

2. Wholesale and Retail Trade	2. Gross- und Einzelhandel
wholesale trade	der Großhandel
wholesale business	das Großhandelsgeschäft, das Großhandelsunternehmen
to wholesale, to sell wholesale	en gros verkaufen
wholesaler, wholesale merchant, wholesale dealer, jobber *(US)*	der Großhändler
full-function wholesaler *(US)*	ein Großhändler, der die normalen Großhandelsfunktionen ausübt
limited-function wholesaler *(US)*	ein Großhändler, der nicht alle Großhandelsfunktionen ausübt *(und dadurch dem Käufer einen Preisvorteil bieten kann)*
cash-and-carry wholesaler *(US)*	der Cash-and-carry-Großhändler *(ein Großhändler, der nur gegen Barzahlung verkauft und den Transport der Ware dem Käufer überläßt)*
wagon jobber, truck wholesaler *(US)*	ein Großhändler, der kein Lager unterhält *(er nimmt die Ware beim Hersteller ab und liefert sie direkt an seine Kunden)*
drop shipment wholesaler, drop shipper *(US)*	ein Großhändler, der das Streckengeschäft betreibt *(der Großhändler übergibt die von seinen Kunden gesandten Bestellungen dem Lieferanten, der die Waren direkt ausliefert)*
elimination of the wholesaler	die Ausschaltung des Großhandels
retail trade	der Einzelhandel
retailer, retail merchant	der Einzelhändler
to retail, to sell at retail	en detail verkaufen, an Letztverbraucher verkaufen; zum Einzelhandelspreis verkaufen
the dress retails for $5	das Kleid kostet im Einzelhandel 5 Dollar
retail shop, retail store *(US)*	das Einzelhandelsgeschäft *(in den USA bedeutet „shop" in erster Linie Werkstatt bzw. Abteilung einer Fabrik, z. B.* repair shop, press shop = Stanze-

	rei; *oft werden jedoch auch kleinere exklusive Spezialgeschäfte* „shops" *genannt)*
shopkeeper, storekeeper *(US)*	der Krämer, der Ladeninhaber
shop assistant, shop clerk	der Ladenangestellte
shopgirl	das Ladenmädchen, die Verkäuferin
shopwindow, show window, store window *(US)*	das Schaufenster
counter	der Ladentisch
shop-soiled goods, shopworn goods	die Schaufensterware, die durch langes Lagern angeschmutzte oder unansehnlich gewordene Ware
to go shopping	Einkäufe machen, einkaufen gehen
to go window-shopping	die Schaufensterauslagen ansehen
shopping centre (*US:* center)	das Einkaufszentrum
shoplifting	der Ladendiebstahl
shoplifter	der Ladendieb
grocer's shop, grocery store *(US)*	das Lebensmittelgeschäft
delicatessen store *(US)*	das Feinkostgeschäft
baker's shop, bakery goods store *(US)*	der Bäckerladen, die Bäckerei und Konditorei
dairy	das Milchgeschäft
butcher's shop, meat store (*or:* market) *(US)*	der Metzgerladen, der Fleischerladen, Fleisch- und Wurstwarengeschäft
fishmonger	der Fischhändler
greengrocer's shop, greengrocery	die Obst- und Gemüsehandlung
confectioner's shop, candy store *(US)*	das Süßwarengeschäft
liquor store *(US)*	die Spirituosenhandlung
tobacconist's shop, tobacco shop	der Tabakwarenladen
cigar store *(US)*	der Zigarrenladen
clothing store *(US)*	das Bekleidungsgeschäft
gentlemen's outfitter, men's clothing shop, men's furnishing store *(US)*	das Herrenausstattungsgeschäft
draper's shop, dry goods store *(US)*	die Tuchhandlung
haberdasher's shop, haberdashery	das Kurzwarengeschäft, *US:* das Herrenausstattungsgeschäft
sporting (*or:* athletic) goods store *(US)*	das Sportgeschäft
shoe shop	das Schuhgeschäft
hatmaker's shop, hat shop	das Hutgeschäft

fur shop	das Pelzgeschäft
perfumery	die Parfümerie
hairdresser, barbershop	das Friseurgeschäft
beauty shop, beauty parlour	der Schönheitssalon
chemist's shop, pharmacy, drugstore *(US)*	die Apotheke, die Drogerie *(die deutsche Unterscheidung ist in den angelsächsischen Ländern unbekannt)*
bookshop, bookstore *(US)*	die Buchhandlung
stationer's shop	die Schreibwarenhandlung
china shop	die Porzellanwarenhandlung
ironmonger's shop, hardware store *(US)*	die Eisenwarenhandlung
toy shop	das Spielwarengeschäft
watchmaker's shop	das Uhrengeschäft
jeweller, jewelry store *(US)*	das Juweliergeschäft
flower shop, florist's shop	das Blumengeschäft
antique shop	der Antiquitätenladen
gift shop	der Geschenkartikel-, der Andenkenladen
general store	der Gemischtwarenladen
single-line store	das Sortiments-, das Branchengeschäft
speciality store	das Spezialgeschäft
variety store *(in the US: dime stores, 5-and-10-cent stores, etc.)*	das Einheitspreisgeschäft *(in Deutschland: Kepa, Woolworth)*
department store	das Warenhaus
supermarket *(a self-service store whose annual sales exceed $250,000)*	der Supermarkt, das (große) Selbstbedienungsgeschäft
superette	der kleine Supermarkt
self-service store	das Selbstbedienungsgeschäft, der Selbstbedienungsladen
mail-order house	das Versandgeschäft
discount house *(US)*, cut-price shop	das Discountgeschäft *(ein Einzelhandelsgeschäft, das Ausstattung, Kundendienst etc. auf ein Minimum beschränkt, dafür aber den Kunden einen Rabatt auf die Preise gewährt)*
independently-owned retail store	der unabhängige Einzelhandelsbetrieb
multiple shop, chain store	das Filialgeschäft, der Kettenladen

head office	die Zentrale, das Hauptbüro
branch	die Verkaufsfiliale
manufacturer's own shops	Verkaufsfilialen von Fabrikbetrieben *(in Deutschland z. B. Salamander)*
company store	der Betriebsladen, das Betriebskaufhaus
consumers' cooperative society, consumers' cooperative retail association, consumer cooperative	der Konsumverein
wholesale cooperative	die Einkaufsgenossenschaft
voluntary chain, cooperative chain	die freiwillige Handelskette
door-to-door selling	der Verkauf von Haus zu Haus
pedlar, peddler *(US)*	der Hausierer
hawker, barrowman, street seller, street vendor, itinerant salesman	der umherziehende Händler, Straßenhändler, der fliegende Händler
costermonger	der Obst- und Gemüsehändler mit Karren oder Verkaufsstand
stand, (market) stall	der Verkaufsstand
slot machine, vending machine	der Verkaufsautomat

3. Middlemen — 3. Mittelspersonen

middleman	der Mittelsmann, die Mittelsperson; der Zwischenhändler
merchant middleman	der Zwischenhändler
agent middleman	der Handelsmittler, die kaufmännische Hilfsperson
dealer, distributor	der Händler
authorized dealer, franchised dealer	der autorisierte Händler, der Vertragshändler
dealer organization	die Händlerorganisation
broker	der Makler, der Mäkler
merchandise broker	der Warenmakler
brokerage	die Maklergebühr, die Courtage
broker's note	die Schlußnote des Maklers
agent	der Agent, der (Handels-) Vertreter
selling agent	der Verkaufsvertreter

buying agent	der Einkaufsvertreter
factor, commission merchant *(US)*	der Kommissionär
consignee *(see p. 249)*	der (Verkaufs-) Kommissionär, der Konsignatar (Außenhandel) *(siehe S. 249)*
agency	die Vertretung, die Agentur
to appoint s. b. one's agent, to entrust s. b. with an agency, to confer an agency upon s. b.	jemanden zu seinem Vertreter ernennen, jemandem eine Vertretung übertragen
sole agency, exclusive agency	die Alleinvertretung, die Generalvertretung
agency agreement, contract of agency	der Vertretervertrag, der Agenturvertrag
to conclude an agency agreement	einen Vertretervertrag abschließen
sole selling rights, the exclusive right of sale	das Alleinverkaufsrecht
to grant sole selling rights, to grant the exclusive right of sale	das Alleinverkaufsrecht vergeben
agent's territory	das Verkaufsgebiet des Vertreters
agent's authority to collect payments	die Inkassovollmacht des Vertreters
principal *(the person who designates another as his agent)*	der Auftraggeber
to introduce customers to the principal	dem Auftraggeber Kunden zuführen, für den Auftraggeber Kunden werben
A/S (account sales)	die Abrechnung des Verkaufskommissionärs
A/P (account purchases)	die Abrechnung des Einkaufskommissionärs
del credere	das Delkredere
to assume the del credere, to assume the credit risk, to guarantee accounts (*or:* payment, performance)	das Delkredere übernehmen
to indemnify the principal for losses from bad debts	den Auftraggeber für Ausfälle durch uneinbringliche Forderungen entschädigen
commission	die Provision
selling commission	die Verkaufsprovision
del credere commission	die Delkredereprovision

to sell goods on a commission basis (consignment basis)	Waren in Kommission (Konsignation) verkaufen
to sell goods for the account of the principal (*or:* principal's account)	Waren für Rechnung des Auftraggebers verkaufen
to sell goods for one's own account	Waren für eigene Rechnung verkaufen
to contract in one's own name	in eigenem Namen abschließen

4. Storage — 4. Lagerhaltung

storing of goods, storage of goods, warehousing of goods	die Lagerung von Waren
storage	die Lagerung; das Lagergeld, die Lagergebühren
storage facilities	Einrichtungen für die Lagerung von Waren
storage costs	die Lagerhaltungskosten
storage charges	die Lagergebühren
to store, to stock, to warehouse	lagern
to provide storage space, to provide warehouse space	Lagerraum bereitstellen, Lagerraum zur Verfügung stellen
warehouse	das Lagerhaus, der Lagerspeicher
warehouse company	die Lagerhausgesellschaft
warehouseman	der Lagerhalter
warehouse hand	der Lagerarbeiter
private warehouse	ein Lager, das nur der Lagerung der Güter des Eigentümers dient *(das eigene Lager eines Warenhandels- oder Industriebetriebes)*
public warehouse	ein Lager, das der Aufbewahrung fremder Güter dient *(das Lager eines gewerbsmäßigen Lagerhalters)*
privately-owned warehouse	das private Lagerhaus
government warehouse	das staatliche Lagerhaus
customs warehouse, bonded warehouse	das Zollager
cold store	das Kühlhaus
cold storage	die Lagerung im Kühlraum

to place in a warehouse, to deposit in a warehouse	einlagern, in ein Lager bringen
to withdraw from a warehouse	aus dem Lager nehmen, auslagern
withdrawal from a warehouse	die Entnahme aus dem Lager
warehouse warrant, negotiable warehouse receipt *(US)*	der begebbare Lagerschein, der Orderlagerschein
warehousekeeper's receipt, non-negotiable warehouse receipt *(US)*	der nicht begebbare Lagerschein, der Namenslagerschein
delivery order	der Lieferschein* *(die schriftliche Anweisung des Wareneigentümers an den Lagerhalter zur Auslieferung von Waren an den im Lieferschein Bezeichneten)*
stock room, warehouse	der Lagerraum, das Lager
storekeeper, stock clerk	der Lagerist, der Lagerverwalter
receiving department, receiving room	die Wareneingangsabteilung, die Warenannahme
receiving clerk	der für die Warenannahme zuständige Angestellte
receiving slip	der Wareneingangsschein
stock requisition	der Entnahmeschein
stock control	die Lager(bestands)kontrolle
stock book	das Lagerbuch
stock-control card, stock-record card, perpetual-inventory card	die Lager(kartei)karte
quantity received	der Zugang
quantity withdrawn, quantity issued	der Abgang
stock on hand	der Lagerbestand
minimum stock	der Mindestlagerbestand, der eiserne Bestand
stock turnover, stockturn	der Lagerumschlag
duration of storage	die Lagerdauer
balance on hand, stock on hand	der Endbestand
stock on hand as shown on the stock record cards	der Sollbestand
actual stock on hand	der Ist-Bestand
to take stock, to take (*or:* make) inventory *(US)*	den Lagerbestand feststellen, Inventur machen

* Nicht zu verwechseln mit dem Lieferschein als Begleitpapier einer Warensendung.

stocktaking, inventory *(chiefly US)*	die Feststellung des Lagerbestands, die Bestandsaufnahme, die Inventur
stock, stores, inventory *(US)*	das Lager, der Vorrat
stock of raw materials, raw materials inventory *(US)*	das Rohstofflager, der Vorrat an Rohstoffen
stock of finished goods, finished goods inventory *(US)*	das Fertigwarenlager, der Vorrat an Fertigerzeugnissen
stores, material supplies	der Materialvorrat
well-assorted stock	ein reichhaltiges Lager
stock of goods kept in the shop or store	das Verkaufslager
reserve stock	das Reservelager
incomplete stock	das unvollständige Lager
to be well stocked in ...	ein großes Lager von ... haben, einen großen Vorrat an ... haben
our stock is running low (short)	unser Lagervorrat geht zur Neige
our stock is depleted, our stock is exhausted	unser Lager ist erschöpft
we have run out of this article, we are out of stock of this article, this article is out of stock *(or:* sold out)	dieser Artikel ist ausgegangen
out of stock	ausverkauft
to stock	lagern; auf Lager haben, vorrätig haben, (eine Ware) führen
to lay in a stock of ...	sich einen Vorrat an ... zulegen
to overstock	eine zu große Menge auf Lager nehmen, ein zu großes Lager halten
to understock	eine zu kleine Menge auf Lager nehmen, ein zu kleines Lager halten
to have in stock, to have on stock *(US)*, to carry in stock	auf Lager haben, vorrätig haben
to carry, to stock an article	einen Artikel führen
the department store also carries hardware	das Warenhaus führt auch Eisenwaren
to clear the stock	das Lager räumen
to refill the stock, to replenish the stock, to replace the stock, to restock	das Lager wieder auffüllen

5. Markets	5. Märkte
market	der Markt, der Absatzmarkt
outlet	der Absatzmarkt, die Vertriebsstelle
world market	der Weltmarkt
domestic market, home market	der Binnenmarkt
foreign market	der Auslandsmarkt
overseas market	der Überseemarkt, der überseeische Markt
integration of markets	die Marktverflechtung
perfect knowledge of the market	die Markttransparenz
common market	der gemeinsame Markt
commodity market	die Warenbörse, der Warenmarkt
raw material market	der Rohstoffmarkt
stock market	die Wertpapierbörse, die Effektenbörse
wool market	der Wollmarkt
rubber market	der Gummimarkt
corn market, grain market *(US)*	der Getreidemarkt
cotton market	der Baumwollmarkt
labour (*US:* labor) market	der Arbeitsmarkt
agricultural commodities market	der Agrarmarkt
weekly market	der Wochenmarkt
dull market, slack market, sluggish market	der lustlose Markt, der flaue Markt
brisk, active market	der lebhafte Markt
the market is buoyant, cheerful	der Markt ist freundlich
black market	der Schwarzmarkt, der Schwarzhandel
black-market operator, "spiv"	der Schwarzhändler, der Schieber
grey market	der graue Markt
buyer's market	der Käufermarkt
seller's market	der Verkäufermarkt
to be in the market for …	Bedarf haben an …, sich für Angebote über … interessieren
to open up a market	einen Absatzmarkt eröffnen, erschließen
to conquer a market	einen Markt erobern
to market, to put on the market, to place on the market	auf den Markt bringen

to supply a market, to send goods to a market	einen Markt beschicken (*oder:* beliefern)
to stimulate the market	den Markt beleben
to calm the market	den Markt beruhigen
to glut, to swamp, to flood the market	den Markt überschwemmen
glut	das Überangebot, die Marktschwemme, die Schwemme
saturation of the market	die Sättigung des Marktes
weakening of the market	die Schwächung des Marktes
market situation, situation prevailing in the market	die Marktlage, die Absatzlage, die Absatzverhältnisse
market fluctuations	die Marktschwankungen
market research	die Marktforschung
market analysis	die Marktanalyse
market study, marketing study	die Marktstudie
market forecast	die Marktvorschau, die Marktprognose
market survey	die Marktübersicht
marketable, merchantable	marktgängig, handelsfähig
marketing, distribution	der Vertrieb, der Absatz, das „marketing"
marketing organization	die Absatzorganisation, die Vertriebsorganisation
marketing agent	der Absatzmittler
marketing policy	die Absatzpolitik
marketing regulations, organized marketing system	die Marktordnung

6. Goods — 6. Waren

goods* *("wares, merchandise")*, commodity *("everything movable that is bought and sold")*, merchandise *("whatever is usually bought and sold in trade")*, wares *("articles of merchandise")*	die Güter, die Ware(n), die Handelsware, das Handelsgut

* Der Singular „good" ist nur in der Volkswirtschaft gebräuchlich. In der kaufmännischen Praxis wird „commodity" als Singular für „goods" verwendet.

raw materials	die Rohstoffe, das Rohmaterial
semi-finished goods, semi-manufactured goods	die Halbfabrikate
finished goods	die Fertigwaren, die Fertigfabrikate
capital goods, producers' goods	die Investitionsgüter
consumer goods, consumers' goods, consumption goods	die Verbrauchsgüter, die Konsumgüter
durable goods	die (langlebigen) Gebrauchsgüter
non-durable goods	die (kurzlebigen) Verbrauchsgüter
luxury goods, luxuries	die Luxusgüter
semi-luxury goods	die Güter des gehobenen Bedarfs
necessities	die Bedarfsgüter
essential goods, essentials	die lebensnotwendigen Güter
non-essential goods, non-essentials	die nichtlebensnotwendigen Güter
agricultural commodities, agricultural products, farm produce	die landwirtschaftlichen Erzeugnisse
industrial products	die Industrieerzeugnisse, die gewerblichen Erzeugnisse
staple goods	die Stapelware
bulk goods	die Massengüter
fungible goods	die fungible Ware, die Gattungsware
branded article, proprietary article	der Markenartikel
dealer's brand	die Handelsmarke, das Handelszeichen
manufacturer's brand	die Fabrikmarke, das Fabrikzeichen
registered trade mark	das eingetragene Warenzeichen
high-grade goods, quality goods, goods of first-class quality	die erstklassige Ware, die Qualitätsware
fashion goods	die Modewaren, die Modeartikel
bulky goods	das sperrige Gut
fragile goods	die zerbrechliche Ware
perishables, perishable goods	die leicht verderbliche Ware
fast-moving goods, fast-selling goods	die leichtverkäufliche Ware, Ware mit hoher Umsatzgeschwindigkeit
slow-moving goods, slow-selling goods	die schwerverkäufliche Ware, Ware mit geringer Umsatzgeschwindigkeit
shelfwarmer, sticker, sleeper *(US)*	der Ladenhüter
lot, parcel	der (Waren-)Posten

blend	die Mischung
to blend	mischen *(Tee, Kaffee, Tabak etc.)*
grade	die Handelsklasse, die Güteklasse, die Sorte
to grade, to sort	sortieren, in Güteklassen einstufen
to sort by colours	nach Farben sortieren
description of the goods	die Beschreibung der Ware
external make-up of goods	die Aufmachung der Ware
measurements, dimensions	die Maße, die Abmessungen
size	die Größe
gross weight	das Bruttogewicht
net weight	das Nettogewicht
tare	die Tara
loss of weight	der Gewichtsverlust
short weight	das Untergewicht
excess weight	das Übergewicht
quality	die Qualität
first-class quality, first-rate quality	die erstklassige Qualität
medium quality	die mittlere Qualität
inferior quality, poor quality	die minderwertige Qualität
fair average quality (f. a. q.)	die Durchschnittsqualität
standard quality	die Standardqualität
factory rejects	der Ausschuß
junk	der Ramsch
junk shop	der Ramschladen
sample, specimen	das Muster, die Probe
pattern	das Muster, die Vorlage, das Modell *(nach dem etwas gemacht wird)*; das Muster *(z. B. das auf Stoffe oder Tapeten aufgedruckte Muster)*; das Warenmuster
sample of merchandise	die Warenprobe
sample without commercial value	das Muster ohne Handelswert
collection of samples, range of samples	die Musterkollektion
to sample, to take samples, to draw samples	Muster ziehen, entnehmen
to correspond to the sample, to match the sample	dem Muster entsprechen

the goods are far below sample	die Qualität der Ware liegt weit unter der des Musters
quantity	die Menge
surplus	der Überschuß, die zuviel gelieferte Menge
shortage	der Mangel (an etwas), die Fehlmenge
bottleneck	der (Versorgungs-)Engpaß
substitute, surrogate	der Ersatz, der Ersatzstoff
rationing of goods	die Rationierung von Waren, die Warenbewirtschaftung
hoarding (of goods)	das Horten, das Hamstern (von Waren)
to hoard	horten, hamstern
hoarder	der Hamsterer

7. Price — 7. Preis

farm prices	die Agrarpreise
prices of industrial goods	die Preise für Industrieerzeugnisse
producer price	der Erzeugerpreis
consumer price	der Verbraucherpreis
wholesale price	der Großhandelspreis
retail price	der Einzelhandelspreis
purchase price	der Einkaufspreis, der Kaufpreis
sales price	der Verkaufspreis
resale price	der Wiederverkaufspreis
invoice price	der Rechnungspreis
monopoly price	der Monopolpreis
competitive price	der Konkurrenzpreis, der konkurrenzfähige Preis
market price	der Marktpreis
world market price	der Weltmarktpreis
black-market price	der Schwarzmarktpreis
average price	der Durchschnittspreis
current price, ruling price	der geltende Preis, der Tagespreis
agreed price	der vereinbarte Preis
contract price	der Vertragspreis

list price	der Listenpreis
price list	die Preisliste
basic price	der Grundpreis
special price	der Vorzugspreis
customary price	der übliche Preis
charm price	der „optische" Preis, *z. B.* 9,99 DM
reasonable price	der angemessene Preis
favourable price	der günstige Preis
reduced price	der herabgesetzte Preis
bargain price	der Ausverkaufspreis
rockbottom price	der äußerst kalkulierte Preis
ruinous price, give-away price	der Schleuderpreis
dumping price	der Dumpingpreis
exorbitant price, excessively high price	der überhöhte Preis
commercial price, full economic price	der echte *(nicht subventionierte)* Preis
subsidized price, support price, supported price	der subventionierte Preis, der Stützpreis
guaranteed price	der Garantiepreis
price covering the costs of production	der kostendeckende Preis
fixed price	der feste Preis, der Festpreis
minimum price, floor price	der Mindestpreis
maximum price, ceiling price	der Höchstpreis
suggested price	der empfohlene Preis, der unverbindliche Richtpreis
price formation	die Preisbildung
price structure	das Preisgefüge
price level	das Preisniveau
price index	der Preisindex
price statistics	die Preisstatistik
price difference, price differential, price spread	der Preisunterschied
price list, price current	die Preisliste, das Preisverzeichnis *(ein „price current" ist ein Verzeichnis der gültigen Marktpreise)*
price deduction	der Preisnachlaß
discount *(a deduction made from the invoice or list price)*	der (das) Skonto, der Rabatt
rebate *(an amount returned out of a sum already paid)*	der Rabatt, der Bonus

cash discount	der (das) Skonto
anticipation discount *(US)*	ein Nachlaß für vorfristige Zahlung *(den z. B. ein Kunde erhält, der bei den Zahlungsbedingungen „Zahlung innerhalb von 30 Tagen nach Erhalt der Ware" vor Eingang der Ware zahlt)*
quantity discount	der Mengenrabatt
trade discount	der Händlerrabatt, der Wiederverkäuferrabatt
employee discount	der Angestelltenrabatt
special discount	der Sonderrabatt
price fluctuations	die Preisschwankungen
the prices fluctuate	die Preise schwanken
prices increase, go up, rise, advance, move up	die Preise steigen, ziehen an, gehen in die Höhe
to raise (*or:* increase, mark up) prices	die Preise erhöhen, heraufsetzen
price increase, increase in prices, rising prices	die Preiserhöhung
the prices rise sharply	die Preise ziehen kräftig an
the prices show an upward tendency	die Preise neigen zum Auftrieb
soaring, skyrocketing of prices	das Emporschnellen der Preise
prices fall, go down, decline, drop, ease	die Preise fallen, geben nach
to lower (*or:* decrease, mark down) prices	die Preise senken, ermäßigen, herabsetzen
fall in prices, decline in prices	der Preisrückgang
sharp fall in prices, slump	der Preissturz, der Preiseinbruch
the prices show a downward tendency	die Preise neigen zum Rückgang, zeigen eine rückläufige Bewegung
the prices remain firm	die Preise behaupten sich, halten sich
the prices firm, become firmer	die Preise werden fest(er)
stabilization of prices	die Preisstabilisierung
stable prices	stabile Preise
the prices continue stable	die Preise bleiben stabil
price control	die Preisüberwachung
price decontrol	die Freigabe der Preise
price freeze	der Preisstopp
price policy	die Preispolitik
price regulation	die Preislenkung

to adjust prices	die Preise angleichen
to peg prices	die Preise stützen, halten
resale price maintenance	die Preisbindung
price-fixing agreement	die Preisabsprache, das Preiskartell
pricing	die Preisfestsetzung
to price, to fix the price, to set the price	den Preis festsetzen
demand determines the price	die Nachfrage bestimmt den Preis
marking	die Auszeichnung (Ware)
to mark	auszeichnen
markup, gross margin, gross profit	die Handelsspanne, die Bruttoverdienstspanne
price ticket, price tag	das Preisschild
high-priced, low-priced, medium-priced goods	Waren der hohen, niedrigen und mittleren Preislage
to sell at a high price	teuer verkaufen
to sell cheap(ly)	billig verkaufen
to dump, to sell below cost	verschleudern
to undercut prices, to undersell	unterbieten

B. Translation Exercises

B. Übersetzungsübungen

1. English–German

1. Englisch–Deutsch

1. The five main functions of commerce are (a) trade, that is the exchange of goods and services; (b) transport and communications; (c) ware-housing; (d) banking; and (e) insurance. 2. Since Britain is a manufacturing country, foreign trade is essential to her existence. 3. Barter is the exchange of goods for goods. 4. A chamber of commerce is a voluntary association of merchants, manufacturers and others engaged in business, for the purpose of promoting and protecting the interests of its members. 5. One of the disadvantages of direct-mail selling is the inability of customers to inspect the merchandise before buying. 6. The 3,000 U.S. discount stores now account for one-third of all department store sales. 7. In variety stores all sales are made on a cash and carry basis. 8. A commission merchant transacts business in his own name and has possession of the goods he handles. He sells them for the account of his principal and is paid a commission on the price he obtains for them. 9. The del credere agent undertakes to indemnify his principal against losses caused

by the default of any customer introduced by him. 10. Brokers find markets for producers and sources of supply for buyers. They do not take physical possession of the goods, nor do they take title to them. 11. In the retail business, goods are stored on shelves in the store itself and in stockrooms. 12. There are two general types of storage facilities, private and public. Private warehouses are provided for the exclusive use of a business, public warehouses are operated for the benefit of the general public. Both are privately owned, but the latter are usually regulated by public authority. 13. Market research is absolutely necessary when a new market is to be entered or when a new product is to be introduced. 14. Producers' goods are used in the production of other goods. Raw materials and machines belong to this category. The goods the consumer buys to satisfy his needs are called consumers' goods or consumption goods. 15. All applications for the registration of trade marks must be made to the Patent Office in London. 16. In many trades the retail price of the goods is fixed by the manufacturer; this is known as "resale price maintenance." 17. The fluctuations of raw material prices affect the general price structure. 18. A price list is not a promise to sell, because the stock of any particular item may be exhausted when an intending purchaser sends his order. 19. When the merchandise has been priced, a price tag is affixed and it is turned over to the sales personnel to be sold. 20. The gross margin is the difference between the purchase price paid by a middleman and his selling price.

2. Deutsch–Englisch

2. German–English

1. Der Einzelhändler befaßt sich mit der Verteilung der Waren an den Endverbraucher. 2. Der Großhändler, der ein Spezialist in seiner Branche ist, tritt zwischen den Hersteller und den Einzelhändler. Er nimmt die gesamte Produktion des Herstellers ab und befreit diesen dadurch von der Sorge um den Absatz seiner Erzeugnisse. 3. Die Konsumgenossenschaften verkaufen ihre Waren zu Tagespreisen und verteilen eventuelle Überschüsse an ihre Mitglieder nach dem Verhältnis ihrer Einkäufe. 4. Der Versandhandel beliefert eine weit verstreut wohnende Kundschaft. Die Kunden bestellen auf Grund von Katalogen, die ihnen regelmäßig vom Versandhaus zugesandt werden. Die bestellten Waren werden gewöhnlich als Postpaket unter Nachnahme verschickt. 5. Die Straßenhändler kaufen im allgemeinen dann ein, wenn die Einzelhandelsgeschäfte bereits versorgt sind, und der Großhändler sein Lager räumen muß, weil die Ware sonst verdirbt. 6. Der Handelsvertreter erhält als Vergütung für seine Tätigkeit die im Agenturvertrag festgelegte Provision. 7. Wir beabsichtigen, der Firma X den Alleinverkauf unserer Erzeugnisse in

England und Wales zu übertragen. 8. Exporteure geben häufig Waren einem vertrauenswürdigen Vertreter im Einfuhrland in Konsignation. Dieser verkauft sie für Rechnung des Exporteurs gegen eine vereinbarte Provision. 9. Lagerhäuser werden vom Staat oder von Privatfirmen unterhalten und dienen der Lagerung von Waren verschiedener Eigentümer. Über die eingelagerte Ware stellt der Lagerhalter einen Lagerschein aus. 10. Während ihrer Lagerung in einem Lagerhaus können die Waren gereinigt, sortiert, gemischt oder einer sonstigen Behandlung unterzogen werden. 11. Der Lagerverwalter führt die Lagerkarteikarten, auf denen Zugänge, Abgänge und Bestand vermerkt werden. 12. Da der einheimische Markt übersättigt ist, muß unsere Firma neue Absatzmärkte erschließen. 13. Vor allem im Außenhandel ist es wichtig, eine intensive Marktforschung zu betreiben. 14. Die Warenbörse ist ein Markt, an dem vertretbare Waren bestimmter Standardqualitäten in großen Mengen gehandelt werden. 15. Ein Kunde, der auf Grund eines Musters bestellt, erwartet, daß die Qualität der gelieferten Ware dem Muster entspricht. 16. Die Rationierung ist eine staatliche Maßnahme, durch die in Krisenzeiten eine möglichst gleichmäßige Versorgung der Bevölkerung mit wichtigen Gütern, die nicht in ausreichender Menge vorhanden sind, gewährleistet werden soll. 17. Die Preise für Industrieerzeugnisse, die im vergangenen Jahr mehr oder weniger stabil blieben, kommen nun in Bewegung. Sowohl die Preise für Verbrauchs- wie auch für Investitionsgüter sind in den letzten Monaten gestiegen. 18. Die steigende Tendenz der Konsumgüterpreise wird oft durch Qualitätsverschlechterungen und Mengenkürzungen verschleiert. 19. Die Preise auf den Preisschildern müssen deutlich lesbar sein. 20. Die Handelsspanne ist die Differenz zwischen dem Einstandspreis und dem Verkaufspreis. Den Einstandspreis erhält man dadurch, daß man vom Rechnungspreis der Waren eventuelle Preisnachlässe abzieht und die Bezugskosten, wie Fracht, Versicherung usw., dazuschlägt.

XV. Trade and Commerce: Mechanics of Buying and Selling

XV. Handel: Technik des Kaufens und Verkaufens

A. Terminology

A. Terminologie

1. Buying and Selling — 1. Kaufen und Verkaufen

purchase	der Kauf
buyer, purchasing officer	der Käufer, der Einkäufer
purchaser, vendee *(law)*	der Käufer
purchasing department	die Abteilung Einkauf
head of purchasing department, purchasing agent, chief buyer	der Einkaufsleiter
purchasing office	das Einkaufsbüro
purchase requisition	die Bedarfsmeldung *(einer Betriebsabteilung an die Abteilung Einkauf)*
to buy, to purchase	kaufen, einkaufen
to go shopping	Einkäufe machen, Einkaufen gehen
to buy for resale	zum Wiederverkauf erwerben
to buy according to sample	nach Muster kaufen
to buy firsthand	aus erster Hand kaufen
to buy secondhand	aus zweiter Hand kaufen
propensity to buy, inclination to buy	die Kauflust
buying habits	die Einkaufsgewohnheiten
buy, bargain	der günstige Kauf, der Gelegenheitskauf
to bargain, to higgle, to haggle, to chaffer	feilschen
sale	der Verkauf, der Kauf(vertrag)
terms of sale	die Verkaufsbedingungen
resale	der Wiederverkauf
seller, vendor *(law)*	der Verkäufer
reseller	der Wiederverkäufer
to sell	verkaufen
to resell	wiederverkaufen
to sell at a profit (loss)	mit Gewinn (Verlust) verkaufen

to sell, to market, to dispose of	absetzen
to sell, to find a market	sich verkaufen lassen, Absatz finden
to sell well, to find a ready market, to meet with a ready market, to find (*or:* meet with) a ready sale	sich gut verkaufen lassen, gefragt sein, guten Absatz finden
to sell like hot cakes	reißenden Absatz finden (*familiär:* wie warme Semmeln weggehen)
salable	verkäuflich
unsalable	unverkäuflich
sales *(pl.)*	die Verkäufe, der Absatz, der Umsatz
turnover, stockturn	der Umsatz, der (Waren-)Umschlag
rate of turnover	die Umschlagsgeschwindigkeit
seasonal sale	der Saisonschlußverkauf
summer sale	der Sommerschlußverkauf
winter sale	der Winterschlußverkauf
inventory sale	der Inventurverkauf
clearance sale	der Räumungsverkauf
closing-down sale, going-out-of-business sale	der Totalausverkauf *(wegen Geschäftsaufgabe)*
bargain sale	das Sonderangebot
rummage sale	der Ramschverkauf
sale at give-away prices	der Schleuderverkauf
sales department	die Abteilung Verkauf
head of sales department, sales manager, director of sales	der Verkaufsleiter, der Leiter der Verkaufsabteilung
sales office	das Verkaufsbüro, das Verkaufskontor
salesman	der Verkäufer, der im Verkauf tätige Angestellte
commercial traveller, traveling salesman *(US)*	der Reisende, der Vertreter
salesgirl, saleswoman	die Verkäuferin
sales person	der Verkäufer, die Verkäuferin
sales personnel, sales force, salespeople	das Verkaufspersonal
sales training	die Verkaufsschulung
salesmanship	die Kunst des Verkaufens
sales talk, selling conversation	das Verkaufsgespräch

sales planning	die Verkaufsplanung
sales organization	die Verkaufsorganisation

2. Suppliers and Customers — 2. Lieferer und Kunden

supplier, vendor *(US)*	der Lieferer, der Lieferant
regular supplier	der Stammlieferant
contractor	der Vertragsschließende, der Kontrahent; der Unternehmer (*z. B.* building contractor = Bauunternehmer); der (Groß-)Lieferant
subcontractor	der Zulieferer, der Unterlieferant, der Subkontrahent
source of supply, buying resource	die Bezugsquelle
selection of a suitable source of supply	die Auswahl einer geeigneten Bezugsquelle
term file	die Liefererkartei *(enthält die Bedingungen* = terms *der einzelnen Lieferer)*
customer	der Kunde
client	der Klient, der Mandant; der Kunde
to attract customers	Kunden gewinnen, anlocken
to lose customers	Kunden verlieren
potential customer	der mögliche Kunde
prospective customer, prospect	der Interessent
regular customer, old customer, patron	der Stammkunde
cash customer	der Barzahlungskunde
credit customer	der Kreditkunde
clientele	der Kundenkreis, die Kundschaft
goodwill	der Goodwill, die Kundschaft *(als Teil der Fasson)*
custom	die Kundschaft; der regelmäßige Einkauf bei einem Lieferanten
we are interested in your custom	wir sind daran interessiert, Sie als (Dauer-)Kunden zu behalten
patronage	der regelmäßige Einkauf, der regelmäßige Besuch *(z. B. eines Restaurants)*

to frequent, to patronize	(in einem Laden) regelmäßig einkaufen, (ein Restaurant etc.) regelmäßig besuchen
service	der Kundendienst
mailing list	die Adressenliste, das Anschriftenverzeichnis

3. Inquiry and Offer / 3. Anfrage und Angebot

inquiry	die Anfrage
inquiry for prices	die Preisanfrage
to address an inquiry to a firm	eine Anfrage an eine Firma richten
offer	das Angebot, die Offerte
export offer	das Exportangebot
counter-offer	das Gegenangebot
supply and demand	Angebot und Nachfrage
quotation	das Preisangebot, das verlangte Angebot, der Preis
price differentiation	die Preisdifferenzierung
to quote prices	Preise nennen, angeben
tender	das Angebot *(bei Ausschreibungen)*
bid	das Kaufangebot, das Gebot *(Versteigerung)*
highest bidder	der Meistbietende
offeror	der Anbietende, der Anbieter
offeree	der Angebotsempfänger
tenderer	der Anbieter, der Submittent *(bei Ausschreibungen)*
solicited offer, quotation	das verlangte Angebot
unsolicited offer, voluntary offer	das unverlangte Angebot
firm offer, binding offer	das feste, verbindliche Angebot, das Festangebot
the offer is binding on the offeror	das Angebot bindet den Anbietenden
offer without engagement, offer subject to confirmation	das freibleibende Angebot
offer subject to confirmation by a specified future date, offer which is firm for a specified period of time only	das befristete Angebot

oral offer, offer transmitted by word of mouth	das mündliche Angebot
written offer, offer in writing	das schriftliche Angebot
favourable offer, favourable quotation	das günstige Angebot, das vorteilhafte Angebot
special offer	das Sonderangebot
to solicit offers	Angebote einholen
to offer, to make an offer	anbieten
to submit an offer	ein Angebot unterbreiten
to accept an offer	ein Angebot annehmen
to avail o. s. of an offer	von einem Angebot Gebrauch machen
to revoke an offer	ein Angebot widerrufen
to offer firm	fest anbieten
to offer subject to confirmation	freibleibend anbieten
we offer you firm until ..., we give you the refusal of these goods until ...	wir bieten Ihnen bis zum ... fest an, dieses Angebot ist bis zum ... gültig
firm subject to immediate acceptance, otherwise without engagement	fest bei sofortiger Annahme, sonst freibleibend
firm subject to reply (acceptance) by ...	fest bei Annahme bis ...
prices subject to change without notice	Preisänderungen vorbehalten
subject to prior sale, subject to being unsold	Zwischenverkauf vorbehalten

4. Order and Acknowledgment / 4. Bestellung und Bestellungsannahme

order	die Bestellung, der Auftrag
purchase order	die Bestellung
order for toys	die Bestellung auf Spielwaren, der Auftrag auf Lieferung von Spielwaren
indent	der Indent (der Einkaufsauftrag eines überseeischen Importeurs an seinen Einkaufskommissionär)

order letter	das Bestellschreiben
(purchase) order form, order sheet, order blank	das Bestellformular
order number	die Bestellnummer, die Auftragsnummer
order book, order register	das Bestellbuch, das Auftragsbuch
oral order	die mündliche Bestellung
written order	die schriftliche Bestellung
initial order, first order	die Erstbestellung
repeat order, reorder	die Nachbestellung
fill-in reorder	die Bestellung zur Ergänzung des Lagers
trial order	die Probebestellung, der Probeauftrag
advance order	die Vorbestellung, die Vorausbestellung
blanket order	der Blankoauftrag
standing order	der Dauerauftrag
unfilled order *(US)*	der unerledigte Auftrag
back order	der nicht rechtzeitig ausgeführte Auftrag, die noch ausstehende Restlieferung
back orders, backlog of orders	der Auftragsrückstand
orders on hand, orders booked	der Auftragsbestand
cancellation of an order	der Widerruf einer Bestellung, die Zurückziehung einer Bestellung
refusal of an order	die Ablehnung einer Bestellung
confirmation of an order	die Bestätigung einer Bestellung *(durch den Besteller)*
written confirmation of an oral order	die schriftliche Bestätigung einer mündlichen Bestellung
acknowledgment of order	die Auftragsbestätigung*, die Bestätigung der Bestellungsannahme *(durch den Lieferanten)*
execution of an order	die Ausführung eines Auftrages

* Es ist ein weitverbreiteter Fehler, die Auftragsbestätigung (d. h. Bestätigung des erteilten Auftrages durch die Lieferfirma) als „confirmation“ zu bezeichnen. Im Englischen verwendet man „to confirm“ nur, wenn man bestätigt, was man selbst gesagt oder geschrieben hat. Die Bedeutung von „to acknowledge“ ist „to make known to a sender or giver that one has received“ (Webster).

follow-up of orders	die Terminüberwachung *(Überwachen der Bestellungserledigung — eine der Aufgaben der Einkaufsabteilung)*
to order s. th. from s. b.	von jemandem etwas bestellen
to place an order with s. b., to pass s. b. an order	jemandem einen Auftrag erteilen
to order goods through a representative	Waren über einen Vertreter bestellen
to order orally	mündlich bestellen
to order by telephone	telefonisch bestellen, fernmündlich bestellen
to order by telegram, to order by cable	telegrafisch bestellen
to cancel an order	eine Bestellung widerrufen
to refuse an order, to decline an order	eine Bestellung ablehnen
to confirm an oral order in writing	eine mündliche Bestellung schriftlich bestätigen
to acknowledge an order	die Annahme einer Bestellung bestätigen
to book an order, to enter an order	eine Bestellung vormerken, einen (von einem Kunden erteilten) Auftrag vormerken
your order has been entered under the number listed above	wir haben Ihre Bestellung unter der obigen Nummer vorgemerkt
to execute an order, to fill an order *(US)*	einen Auftrag ausführen
goods on order	die bestellten, aber noch nicht eingegangenen Waren
as per your order	laut Ihrer Bestellung

5. Contract of Sale — 5. Kaufvertrag

contract of sale, sales contract, sales agreement, sale	der Kaufvertrag, der Kauf
to conclude a (contract of) sale	einen Kauf abschließen
to rescind (*or:* repudiate) a sale	einen Kauf rückgängig machen
subject-matter of a sale	der Kaufgegenstand

conditional sale	der Kauf unter einer aufschiebenden Bedingung, der Kauf unter Eigentumsvorbehalt
cash sale	der Barkauf
credit sale	der Kreditkauf
sale by sample	der Kauf nach Probe, der Kauf nach Muster
sale on approval, sale on trial	der Kauf auf Probe
sale or return	der Kauf mit Rückgaberecht
sale by description	der Kauf nach Beschreibung
sale by the bulk, bulk sale, sale per aversionem	der Kauf in Bausch und Bogen
sale to specifications *(a sale where the buyer has the right to specify within a fixed period of time the exact details regarding colour, shape, measurement, etc., of the goods to be delivered)*	der Spezifikationskauf
tie-in sale	das Kopplungsgeschäft
hire-purchase	der „Mietkauf"* — *(die in Großbritannien gebräuchliche Form des Abzahlungsgeschäfts)*
sale by auction, auction sale, public sale	die Auktion, die öffentliche Versteigerung
to auction, to sell by auction, to put up to auction, to sell *(or:* put up) at auction *(US)*	versteigern
auctioneer	der Versteigerer, Auktionator
property, ownership, title	das Eigentum
document of title	das Traditionspapier, das Dispositionspapier, das Warenpapier
transfer of title	der Eigentumsübergang
conveyance	die Auflassung *(eines Grundstücks)*
reservation of title, retention of title	der Eigentumsvorbehalt
retention-of-title clause	die Eigentumsvorbehaltsklausel

* Jemand mietet eine bestimmte Sache und zahlt dafür regelmäßig den vereinbarten Mietzins. Gleichzeitig vereinbart er mit dem Vermieter, daß nach Zahlung eines bestimmten Betrages (der Kaufsumme) das Eigentum an der Sache auf ihn übergehen soll. Kommt der Mieter in Verzug, so hat der Vermieter das Recht, die Sache zurückzufordern.

to reserve title to the goods delivered pending payment in full	sich das Eigentum an den gelieferten Waren bis zur vollständigen Bezahlung vorbehalten
transfer of the risk, passing of the risk	der Risikoübergang
seller's warranties	die Mängelhaftung, die Gewährleistungspflicht des Verkäufers
warranty of quality	die Sachmängelhaftung
warranty of title	die Rechtsmängelhaftung
tel quel, with all faults	telquel *(Klausel in Kaufverträgen, die die Haftung des Verkäufers für Sachmängel ausschließt)*
guarantee, warranty	der Garantievertrag, die Garantie
guarantee period, warranty period	die Garantiezeit, die Garantiefrist
to guarantee	garantieren, Garantie leisten, die Garantie übernehmen
we guarantee that our machines are in perfect working *(or:* operating) condition on leaving the factory	wir garantieren, daß sich unsere Maschinen bei Verlassen der Fabrik in einem einwandfreien Betriebszustand befinden
performance of a (contract of) sale	die Erfüllung eines Kaufvertrages
non-performance of a (contract of) sale	die Nichterfüllung eines Kaufvertrages
breach of contract	Vertragsbruch
place of performance, place of fulfilment	der Erfüllungsort
venue	der Gerichtsstand
"in the event of litigation, the courts in Munich shall have exclusive jurisdiction"	„Gerichtsstand München"
default	die Nichterfüllung einer vertraglichen Verpflichtung, der Verzug, *(insbesondere:)* der Zahlungsverzug
to default	in Verzug geraten
service of notice of default	die Inverzugsetzung
to hold s. b. in default, to serve formal notice of default	jemanden in Verzug setzen
withholding of payments	die Zurückhaltung von Zahlungen

6. Mercantile and Consumer Credit	6. Lieferanten- und Verbraucherkredit
credit	der Kredit, das Zahlungsziel
mercantile credit *(credit granted by one businessman to another when goods are bought for resale)*	der Lieferantenkredit
consumer credit	der Verbraucherkredit, der Konsumptivkredit
retail credit *(credit extended by retailers to consumers)*	der den Verbrauchern durch den Einzelhändler gewährte Kredit, die Konsumfinanzierung durch den Einzelhandel
hire-purchase credit, installment credit *(US)*	der Teilzahlungskredit
to sell (buy) on credit, to sell (buy) on time	auf Kredit verkaufen (kaufen), auf Ziel verkaufen (kaufen)
to grant credit, to accord credit, to extend credit	Kredit gewähren, ein Zahlungsziel einräumen
to refuse credit	die Kreditgewährung verweigern, die Einräumung eines Zahlungsziels verweigern
to obtain credit, to secure credit	sich Kredit verschaffen
extension of credit, granting of credit	die Kreditgewährung, die Einräumung eines Zahlungsziels
refusal of credit	die Kreditverweigerung
credit terms	die Kreditkonditionen
easy terms, convenient terms	die Zahlungserleichterungen
abuse of credit	der Kreditmißbrauch
open book credit, open account	offenes Ziel
30 days' credit	30 Tage Ziel
period of credit, credit period	das Zahlungsziel, die Zahlungsfrist
extension of the period of credit	die Verlängerung des Zahlungsziels, der Zahlungsaufschub
consumer finance	die Konsumfinanzierung
consumer-finance company, sales-finance company	die Kundenkreditanstalt, die Teilzahlungsbank
finance charge, financing charge	der Finanzierungsaufschlag
credit card	der Kreditscheck

charge account	das Anschreibekonto, das Kundenkreditkonto
charge customer	der Kreditkunde; der Kunde, der anschreiben läßt
"charge it!"	„Schreiben Sie's an!" *(Aufforderung eines Einzelhandelskunden an den Verkäufer, den geschuldeten Betrag anzuschreiben, bzw. sein* „charge account" *damit zu belasten)*
hire-purchase*, installment sale *(US)*	das Abzahlungsgeschäft, das Teilzahlungsgeschäft
deferred payment	die Stundung des Kaufpreises

Anmerkung: Bei „hire-purchase" *geht das Eigentum an der Ware erst nach Zahlung der letzten Rate auf den Käufer über, bei* „deferred payments" *hingegen zum Zeitpunkt des Vertragsabschlusses.* „Installment sales" *sind in der Regel* „conditional sales", *d. h. sie werden unter Eigentumsvorbehalt abgeschlossen.*

hire-purchase agreement, installment contract *(US)*, conditional sales contract *(US)*	der Teilzahlungsvertrag
hire-purchase commitments	die Teilzahlungsverpflichtungen
hire-purchase system, installment system *(US)*	das Teilzahlungssystem
partial payment plan, installment plan *(US)*	der Teilzahlungsplan
to buy on hire-purchase, to buy on the installment plan *(US)*	auf Abzahlung kaufen, auf Teilzahlung kaufen
to buy on the never-never system *(hum.)*	*scherzhaft für:* auf Abzahlung kaufen
down payment, deposit	die Anzahlung
to make a down payment	eine Anzahlung leisten, etwas anzahlen
one-third down	⅓ Anzahlung
nothing down, no down payment	keine Anzahlung
instalment *(US:* installment)	die Rate
to pay by *(or:* in) instalments	in Raten zahlen

---

* Siehe Erklärung auf S. 219.

payable in six monthly instalments	in sechs monatlichen Raten zahlbar
if the purchaser defaults on any payment due on this contract, the full amount shall be immediately due and payable	wenn der Käufer mit irgendwelchen auf Grund dieses Vertrages zu leistenden Zahlungen in Verzug kommt, so wird sofort der gesamte Betrag fällig
repossession	die Zurücknahme einer auf Teilzahlung gekauften Sache durch den Verkäufer *(bei Zahlungsverzug des Käufers)*
credit risk	das Kreditrisiko, der Kreditkunde
good risk	ein Kunde, dem man im Rahmen seines normalen Bedarfs jeden gewünschten Kredit gewähren kann
fair risk	ein Kunde, dem man in beschränktem Umfang Kredit gewähren kann
poor risk	ein Kunde, den man nur gegen Barzahlung beliefern sollte
credit standing	die Kreditwürdigkeit
credit rating	die Kreditbeurteilung, das Kreditürteil
the three C's of credit: character, capital and capacity	die drei Punkte, die man bei der Kreditgewährung berücksichtigen muß: Charakter, Kapital und Leistungsfähigkeit *(des Kreditnehmers)*
credit department	die Warenkreditabteilung
credit man	der Warenkredit-Sachbearbeiter
credit investigation	die Kreditprüfung, die Krediterkundung, die Feststellung der Kreditwürdigkeit
status inquiry, credit inquiry *(US)*	die Bitte um Kreditauskunft
credit information	die Kreditauskunft
favourable information	günstige Auskunft
unfavourable information	ungünstige Auskunft
vague information	unbestimmte Auskunft
sources of credit information	die Informationsquellen *(bei der Einholung von Kreditinformationen)*
references	die Referenzen
trade references	die Handelsreferenzen

bank references	die Bankreferenzen
to give references, to supply references, to furnish references	Referenzen angeben
inquiry agency, mercantile agency *(US)*, commercial agency *(US)*	die (Handels-)Auskunftei
agency report	die Auskunft einer Auskunftei
rating book *(US)*	das Sammelauskunftsbuch, das Referenzbuch *(der amerikanischen Auskunfteien)*
credit interchange	der Austausch von Kreditinformationen
credit interchange bureau	die Kreditauskunftstelle *(eines Verbandes etc.)*

7. Packing and Marking / 7. Verpackung und Markierung

(a) *Packing* / a) *Verpackung*

packing	die Verpackung
outer packing, external packing	die äußere Verpackung
inner packing, internal packing	die innere Verpackung
original packing	die Originalverpackung
customary packing	die handelsübliche Verpackung
special packing	die Spezialverpackung
export packing	die Exportverpackung
seaworthy packing	die seemäßige Verpackung
waterproof packing	die wasserdichte Verpackung
defective packing, faulty packing	die mangelhafte Verpackung
insufficient packing	die ungenügende Verpackung
improper packing	die unsachgemäße Verpackung
to pack	(ver-)packen
to pack goods in the proper manner	Waren sachgemäß verpacken
to exercise utmost care in packing the goods	äußerste Sorgfalt auf die Verpackung der Waren verwenden
to repack	umpacken
to unpack	auspacken
unpacked	unverpackt
packing department	die Packerei

packer	der Packer
packing instructions	die Verpackungsvorschriften
packing list	die Packliste
manner of packing	die Verpackungsart
packing material	das Verpackungsmaterial
packing costs, cost of packing	die Verpackungskosten
packing included	einschließlich Verpackung
packing not included, packing extra	Verpackung nicht inbegriffen, Verpackung wird gesondert berechnet
packing at cost	Verpackung zum Selbstkostenpreis
empties	die leeren Behälter
return of the empties	die Rücksendung der leeren Behälter
non-returnable container	die „verlorene Verpackung“
non-returnable bottle	die Einwegflasche
gross weight	das Bruttogewicht
net weight	das Nettogewicht
legal weight	das legale Gewicht
tare	die Tara, das Verpackungsgewicht
package	das Kollo (*pl.:* die Kolli), das Packstück
container, receptacle	der Behälter
wooden case, wooden box	die Holzkiste
strong cases, sturdy cases	starke Kisten
second-hand cases, used cases	gebrauchte Kisten
crate	die Lattenkiste, der Holzverschlag
to crate	in Lattenkisten verpacken
box	die Schachtel, die (kleine) Kiste
plywood box	die Sperrholzkiste
carton, cardboard box	der Karton (Behälter)
chest	die (Tee-)Kiste
bag, sack	der Sack
to sack, to bag	in Säcke abfüllen
paper bag	die Papiertüte, der Papiersack
four-ply paper bag	der vierfache Papiersack
bale	der Ballen
to press in bales	in Ballen pressen
can	der Kanister
tin, can *(US)*	die Blechdose, die Konservendose
carboy, demijohn	die Korbflasche

cask, barrel	das Faß, das Gebinde
drum	das Eisenfaß
keg	das Fäßchen
metal strapping, steel strapping	die Bandeisensicherung, der Bandverschluß
metal-strapped, steel-strapped, bound with steel straps, bound with metal bands, metal-banded	durch Bandeisen (Stahlbänder) gesichert
wire-tied, wire-strapped	mit Draht umschnürt
to line cases with oilpaper	Kisten mit Ölpapier auskleiden
tin-lined cases	Kisten mit Blecheinsatz, mit Blech ausgeschlagene Kisten
zinc lining	der Einsatz aus Zinkblech, die Zinkeinlage
soldered zinc lining	der verlötete Zinkblecheinsatz
cocoon process	das Cocoon-Einspinnverfahren
rust-proofing	der Rostschutz
metallic surfaces should be well covered with grease	Metallteile sollten gut eingefettet sein
skid	der Schlitten (*beim Maschinenversand:* Holzunterlage, auf die die Maschine aufgeschraubt wird)
cord, twine	die (Pack-)Schnur
wrapping	die Umhüllung
to wrap	einwickeln
wrapping paper	das Packpapier
kraft paper	das Kraftpapier, das feste, braune Packpapier
tissue paper	das Seidenpapier
wax paper	das Wachspapier, das Paraffinpapier
oilpaper	das Ölpapier
cardboard, pasteboard, paperboard	der Karton, die Pappe
strawboard	die Strohpappe
fibreboard (*US:* fiberboard)	der Kunstfaserkarton
corrugated cardboard	die Wellpappe
canvas	das Segeltuch
tarpaulin	geteertes Segeltuch
oilcloth, wax cloth	das Wachstuch
wood wool, excelsior *(US)*	die Holzwolle

shredded paper	die Papierwolle
wood shavings	die Hobelspäne
chaff	das Häcksel
sawdust	das Sägemehl
fillers, filling material	das Füllmaterial *(z. B. Holz- oder Papierwolle)*
cardboard fillers	Kartoneinlagen *(zum Ausfüllen von Zwischenräumen)*
(b) *Marking*	b) *Markierung*
marking of cases	die Markierung der Kisten, die Beschriftung der Kisten
marking requirements	die Markierungsvorschriften
shipping marks	die Versandmarkierung
consignee's mark	die Kennmarke des Empfängers
caution marks	die Vorsichtsmarkierungen
indelible marks	die dauerhafte Beschriftung
to mark cases	Kisten beschriften, markieren, signieren
to mark with a stencil	mit einer Schablone beschriften
stencil	die Schablone
to stencil	mittels Schablone anbringen
to mark with a brush	mit dem Pinsel beschriften
to number packages consecutively	Kolli fortlaufend numerieren
marks and numbers must correspond to (*or:* agree with) certified invoice	die Markierung und Numerierung muß mit der beglaubigten Faktura übereinstimmen
the packages must be marked to show the country of origin	auf den Kolli muß das Ursprungsland angegeben werden
Handle with care	Vorsicht!
Glass, handle with care	Vorsicht Glas!
Fragile	Zerbrechlich!
Liquids—do not tilt	Flüssigkeit — nicht kippen
Keep in cool place	Kühl aufbewahren
Use no hooks	Keine Haken gebrauchen
Do not place near boilers	Vom Dampfkessel fernhalten
Keep dry; Do not store in damp place	Trocken aufbewahren
Use rollers	Auf Rollen transportieren

To be rolled, not tipped	Nicht kanten, sondern rollen
This side up, Top	Oben
Bottom	Unten
Open here	Hier öffnen
Lift here	Hier anheben

8. Delivery / 8. Lieferung

See also International Trade (3. Commercial Terms) *and* Transport — *Siehe auch* Internationaler Handel (3. Lieferklauseln) *und* Transportwesen

delivery	die Lieferung, die Auslieferung
immediate delivery	die sofortige Lieferung
prompt delivery	die prompte Lieferung
delivery within two months	Lieferung innerhalb 2 Monaten
delivery on (*or:* at) call	die Lieferung auf Abruf
dispatch (*BE also* despatch)	die Absendung, der Versand, die Abfertigung; die schnelle Abfertigung
shipment	a) die Verschiffung, der Seetransport; *US auch:* der Versand, die Beförderung, der Transport *(allgemein)* b) die verschifften oder zu verschiffenden Waren, die (Schiffs-)Sendung, die Schiffsladung; *US auch:* die Sendung, die Lieferung (= die gelieferten Waren)
to deliver	liefern, ausliefern, zustellen
to deliver the goods within the specified time	die Lieferzeit einhalten
to supply, to furnish	liefern, beliefern
to supply (*or:* to furnish) a customer with goods	einen Kunden mit Ware beliefern
to dispatch, to send off	absenden, abschicken
to ship	verschiffen; *US auch:* absenden, versenden, befördern
to forward	senden, versenden, absenden, übersenden, weitersenden
to send	senden, übersenden

to effect delivery, to execute delivery	die Lieferung durchführen (vornehmen)
to take (*or:* accept) delivery of the goods	die Waren annehmen
to refuse to take delivery of the goods	die Annahme der Waren verweigern
the goods are ready for dispatch (*or:* shipment)	die Ware ist versandbereit
delivery department, shipping department *(US)*, traffic department *(US)*	die Versandabteilung
delivery van, delivery truck *(US)*	der Lieferwagen
delivery instructions, forwarding instructions, shipping instructions	die Liefervorschriften, die Versandvorschriften, die Versandanweisungen
dispatch order	der Versandauftrag, der Speditionsauftrag
shipping order	der Verschiffungsauftrag, *US auch:* der Versandauftrag, der Speditionsauftrag
shipping documents	die Versanddokumente, die Verschiffungsdokumente
advice note, advice of dispatch, advice of shipment, shipping advice	die Versandanzeige, die Verschiffungsanzeige
delivery note	der Lieferschein
counterfoil (of delivery note)	der Empfangsschein
cost of delivery, delivery costs, delivery expenses	die Lieferkosten
date of delivery	der Liefertermin
time of delivery, period of delivery	die Lieferfrist, die Lieferzeit
delay in delivery	der Lieferverzug
place of delivery	der Lieferort
terms of delivery, delivery terms	die Lieferungsbedingungen
for buyer's account and risk, at buyer's risk and expense	auf Rechnung und Gefahr des Käufers
ex works, ex factory, ex mill *(e. g., paper mill, saw mill, etc.)*	ab Werk
ex warehouse	ab Lager
free (franco) railway station	frei Bahnstation
free on rail (F.O.R.)	frei Waggon

franco domicile (buyer's store, buyer's warehouse), free buyer's store, F.O.B. store *(US)*	frei Haus

9. Invoicing — 9. Rechnungsstellung

invoice	die Warenrechnung, die Faktura
bill *(an account of goods sold or services rendered)*	die Rechnung, die Faktura; die Liquidation *(freie Berufe)*
sales slip	der Kassenzettel *(Barkauf)*
check *(US)*	die Rechnung im Restaurant
waiter, the check please	Herr Ober, bitte die Rechnung
(legally) valid invoice	die (rechts-)gültige Rechnung
original invoice	die Originalrechnung
duplicate invoice	die Rechnungsabschrift, das Rechnungsdoppel
invoice in duplicate, triplicate, quadruplicate, quintuplicate	die Rechnung in doppelter, dreifacher, vierfacher, fünffacher Ausfertigung
invoice copy	die Rechnungskopie
to invoice, to bill	in Rechnung stellen, berechnen, fakturieren
to charge	berechnen, in Rechnung stellen, (auf Konto) belasten
to overcharge	zuviel berechnen
to undercharge	zuwenig berechnen
overcharge	der zuviel berechnete Betrag
undercharge	der zuwenig berechnete Betrag
to make out an invoice	eine Rechnung ausstellen
to enter on the invoice	auf die Rechnung setzen
to check invoices	Rechnungen prüfen
to handle invoices	Rechnungen bearbeiten
to follow up invoices	den Zahlungseingang überwachen
follow-up of invoices	die Überwachung des Zahlungseingangs
invoice department, billing department	die Fakturenabteilung
invoice clerk, billing clerk	der Fakturist, die Fakturistin
billing machine	die Fakturiermaschine

billhead	der Kopf der Rechnung; der Rechnungsvordruck
date of invoice	das Rechnungsdatum
invoice number	die Rechnungsnummer
invoice price	der Rechnungspreis
unit price	der Preis je Einheit
extension	der Gesamtpreis (z. B. Stückpreis × Stückzahl)
invoice amount, invoice total	der Rechnungsbetrag, der Gesamtbetrag der Rechnung
invoice value	der Rechnungswert, der Fakturenwert
net invoice value	der Netto-Fakturenwert
item (of the invoice)	der Posten (der Rechnung)
error	der Irrtum
omission	die Auslassung
E. & O. E. (errors and omissions excepted)	Irrtümer und Auslassungen vorbehalten

10. Payment and Collection of Accounts / 10. Zahlung und Forderungseinziehung

(a) *Payment* / a) *Zahlung*

payment, settlement	die Zahlung
payment of accounts, settlement of accounts	die Begleichung von Verbindlichkeiten, der Rechnungsausgleich
payment of invoices, settlement of invoices	die Bezahlung von Rechnungen (Fakturen)
in payment (settlement) of our account	zum Ausgleich unseres Kontos
in payment (settlement) of your invoice of ...	zum Ausgleich Ihrer Rechnung vom ...
place of payment	der Zahlungsort
terms of payment, payment terms	die Zahlungsbedingungen
method of payment, mode of payment	die Zahlungsweise, der Zahlungsmodus
means of payment *(sing. and pl.)*	das Zahlungsmittel, die Zahlungsmittel

order to pay, order for the payment of money	die Zahlungsanweisung
promise to pay	das Zahlungsversprechen
down payment	die Anzahlung
payment on account	die Akontozahlung, die Abschlagszahlung
part payment, instalment	die Teilzahlung
payment by instalments	die Zahlung in Raten
payment in advance	Zahlung im voraus
cash with order	Barzahlung bei Auftragserteilung
cash on delivery, C.O.D.	Zahlung gegen Nachnahme
payment on receipt of goods	Zahlung bei Erhalt der Ware
spot cash	sofortige Barzahlung
net cash	netto Kasse, bar ohne Abzug
net cash within three weeks	netto Kasse innerhalb von drei Wochen
2% for cash	2% Skonto für Barzahlung
2/10 net 30 (payment within 10 days less 2% cash discount, or within 30 days without deductions)	2% 10, 30 netto (Zahlung innerhalb 10 Tagen abzüglich 2% Skonto, oder innerhalb 30 Tagen ohne Abzug)
2/10—R.O.G. (receipt of goods) *(US)*	2% Skonto innerhalb 10 Tagen, vom Tag des Eingangs der Ware an gerechnet
2/10—E.O.M. (end of month) *(US)*	2% Skonto für Zahlung innerhalb 10 Tagen, vom Ende des Liefermonats an gerechnet
cash discount	der (das) Skonto, *pl.* die Skonti
anticipation discount *(US)*	ein Nachlaß für vorfristige Zahlung *(siehe S. 208)*
discount period	die Frist für Barzahlung, die Kassafrist
to grant, to allow, to accord a cash discount	Skonto einräumen, gewähren
to take advantage of cash discounts, to take cash discounts	Skonti ausnützen
to deduct a cash discount, to take a cash discount	Skonto abziehen
to take too large a cash discount	zuviel Skonto abziehen

taking unearned cash discounts	der unberechtigte Abzug von Skonti, der ungerechtfertigte Skontoabzug
discount piracy	die „Skontoschinderei" *(unberechtigter bzw. über den vorgesehenen Prozentsatz hinausgehender Skontoabzug durch den Käufer, der sich dadurch einen unrechtmäßigen finanziellen Vorteil verschaffen will)*
prompt payer	der pünktliche Zahler
dilatory, tardy, slow payer	der säumige Zahler
slow customer	der säumige Kunde
payment is due	die Zahlung ist fällig
payment is overdue	die Zahlung ist überfällig
to fall due, to mature	fällig werden
prompt payment	die prompte Zahlung
to pay, to make payment, to effect payment	zahlen, Zahlung leisten
to pay in advance	im voraus zahlen, Vorauszahlung leisten
to anticipate (to pay an obligation before the due date)	eine Zahlung vorfristig leisten
to postpone payment, to defer payment	die Zahlung aufschieben
to refuse payment	die Zahlung verweigern
to suspend payments	die Zahlungen einstellen
to resume payments	die Zahlungen wieder aufnehmen
to pay promptly, punctually, on time	pünktlich zahlen
to pay cash	bar zahlen, Barzahlung leisten
cash payment	die Barzahlung
postal order (for sums up to £5), money order (for sums up to £50), (postal) money order *(US)*	die Postanweisung
transfer (of an amount from one bank account to another without the use of cheques), checkless transfer *(US)*	die Überweisung
payment by cheque	die Zahlung durch Scheck
payment by acceptance	die Zahlung durch Akzept
cheques and bills are accepted only as an undertaking to pay	Schecks und Wechsel werden nur zahlungshalber angenommen

remittance	die Zahlung durch Übersendung von Bargeld, Schecks etc.; der bar, mittels Scheck etc. übersandte Betrag
to remit	Geld (in irgendeiner Form) senden oder überweisen
acknowledgment of payment	die Zahlungsbestätigung
to acknowledge payments received	eingegangene Zahlungen bestätigen
receipt	die Quittung
to receipt, to make out a receipt, to give a receipt	eine Quittung ausstellen, quittieren
book of blank receipts	der Quittungsblock
"received" stamp	der Quittungsstempel
payment in arrears	die rückständigen Zahlungen
arrears (*pl.*)	die Rückstände
to be in arrears with one's payments	mit seinen Zahlungen im Rückstand sein
remainder, balance, residual amount	der Restbetrag
unpaid balance	die Restschuld
payment of the balance	die Restzahlung
the customers are slow in paying their bills	der Zahlungseingang ist schleppend
extension, prolongation (of the time allowed for payment)	der Zahlungsaufschub, die Stundung
to ask for an extension (of time), to request an extension (of time)	um Zahlungsaufschub bitten, um Stundung bitten
to grant s. b. an extension	jemandem Aufschub gewähren
moratorium	das Moratorium

(b) *Collection of Accounts*	b) *Forderungseinziehung*
collection	der Einzug, die Einziehung, das Inkasso
collection department	die Abteilung für Forderungs-Inkasso
collection manager	der Leiter des „collection department"
collection procedure	das Mahnverfahren
collection agency	das Inkassobüro, das Inkassoinstitut
collection commission	die Inkassoprovision

collection costs, collection expenses	die Inkassospesen
outstanding accounts	die Außenstände
overdue account, past-due account, delinquent account	die überfällige Forderung
delinquent debtor	der in Verzug geratene Schuldner
to have difficulties in collecting outstanding accounts	Schwierigkeiten beim Einzug der Außenstände haben
reminder	die Zahlungserinnerung, das Erinnerungsschreiben
to remind a customer of an overdue account	einen Kunden an eine überfällige Zahlung erinnern
dunning letter, collection letter *(US)*	das Mahnschreiben
request for payment, demand for payment, application for payment	die Zahlungsaufforderung, die Mahnung
collection sequence, collection series	die Mahnbriefreihe
to collect an account by means of a draft	eine Forderung durch einen Wechsel einziehen
to turn an account over to a collection agency	eine Forderung einem Inkassobüro übergeben
assignment of accounts receivable for collection	die Inkassozession
to place an account with an attorney for collection	eine Forderung einem Anwalt zum Einzug übergeben
to take steps to recover a debt at law	die zwangsweise Eintreibung einer Forderung einleiten
to commence (*or:* to institute) legal proceedings against a debtor, to proceed against a debtor, to bring legal action (*or:* action in court) against a debtor, to take legal steps	gegen einen Schuldner gerichtlich vorgehen, klagen, gerichtliche Schritte unternehmen

11. Complaints and their Adjustment — 11. Beschwerden und ihre Erledigung

complaint, claim	die Beanstandung, die Beschwerde, die Reklamation, die Mängelrüge
claim letter, letter of complaint	die schriftliche Beschwerde, das Beschwerdeschreiben

notice of defect in quality	die Mängelrüge
"claims will be considered only if raised within a week after receipt of goods"	„Reklamationen werden nur innerhalb von 8 Tagen nach Empfang der Ware angenommen"
well-founded claim (*or:* complaint), legitimate claim	eine berechtigte Beschwerde
unfounded claim (*or:* complaint)	die grundlose Beschwerde, die ungerechtfertigte Beschwerde
to have cause for complaint	Grund zur Beschwerde haben
to make a complaint	eine Beschwerde vorbringen, sich beschweren
to file a claim with s. b., to lodge a claim with s. b.	bei jemandem (schriftlich) reklamieren, eine Beschwerde einreichen; einen Anspruch anmelden
claimant, complainant	der Beschwerdeführer
examination of the goods received	die Prüfung der eingegangenen Ware
to spot-check	Stichproben machen
to refuse to accept the goods, to reject the goods	die Annahme der Waren verweigern, die Waren zurückweisen
to place the goods at the seller's disposal	die Waren dem Verkäufer zur Verfügung stellen
adjustment of a claim	die Erledigung einer Beschwerde
adjustment letter	die Antwort auf eine Beschwerde
to grant a claim	eine Beschwerde anerkennen
to refuse a claim	eine Beschwerde ablehnen
to look into the matter	die Angelegenheit prüfen
the seller is at fault, the seller is to blame	der Verkäufer ist schuld, es liegt ein Verschulden des Verkäufers vor
to take the goods back	die Waren zurücknehmen
defect, fault, flaw, vice	der Mangel, der Fehler
obvious defect, patent defect	der offene Mangel, der offene Fehler
hidden defect, latent defect	der versteckte Mangel, der verborgene Fehler
intentionally concealed defect	der arglistig verschwiegene Mangel
defects in material or workmanship, defective material or workmanship, faulty material or workmanship	Material- und Arbeitsfehler (Fabrikationsfehler, Herstellungsfehler)
defective goods	die mangelhafte Ware
to be defective, to have a defect	mit Fehlern behaftet sein

to prove defective	sich als fehlerhaft erweisen
to discover defects	Mängel feststellen
to remove defects, to correct defects	Mängel beheben
to replace defective parts under the guarantee	auf Grund der Garantie schadhafte Teile auswechseln
redhibition, avoidance of a sale	die Wandlung (der Rücktritt vom Kaufvertrag)
redhibitory action	die Wandlungsklage
diminution of the price, deduction from the price *(in lieu of the return of merchandise which is unsatisfactory)*	die Minderung, die Herabsetzung des Kaufpreises
allowance	der Preisnachlaß *(bei mangelhaften Waren)*, der Beanstandungsabzug
to make an allowance	einen Preisnachlaß gewähren
cash refund	die Rückerstattung in bar
to refund the purchase price	den Kaufpreis zurückerstatten
exchange	der Umtausch
to exchange the goods	die Waren umtauschen
replacement	die Neulieferung, die Ersatzlieferung, der Ersatz *(nochmalige Lieferung der gleichen Ware)*
substitute	der Ersatz *(Lieferung einer ähnlichen Ware)*
damages, compensation	der Schadenersatz
to claim damages	Schadenersatz verlangen

B. Translation Exercises — B. Übersetzungsübungen

1. English–German — 1. Englisch–Deutsch

1. A firm offer is a promise made by the seller to sell certain goods at a certain price, provided the order is placed prior to the expiration of the period fixed, e. g., "I offer you firm till noon of Friday next ..." 2. If you give us a really competitive quotation we may place a substantial order. 3. Please send us patterns of ... with your best terms. 4. Sales and new orders of manufacturers both dropped 1% in December, and manufacturers' unfilled orders stood at their lowest level in ten years at the month's end. 5. We have entered your

order for immediate shipment from stock. 6. Orders for future delivery are entered into the order book of the firm. 7. The goods are required for an export order which has to be shipped this week. 8. When goods are sold "on sale or return" the buyer is given the right to return unsold goods within a specified period. Title passes to the buyer immediately, and he has the risk of loss while the goods are in his possession. 9. At an auction bids begin at a low price and proceed to the highest one offered, at which point the auctioneer announces the completion of the sale by the fall of the hammer. 10. It is important to distinguish between hire purchase and deferred payments (credit sales). Under a hire-purchase agreement the seller remains the owner of the goods until the last instalment has been paid. Under a deferred payments agreement the goods become the property of the buyer at the time of purchase. 11. In order to safeguard himself, the seller of goods on credit must obtain information on the financial standing of his prospective customer. 12. Gross weight is the weight of the goods together with all the inner and outer packings. 13. All merchandise intended for shipment to foreign ports should be securely packed. Wooden cases are the most commonly used shipping containers, they are often steel strapped and provided with a waterproof lining. 14. Caution marks on export cases such as "Fragile" or "This Side Up," should be in the language of the foreign country and, since many cargo handlers in foreign ports are illiterate, supplemented with a symbol that can easily be understood, such as the stenciled picture of a bottle or glass, or of an arrow pointing up. 15. To inform the customer that the goods have been dispatched, the seller may send him an adivce note. 16. The delivery dates given in our order must be strictly adhered to. 17. This is not the first time that we have had to complain of delayed deliveries. 18. An invoice is an itemized list of goods, stating prices, quantity and other particulars, which is sent to the purchaser by the seller, usually when the goods are dispatched. 19. Goods sent on approval are often accompanied by a pro forma invoice. 20. "2% 10 days" means that 2 per cent discount will be allowed on the prices charged if payment for the goods is made within ten days of the date of invoice. 21. The practice of taking too large a discount, or taking the discount after the discount period has expired, is known among business firms as "discount piracy." 22. A good collection letter is one that obtains the payment of the past-due account and retains the good will of the customer. 23. Your account with us amounting to $200 is past due and you have paid no attention to repeated requests for payment. Unless immediate settlement is made, a draft will be drawn on you through the X Bank. 24. To be legally effective, the dunning letter must be a definite demand for payment, not merely a gentle reminder that the account is still open. 25. If the buyer of a guaranteed article discovers a fault which he thinks falls within the scope of his warranty, he will notify the seller immediately.

2. Deutsch–Englisch | 2. German–English

1. Wir haben unsere Rechenmaschine aus zweiter Hand gekauft. 2. Der diesjährige Sommerschlußverkauf zeigte teilweise einen stärkeren Ansturm der Kunden als im Vorjahr. 3. Vor Erteilung einer Bestellung holt der Kaufmann Angebote von mehreren Firmen ein, um Preise, Qualität, Zahlungs- und Lieferungsbedingungen vergleichen zu können. 4. Ein Angebot soll enthalten: Beschreibung der angebotenen Ware, Menge und Güte, Preis und evtl. gewährte Nachlässe, Verpackungskosten, Beförderungsart und -kosten, Lieferzeit, Zahlungsbedingungen, Erfüllungsort. 5. Wenn die Preise schwanken oder das Angebot gleichzeitig an mehrere Firmen geht, so bietet der Verkäufer „freibleibend" („Zwischenverkauf vorbehalten", „Preisänderungen vorbehalten") an, was bedeutet, daß er nicht an sein Angebot gebunden ist. Wenn er ein festes Angebot abgibt, muß er jeden Auftrag, der ihn rechtzeitig erreicht, ausführen. 6. Dem Angebot werden in der Regel Kataloge, Preislisten und Muster beigelegt. Muster werden oft gesondert versandt. 7. Um Mißverständnisse zu vermeiden, werden mündlich, fernmündlich oder telegrafisch erteilte Aufträge schriftlich bestätigt. 8. Eine Bestellungsannahme ist notwendig, wenn das der Bestellung vorausgehende Angebot freibleibend ist oder der Besteller das Angebot mit Einschränkungen angenommen hat. 9. Fabrikanten und Großhändler verwenden in der Regel gedruckte Bestellformulare, die alle notwendigen Einzelheiten enthalten und zusammen mit einem Begleitbrief verschickt werden. 10. Wir bitten Sie, unseren Auftrag unverzüglich auszuführen, damit wir unsere Bestände auffüllen können. 11. Der Auftragsbestand dieser Firma ist ziemlich bedeutend. 12. Beim Abschluß eines Teilzahlungsgeschäftes empfiehlt es sich für den Verkäufer, sich das Eigentum an dem verkauften Gegenstand bis zur vollständigen Bezahlung des Kaufpreises vorzubehalten. Kommt der Käufer mit der Zahlung in Verzug, so hat der Lieferer das Recht, vom Vertrag zurückzutreten und die Ware zurückzuverlangen. 13. Wenn der Kunde Waren auf Teilzahlung kauft, so muß er im allgemeinen eine Anzahlung in Höhe von einem Drittel des Kaufpreises leisten; der Rest, der auch den Finanzierungsaufschlag enthält, wird dann in regelmäßigen monatlichen Raten abbezahlt. 14. Beim Kauf auf Probe kann der Kunde die Ware prüfen; er muß sich innerhalb einer vereinbarten Frist entscheiden, ob er

die Ware behalten oder zurückgeben will. 15. Beim Kauf nach Probe hat der Kunde das Recht, die gelieferte Ware zurückzuweisen, wenn deren Qualität nicht dem Muster entspricht, das dem Angebot beigegeben war. 16. Verpackung wird nur berechnet, soweit der Versand in Kisten erfolgt. Bei frachtfreier Zurücksendung der Kisten innerhalb von zwei Monaten in brauchbarem Zustand wird der für sie in Rechnung gestellte Wert dem Käufer gutgeschrieben. 17. Die Lieferungs- und Zahlungsbedingungen dieses Werkes sind sehr günstig, leider sind die Lieferfristen sehr lang. 18. Nach dem Versand der Ware erhält der Kunde eine Versandanzeige und gleichzeitig die Rechnung, die eine Aufstellung der versandten Ware, die Einzelpreise und den Gesamtrechnungsbetrag sowie die Zahlungsbedingungen enthält. 19. Bitte schicken Sie uns die Rechnung in dreifacher Ausfertigung. 20. Bei Zahlung innerhalb von 10 Tagen gewähren wir 2% Skonto. 21. Skonto ist ein Abzug, der bei Bezahlung einer Rechnung innerhalb der festgesetzten Kassafrist gewährt wird. 22. Wird eine Verschlechterung in der Vermögenslage des Käufers bekannt, so steht dem Verkäufer das Recht zu, sofortige Zahlung aller offenen oder noch nicht fälligen Rechnungen zu verlangen. 23. Ein Kunde, der es versäumt, seinen Zahlungsverpflichtungen rechtzeitig nachzukommen, erhält eine Zahlungserinnerung, z. B. eine Rechnungsabschrift, einen Kontoauszug oder einen gedruckten Formbrief. Bleibt diese erfolglos, so folgt ein Mahnschreiben, in dem er in höflichem aber bestimmtem Ton aufgefordert wird, innerhalb einer bestimmten Frist zu bezahlen. 24. Ist der Käufer mit einer Zahlung im Verzuge, so ist der Verkäufer berechtigt, alle früher gelieferten Waren, sofern sie noch nicht bezahlt sind, ohne Fristsetzung zurückzufordern. 25. Die Beanstandung der Qualität muß unverzüglich, spätestens am ersten Werktage nach Ankunft der Ware am Bestimmungsort, erfolgen. Spätere Beanstandungen sind unzulässig, ausgenommen Ansprüche wegen versteckter Mängel.

XVI. International Trade

XVI. Internationaler Handel

See also Money and Currencies, Banking, Cheques, Bills and Notes, Commerce and Trade: General Structure, Commerce and Trade: Mechanics of Buying and Selling, Fairs and Exhibitions, Transport, Insurance, Customs.

Siehe auch Geld und Währung, Schecks und Wechsel, Handel: Aufbau, Handel: Technik des Kaufens und Verkaufens, Messen und Ausstellungen, Transportwesen, Versicherungswesen, Zollwesen.

A. Terminology / A. Terminologie

1. General Terms / 1. Allgemeines

international trade	der internationale Handel
world trade	der Welthandel
overseas trade	der Überseehandel
foreign trade, foreign commerce, external trade, external commerce	der Außenhandel
volume of foreign trade	das Außenhandelsvolumen
pattern of foreign trade	die Struktur des Außenhandels
foreign trade statistics	die Außenhandelsstatistik
foreign trade policy	die Außenhandelspolitik
bilateral trade	der bilaterale Handel
multilateral trade	der multilaterale Handel
free trade	der Freihandel
free trader	der „Freihändler", der Verfechter der Freihandelsidee
protectionism	der Protektionismus
protectionist	der Protektionist
protectionist policy	die protektionistische Politik
to pursue a protectionist policy	eine protektionistische Politik verfolgen
tariff protection	der Zollschutz
tariff barriers, tariff wall	die Zollschranken *(fig.)*
trade barriers	die Handelsschranken
autarky, economic self-sufficiency	die Autarkie

self-sufficient	autark
export, exportation *(US)*	die Ausfuhr, der Export *(als Tätigkeit)*
import, importation *(US)*	die Einfuhr, der Import *(als Tätigkeit)*
temporary export(ation)	die vorübergehende Ausfuhr
temporary import(ation)	die vorübergehende Einfuhr
reexport(ation)	die Wiederausfuhr
reimport(ation)	die Wiedereinfuhr
to export s. th. (to a country)	etwas (nach …) ausführen, exportieren
to import s. th. (into a country)	etwas (nach …) einführen, importieren
exporter	der Exporteur, der Ausführer
importer	der Importeur, der Einführer
exporting country	das Ausfuhrland, das Exportland
importing country	das Einfuhrland, das Importland
export trade	der Ausfuhrhandel, der Exporthandel
import trade	der Einfuhrhandel, der Importhandel
export promotion	die Exportförderung
export drive	der Export-Drive, die Exportförderungskampagne
export (import) transaction	das Ausfuhr-(Einfuhr-)Geschäft
export (import) procedure	das Ausfuhr-(Einfuhr-)Verfahren
export (import) controls	die Ausfuhr(Einfuhr)beschränkungen die Export(Import)kontrollen
administrative controls	die administrativen Kontrollen
sanitary regulations	die Gesundheitsvorschriften
exports	die Ausfuhr(en), der Export (die ausgeführten Güter)
imports	die Einfuhr(en), der Import (die eingeführten Güter)
visible exports and imports	die sichtbaren Aus- und Einfuhren
invisible exports and imports	die unsichtbaren Aus- und Einfuhren
merchandise trade	der Warenhandel
services	die Dienstleistungen
processing	die Veredelung
temporary importation or exportation for processing	der Veredelungsverkehr
processing for processor's own account	die Eigenveredelung

job processing, processing under a job contract	die Lohnveredelung
temporary importation for processing	der aktive Veredelungsverkehr
temporary exportation for processing	der passive Veredelungsverkehr
international merchandise jobbing (*trade involving a merchant middleman who buys goods from a seller in a foreign country and sells them to a buyer in a foreign country*)	der Transithandel *(kein genaues englisches Äquivalent)*
middleman engaged in transit trade	der Transithändler
international jobbing where the jobber is resident in the home country *(a source of income for the home country)*	der aktive Transithandel
international jobbing where the jobber is resident abroad *(the supplier or buyer of the goods is a domestic firm)*	der passive Transithandel
international jobbing where the goods do not touch the middleman's country en route from the seller's to the buyer's country	der ungebrochene Transithandel
international jobbing where the goods coming from the seller's country are repacked, blended, bottled etc. in the middleman's country before they are sent on to the buyer's country	der gebrochene Transithandel *(nach dem z.Z. gültigen deutschen Außenhandelsrecht wird nicht mehr zwischen ungebrochenem und gebrochenem Transithandel unterschieden)*
transit traffic	der Durchgangsverkehr, der Transitverkehr
goods (*or:* merchandise) in transit, transit goods	die Transitwaren, das Transitgut, das Durchfuhrgut
exports of capital, capital exports	der Kapitalexport
imports of capital, capital imports	der Kapitalimport
foreign investments	die Investitionen im Ausland
direct investments	die direkten Investitionen *(Errichtung von Filialen oder Tochtergesellschaften im Ausland oder Beteiligung an ausländischen Firmen)*

indirect investments, equity investments, portfolio investments	die indirekten Investitionen *(der Erwerb ausländischer Wertpapiere)*
international settlements	der internationale Zahlungsverkehr, der internationale Zahlungsausgleich
bilateral settlements	der bilaterale Zahlungsverkehr
multilateral settlements	der multilaterale Zahlungsverkehr
clearing	das Clearing, die Verrechnung
bilateral clearing	das bilaterale Clearing, die bilaterale Verrechnung
multilateral clearing	das multilaterale Clearing, die multilaterale Verrechnung
balance of trade	die Handelsbilanz
favourable balance of trade	die aktive Handelsbilanz
unfavourable balance of trade, adverse balance of trade	die passive Handelsbilanz
total value of merchandise exports and imports	der Gesamtwert der Warenausfuhren und -einfuhren
export surplus	der Exportüberschuß
import surplus	der Importüberschuß
balance of payments	die Zahlungsbilanz
credit item of the balance of payments	der Aktivposten der Zahlungsbilanz
debit item of the balance of payments	der Passivposten der Zahlungsbilanz
balance of visible and invisible items	die Leistungsbilanz
balance of payments on current account	die Bilanz der laufenden Posten
"merchandise"	„Warenverkehr"
"shipping services," "freights"	„Schiffsfrachten"
"insurance"	„Versicherungen"
"tourist traffic," "tourist expenditures," "tourists' disbursements," "foreign travel," "travel"	„Reiseverkehr"
"banking services"	„Dienstleistungen der Banken"
"miscellaneous services"	„verschiedene Dienstleistungen"
unearned income, capital income	das Kapitaleinkommen
income from *(or:* on) investments, investment income	die Kapitalerträge
unilateral transfers	die unentgeltlichen Leistungen, die unentgeltlichen Kapitalübertragungen

government transfers	die staatlichen Übertragungen
foreign aid	die Auslandshilfe
economic aid	die Wirtschaftshilfe
development aid	die Entwicklungshilfe
military aid	die Militärhilfe
restitution payments	die Wiedergutmachungsleistungen
reparations	die Reparationen
private transfers	die privaten Übertragungen
remittances	die Geldsendungen
immigrant remittances	Geldsendungen von Einwanderern *(an ihre Angehörigen im Ausland)*
legacies	die Erbschaften
private gifts, donations	die privaten Schenkungen
balance on capital account	die Kapitalbilanz
capital movements, capital transactions	die Kapitalbewegungen, der Kapitalverkehr
long-term capital movements	die langfristigen Kapitalbewegungen
short-term capital movements	die kurzfristigen Kapitalbewegungen
net inflow (outflow) of foreign exchange	die Devisenbilanz
foreign exchange transactions	die Devisengeschäfte
monetary gold	das Währungsgold
increase (decrease) in the central bank's monetary reserves	die Zunahme (Abnahme) der Währungsreserven der Notenbank
net errors and omissions	der Saldo der nicht erfaßten Posten und der statist. Ermittlungsfehler
balance-of-payments surplus	der Zahlungsbilanzüberschuß
balance-of-payments deficit	das Zahlungsbilanzdefizit
disequilibrium in the balance of payments	das Ungleichgewicht in der Zahlungsbilanz
balance-of-payments difficulties	die Zahlungsbilanzschwierigkeiten
the balance of payments is under pressure	die Zahlungsbilanz ist stark angespannt
correction of a balance-of-payments disequilibrium (*or:* maladjustment)	die Korrektur des gestörten Zahlungsbilanzgleichgewichts
to offset a balance-of-payments disequilibrium	ein Ungleichgewicht in der Zahlungsbilanz beseitigen
terms of trade	die terms of trade, die Austauschrelationen

the terms of trade improve	die terms of trade bessern sich
the terms of trade worsen (*or:* deteriorate)	die terms of trade verschlechtern sich
subsidy	die Subvention
subsidization	die Subventionierung
to subsidize	subventionieren
export bounty	die Exportprämie
dumping	das Dumping
to practise dumping	Dumping betreiben
antidumping measures	die Antidumpingmaßnahmen
restrictions	die Beschränkungen
to impose restrictions	Beschränkungen auferlegen
to relax (*or:* moderate) restrictions	Beschränkungen abbauen
to remove restrictions	Beschränkungen beseitigen, aufheben
restrictions to safeguard the balance of payments	Beschränkungen zum Schutze der Zahlungsbilanz
trade restrictions	die Handelsbeschränkungen, die Handelsrestriktionen
import restrictions, restrictions on imports	die Einfuhrbeschränkungen
impediments to imports	die Einfuhrhemmnisse
quantitative restrictions	die mengenmäßigen Beschränkungen
foreign-exchange restrictions	die Devisenbeschränkungen
transfer restrictions	die Transferbeschränkungen
tariffs *(see p. 376)*	die Zölle *(siehe S. 376)*
embargo	das Embargo
boycott	der Boykott
to boycott	boykottieren
quota	das Kontingent
quota accorded to individual countries	das Länderkontingent
overall quota	das Globalkontingent
tariff-rate quota	das Zollkontingent
imposition of quotas	die Kontingentierung
applicable quotas	die in Frage kommenden Kontingente
quota goods, goods subject to a quota	kontingentierte Waren
non-quota imports	nichtkontingentierte Einfuhrartikel
allocation of shares in a quota	die Aufteilung eines Kontingents

to fix a quota	ein Kontingent festsetzen
to exceed a quota	ein Kontingent überziehen
the quota is exhausted	das Kontingent ist erschöpft
export licence	die Exportlizenz, die Ausfuhrgenehmigung
import licence, import permit	die Einfuhrlizenz, die Importlizenz, die Einfuhrgenehmigung
open general licence	die allgemeine Lizenz
application for an import licence	der Antrag auf Erteilung einer Einfuhrgenehmigung
to apply for an import licence	eine Einfuhrlizenz beantragen
an import licence is granted	eine Einfuhrlizenz wird erteilt
cancellation of an import licence	der Widerruf einer Einfuhrlizenz, die Annullierung einer Einfuhrlizenz
liberalization	die Liberalisierung
rate of liberalization, degree of liberalization	der Liberalisierungssatz
to liberalize	liberalisieren
deliberalization	die Deliberalisierung
to deliberalize	entliberalisieren, von der Liberalisierungsliste streichen
free list	die Freiliste, die Liberalisierungsliste
list of non-liberalized goods	die Negativliste

2. Distribution — 2. Absatzwesen

See also Trade and Commerce: General Structure — *Siehe auch* Handel: Aufbau

export organization	die Exportorganisation
export middleman, export intermediary	der Exportmittler
domestically located intermediaries	die Mittelspersonen im Inland
exporter's marketing organization overseas	die Absatzorganisation des Exporteurs in Übersee
distribution channels abroad	die Verteilungswege im Ausland

direct exporting, direct exports	der direkte Export, der Direktexport
indirect exporting, indirect exports	der indirekte Export
export department, export division	die Exportabteilung
export manager	der Exportleiter
export traveller	der Auslandsreisende
integrated export department, built-in export department *(US)*	die eingegliederte Exportabteilung
separate export department, "divorced" export department *(US)*	die selbständige Exportabteilung
export subsidiary	die selbständige Exportfirma
export association	die Exportgemeinschaft
export cartel	das Exportkartell
Webb-Pomerene associations *(US)*	auf Grund des Webb-Pomerene Act von 1918 *(Ausnahmegesetz zur Antitrustgesetzgebung)* zugelassene Zusammenschlüsse von Exportfirmen in den USA
foreign branch *(a division of the home company)*	die Filiale im Ausland, die (unselbständige) Zweigniederlassung im Ausland
foreign subsidiary *(a separate company incorporated under the laws of the foreign country)*	die (selbständige) Niederlassung im Ausland, die Tochtergesellschaft im Ausland
sales company	die Vertriebsgesellschaft
assembly plant	das Montagewerk
licence (*US:* license)	die Lizenz
licence contract, licence agreement, franchise agreement	der Lizenzvertrag
licensor	der Lizenzgeber
licensee	der Lizenznehmer
to grant a licence to a foreign firm, to appoint a licensee abroad	einer ausländischen Firma eine Lizenz erteilen
manufacturing under licence	die lizenzmäßige Herstellung
export merchant, merchant shipper *(GB)*	der Exporthändler
export broker	der Exportmakler
combination export manager (C.E.M.) *(US)*	ein selbständiger Exportmittler, der für mehrere Hersteller tätig ist und nach außen nicht in Erscheinung

	tritt; er ist praktisch der „Exportleiter" der von ihm vertretenen Firmen
export agent, manufacturer's export agent *(US)*	der Exportvertreter
confirming house *(GB)*	eine Mittelsperson, die durch „Bestätigung" der Aufträge überseeischer Abnehmer die Garantie für die Zahlung übernimmt
resident buyer	der Einkaufsagent (im Einkaufsland)
export commission house	die als Einkaufskommissionär für überseeische Importeure tätige Exportfirma
indent merchant, indent house	der Indentkaufmann
indent	der Indent, der (Einkaufs-)Auftrag
open indent	ein Indent, der dem Empfänger beim Einkauf freie Hand läßt
closed indent	ein Indent, der Preise und Bezugsquelle vorschreibt
to accept an indent	einen Indent annehmen
to refuse an indent	einen Indent ablehnen
foreign agent	der ausländische Vertreter
factor *(GB)*, commission merchant *(US)*	der Kommissionär
factor *(US)*	der Factor *(seine Hauptaufgaben sind die Finanzierung von Warengeschäften und die Übernahme des Kreditrisikos)*
consignee	der Konsignatar; *auch allgemein:* der Empfänger (einer Warensendung)
consignor	der Konsignant; *auch allgemein:* der Versender, der Absender (einer Warensendung)
consignment	die Konsignation; *auch allgemein:* die Warensendung
consignment stock	das Kommissionslager, das Konsignationslager
goods on consignment, consignment goods	die Kommissionswaren, die Konsignationswaren
to consign goods to s. b.	jemandem Waren in Konsignation

	geben; *auch allgemein:* jemandem Waren zusenden
to take goods on consignment	Waren in Konsignation nehmen
foreign distributor	der ausländische Vertragshändler *(ein im eigenen Namen und für eigene Rechnung tätiger Importeur)*

3. Commercial Terms — 3. Lieferklauseln

Incoterms (International Commercial Terms) 1953:	*die Incoterms 1953:*

(Die Incoterms sind einheitliche Regeln zur Auslegung der im internationalen Handel gebräuchlichen Vertragsformeln; sie wurden 1936 von der Internationalen Handelskammer aufgestellt und 1953 neugefaßt.)

Ex Works	ab Werk
F.O.R., F.O.T. (free on rail, free on truck)	frei Waggon
F.A.S. (free alongside ship)	frei Längsseite Seeschiff
F.O.B. (free on board)	frei an Bord
C. & F. (cost and freight)	Kosten und Fracht
C.I.F. (cost, insurance, freight)*	Kosten, Versicherung, Fracht
Freight or Carriage Paid to ...	Frachtfrei ... *(nur für den Verkehr auf Straße, Schiene und Binnenwasserwegen)*
Ex Ship	ab Schiff
Ex Quay (duty paid)	ab Kai (verzollt)
Ex Quay (duty on buyer's account)	ab Kai (unverzollt)

Anmerkung: Die Abkürzungen der Lieferklauseln schreibt man im Deutschen meist mit kleinen Buchstaben, z. B. c. i. f. oder cif statt C. I. F.

When the Incoterms 1936 were revised in 1953 the following two quotations were dropped:	Bei der Revision der Incoterms 1936 wurden die folgenden beiden Klauseln weggelassen:
Free ... (named port of shipment)	frei ... (benannter Verschiffungshafen)
Free or Free Delivered ... (named point of destination)	frei ... (benannter Bestimmungsort)

* Die Klauseln C. I. F. & I. (interest), C. I. F. & C. (commission) und C. I. F. C. I. sind nicht in die Incoterms aufgenommen worden.

Revised American Foreign Trade Definitions 1941: — *die USA-Lieferklauseln:*

(Die Revised American Foreign Trade Definitions sind die Neufassung der im Jahre 1919 eingeführten „American Foreign Trade Definitions".)

Vergleich der Revised American Foreign Trade Definitions (links aufgeführt) mit den Incoterms:

Ex (point of origin)	Ex Works
F.O.B. (named inland carrier at named inland point of departure)	*etwa:* F.O.R., F.O.T.
F.O.B. (named inland carrier at named inland point of departure), Freight Prepaid To (named point of exportation)	*am ähnlichsten:* Freight or Carriage Paid to ... (named point of destination)
F.O.B. (named inland carrier at named inland point of departure), Freight Allowed To	keine entsprechende Klausel der Incoterms *(dem Käufer wird ein Preis aufgegeben, der die Transportkosten enthält; der Versand der Ware erfolgt unter Frachtnachnahme, und die Fracht wird von der Rechnung abgesetzt)*
F.O.B. (named inland carrier at named point of exportation)	*etwa:* Free ... (named port of shipment) (Incoterms 1936)
F.O.B. Vessel (named port of shipment)	*etwa:* F.O.B.
F.O.B. (named inland point in country of importation)	*am ähnlichsten:* Free or Free Delivered (named point of destination) (Incoterms 1936)
F.A.S. Vessel	F.A.S.
C. & F. (named point of destination)	*etwa:* C. & F.
C.I.F. (named point of destination)	*etwa:* C.I.F.
Ex Dock (named port of importation)	*etwa:* Ex Quay *(kommt in den USA aber praktisch nur im Einfuhrhandel vor)*

commercial terms, trade terms, shipping terms — die Lieferklauseln, die Vertragsformeln

shipping terms where costs and risks devolve on the buyer at the same point — die Einpunktklauseln

shipping terms where costs and risks devolve on the buyer at two different points	die Zweipunktklauseln
the risk devolves on the buyer	das Risiko geht auf den Käufer über
the point to which seller pays all costs	der Kostenpunkt
the point where the risk passes to the buyer	der Risikopunkt
seller must bear all risks of the goods until such time as they shall have effectively passed the ship's rail at the port of shipment	der Verkäufer hat alle Gefahren zu tragen bis zu dem Zeitpunkt, an dem die Ware im Verschiffungshafen tatsächlich die Reling des Schiffes überschritten hat
to bear the additional costs thereby incurred	die sich hieraus ergebenden Mehrkosten tragen
to bear all costs and risks of the goods	alle Kosten und Gefahren der Ware tragen
to place the goods on the dock	die Ware am Kai niederlegen
to deliver the goods alongside the vessel	die Ware Längsseite Schiff liefern
to deliver the goods on board the vessel	die Ware an Bord des Schiffes liefern
in proof of delivery	zum Nachweis der Lieferung
seller's duties	die Verkäuferpflichten
buyer's duties	die Käuferpflichten
seller must supply the goods in conformity with the contract of sale together with such evidence of conformity as may be required by the contract	der Verkäufer hat die Ware in Übereinstimmung mit dem Kaufvertrag zu liefern und zugleich alle vertragsgemäßen Belege hierfür zu erbringen

4. Documents — 4. Dokumente

export documents	die Exportdokumente
shipping documents	die Verschiffungsdokumente
documents of title	die Traditionspapiere
customs documents	die Zolldokumente
ocean bill of lading	das (See-)Konnossement
(see pp. 286—287)	*(siehe S. 286—287)*

wharfinger's receipt, dock receipt *(US)*	der Kai-Annahmeschein
mate's receipt	die Steuermannsquittung
charter party	der Chartervertrag, die Charterpartie
inland waterway bill of lading	der Flußladeschein
trucking company's bill of lading *(US)*	der Frachtbrief im Straßengüterverkehr
consignment note, (railroad) waybill *(US)*, railroad bill of lading *(see p. 280)*	der (Eisenbahn-)Frachtbrief *(siehe S. 280)*
duplicate consignment note, counterfoil waybill	das Frachtbriefdoppel
air waybill, air consignment note	der Luftfrachtbrief
postal receipt	der Posteinlieferungsschein
forwarder's receipt *(see p. 277)*	die Spediteurübernahmebescheinigung *(siehe S. 277)*
warehouse warrant, warehouse receipt *(see p. 200)*	der Lagerschein *(siehe S. 200)*
delivery order *(see p. 200)*	der Lieferschein *(siehe S. 200)*
insurance policy *(see p. 302)*	die Versicherungspolice *(siehe S. 302)*
insurance certificate	das Versicherungszertifikat
pro-forma invoice	die Proformarechnung
commercial invoice	die Handelsrechnung, die Handelsfaktura
customs invoice	die Zollfaktura
consular invoice	die Konsulatsfaktura
legalization of a consular invoice	die Beglaubigung (*oder:* Legalisierung) einer Konsulatsfaktura
to legalize	beglaubigen, legalisieren
consular fee	die Konsulatsgebühr
certificate of origin	das Ursprungszeugnis
Combined Certificate of Value and Origin *(for exports to Commonwealth countries)*	das kombinierte Wert- und Ursprungszeugnis
export declaration	die Ausführerklärung
import licence, import permit *(see p. 247)*	die Einfuhrlizenz, die Importlizenz, die Einfuhrgenehmigung *(siehe S. 247)*
import certificate	das Import-Zertifikat,

	die Unbedenklichkeitserklärung (Endverbleibsnachweis)
certificate of weight, weight certificate, weight note	die Gewichtsbescheinigung, die Gewichtsnota
certificate of quality	das Qualitäts-Zertifikat
certificate of analysis	das Analysen-Zertifikat
certificate of manufacture	eine *(oft notariell beglaubigte)* Urkunde, die die Fertigstellung der bestellten Waren bescheinigt
bill of health, sanitary certificate	das Gesundheitszeugnis
packing list	die Packliste

5. Export Finance — 5. Exportfinanzierung

export finance	die Exportfinanzierung
financing of consignment stocks	die Finanzierung von Konsignationslagern
to finance an export transaction	ein Exportgeschäft finanzieren
burden of financing	die Finanzierungslast
payment on open account	die Zahlung in offener Rechnung
payment in advance, advance payment, cash in advance (C.I.A.)	die Vorauszahlung
cash with order (C.W.O.)	die Zahlung bei Auftragserteilung
down payment when placing the order	die Anzahlung bei Auftragserteilung
documents against (*or:* on) payment (D/P), cash against documents (C.A.D.)	Dokumente gegen Kasse
documents against (*or:* on) acceptance (D/A)	Dokumente gegen Akzept
collection against documents	das Dokumenteninkasso
collecting banker	die Inkassobank
collection instructions	die Inkassoanweisungen
collection draft	die Inkassotratte
collection proceeds	der Inkassogegenwert
collection charges	die Inkassospesen
to entrust a bank with the collection	eine Bank mit dem Inkasso betrauen
to hand documents to a bank for collection	Dokumente einer Bank zum Inkasso übergeben

bill of lodgement, letter of transmittal, letter of instruction	der Inkassoauftrag *(beim Dokumenteninkasso)*
advance against shipping documents	die Bevorschussung von Verschiffungsdokumenten
to make an advance against a documentary draft	eine Dokumententratte bevorschussen
documentary draft	die Dokumententratte, die dokumentäre Tratte
clean draft	die Tratte ohne Dokumente, die nichtdokumentäre Tratte
negotiation	die Negoziierung *(die Begebung, z. B. eines Wechsels; im Außenhandel: der Ankauf einer Fremdwährungstratte durch eine Bank)*
to negotiate	negoziieren
ro negotiate drafts with (without) recourse to the drawer	Tratten mit (ohne) Regreß auf Aussteller negoziieren
negotiation credit	der Negoziationskredit, der Trattenankaufskredit
authority to negotiate, authority to purchase	die einer Bank im Land des Exporteurs durch eine Bank im Land des Importeurs oder in einem anderen Land erteilte Ermächtigung, eine vom Exporteur auf den Importeur (bzw. seine Bank) gezogene Dokumententratte anzukaufen
authority to pay	ähnlich wie die „authority to negotiate"; die Bank im Land des Exporteurs wird jedoch ermächtigt, die vom Exporteur auf sie gezogene Tratte einzulösen

Anmerkung: Im Gegensatz zum Akkreditiv übernimmt bei der „authority to negotiate" und der „authority to pay" keine der beteiligten Banken irgendeine Haftung (selbst beim widerruflichen Akkreditiv haftet die eröffnende Bank, wobei sie sich jedoch jederzeit durch Widerruf des Akkreditivs dieser Haftung entziehen kann). Außerdem behält sich bei den „authorities" die negoziierende oder zahlende Bank in der Regel das Rückgriffsrecht auf den Aussteller der Tratte vor. Die „authorities" kommen vor allem im Geschäft mit dem Fernen Osten vor.

"The authority given us is subject to revocation or modification at any	Die uns erteilte Ermächtigung kann jederzeit widerrufen oder abge-

time without notice to you."	ändert werden, ohne daß darüber Mitteilung ergeht.
"This advice conveys no engagement on our part or on the part of the above-mentioned correspondent and is simply for your guidance in preparing and presenting drafts and documents."	Diese Benachrichtigung begründet keine Verpflichtung, weder für uns noch für den obengenannten Korrespondenten, und erfolgt nur zu dem Zweck, Ihnen Hinweise für die Ausstellung und Vorlage der Tratten und Dokumente zu geben.
"Please note that this is not a 'bank credit' and that you are not relieved from the liability attaching to the drawer of a Bill of Exchange."	Wir weisen darauf hin, daß dies kein Akkreditiv ist, und daß Sie von der wechselrechtlichen Haftung als Aussteller nicht befreit sind.
drawing authorization	die Ziehungsermächtigung
documentary acceptance credit ("documents against banker's acceptance")	der dokumentäre Akzeptkredit, der Rembourskredit
clean credit, open credit	das einfache (*oder:* nichtdokumentäre) Akkreditiv
documentary credit	das Dokumentenakkreditiv, das dokumentäre Akkreditiv
commercial letter of credit *(US)*	der Handelskreditbrief *(eine vor allem von den amerikanischen Großbanken benutzte Sonderform des Warenakkreditivs, bei der das Eröffnungsschreiben direkt an den Begünstigten gerichtet wird — die Abwicklung ist ähnlich der beim gewöhnlichen Reisekreditbrief)*
"Uniform Customs and Practice for Commercial Documentary Credits"	„Einheitliche Richtlinien und Gebräuche für Dokumenten-Akkreditive" *(1933 von der Internationalen Handelskammer aufgestellt und zuletzt 1962 revidiert)*
"Standard Forms for the Opening of Documentary Credits"	„Standardformeln für die Eröffnung von Dokumentenakkreditiven" *(Ergänzung zu den „Einheitlichen Richtlinien und Gebräuchen")*
straight credit	das normale Akkreditiv
negotiable credit	das negoziierbare Akkreditiv *(die*

	Tratten werden durch die bestätigende oder avisierende Bank negoziiert)
revocable credit	das widerrufliche Akkreditiv
irrevocable credit	das unwiderrufliche Akkreditiv
confirmed irrevocable credit	das bestätigte unwiderrufliche Akkreditiv
unconfirmed irrevocable credit	das unbestätigte unwiderrufliche Akkreditiv
transferable credit, assignable credit	das übertragbare Akkreditiv
divisible credit	das teilbare Akkreditiv
packing credit, anticipatory credit (Green Clause or Red Clause)	eine Klausel im Akkreditiv, die die Bank im Land des Exporteurs berechtigt, dem Begünstigten einen Vorschuß auf das Akkreditiv zu zahlen *(vor allem bei Wollgeschäften mit Australien und Neuseeland üblich)*
opening bank, issuing bank	die eröffnende Bank, die akkreditivstellende Bank
correspondent (bank)	die Korrespondenzbank
advising bank, notifying bank	die avisierende Bank
confirming bank	die bestätigende Bank
negotiating bank	die negoziierende Bank
beneficiary	der Begünstigte
to notify the beneficiary	den Begünstigten benachrichtigen
to confirm a credit	ein Akkreditiv bestätigen
to arrange for the opening of a credit	die Eröffnung eines Akkreditives veranlassen
to open a credit, to establish a credit, to issue a credit	ein Akkreditiv eröffnen, stellen, hinauslegen
to open a credit by letter (by cable)	ein Akkreditiv brieflich (telegrafisch) eröffnen
by order of	im Auftrage von
for account of	für Rechnung von
in favour of	zu Gunsten von
for a sum or sums not exceeding a total of ..., up to the aggregate amount of ...	bis zum Höchstbetrage von ...
currency of the credit	die Akkreditivwährung

available against the following documents	benutzbar gegen folgende Dokumente
part shipment	die Teilverschiffung, der Teilversand
part shipments permitted (prohibited)	Teilverschiffung erlaubt (nicht erlaubt)
period of validity	die Gültigkeitsdauer
stipulated expiry date	das festgesetzte Verfalldatum
terms of the credit	die Akkreditivbedingungen
in compliance with the terms of the credit	gemäß den Akkreditivbedingungen
presentation of the documents	die Vorlage der Dokumente
to present the documents, to tender the documents	die Dokumente vorlegen, die Dokumente andienen
to accept the documents	die Dokumente aufnehmen
to refuse the documents, to reject the documents	die Dokumente zurückweisen, die Dokumente nicht aufnehmen

6. Arbitration — 6. Arbitrage

arbitration	die Arbitrage, die Erledigung von Meinungsverschiedenheiten durch Schiedsgutachter bzw. ein Schiedsgericht; das schiedsgerichtliche Verfahren *(darf nicht mit dem englischen Wort* „arbitrage" *verwechselt werden — siehe S. 48)*
rules of arbitration	die Schiedsordnung
arbitration clause	die Arbitrageklausel, die Schiedsklausel
to submit to arbitration	sich einem schiedsrichterlichen Verfahren unterwerfen
arbitrator, arbiter	der Schiedsgutachter, der Schiedsrichter
arbitrators appointed by the parties	die von den Parteien ernannten Schiedsrichter
umpire	der Obmann
court of arbitration	das Schiedsgericht
to refer (s. b. or s. th.) to a court of arbitration	(jemanden oder etwas) an ein Schiedsgericht verweisen

award	der Schiedsspruch
enforcement of an arbitral award	die Vollstreckung eines Schiedsspruchs
dispute, controversy	die Meinungsverschiedenheit, die Streitigkeit
disputes arising in connection with a contract	die sich aus einem Vertrag ergebenden Meinungsverschiedenheiten
to settle a dispute amicably	eine Meinungsverschiedenheit gütlich beilegen
to avoid litigation	einen Prozeß vermeiden

B. Translation Exercises

B. Übersetzungsübungen

1. English–German

1. Englisch–Deutsch

1. Compared with before the war, exports of engineering products have more than doubled in importance relative to the United Kingdom's exports as a whole and in 1959 accounted for 44.1 per cent of the total. 2. Re-exports are goods which are exported (a) in the condition in which they are imported or (b) after having undergone minor operations—e. g. simple blending, husking, repacking—which leaves them essentially unchanged. 3. The United Kingdom normally imports more goods than it exports; the gap is, as a rule, more than covered by net earnings from invisible transactions. 4. Between 1945 and 1951, the balance of payments on current account of the United Kingdom fluctuated widely owing to several factors, including changes in the terms of trade, the devaluation of the pound sterling in 1949, and the trade boom following the Korean War with its aftermath of high import prices. 5. In 1959, tourist receipts from overseas amounted to £154 million. United Kingdom residents on holiday or travelling on business overseas spent about £176 million in the same year. 6. A good deal of the United Kingdom's export trade, especially of the smaller manufacturing firms, is conducted through export merchants in the United Kingdom; many firms, however, sell to importers and consumers abroad through their own agents in the countries concerned; in other cases, sales are made through distributing organizations or subsidiary sales companies established in overseas markets. 7. The principal object of a factor (in the United States) is to assist manufacturers, importers and distributing agents in their accounts and the recovery of their claims, to guarantee these claims and, pending their payment, to grant loans in consideration of a certain

percentage. He likewise undertakes to finance stocks of goods. 8. An authority to purchase (A/P) is a letter, used mostly in the Far Eastern trade, addressed by a bank to a seller of merchandise, notifying him that it is authorized to purchase, with or without recourse, drafts up to a stipulated amount drawn on a certain foreign buyer in cover of specified shipments of merchandise. 9. Revocable credits are not legally binding undertakings between banks and beneficiaries. Such credits may be modified or cancelled at any moment without notice to the beneficiary. When a credit of this nature has been transmitted to a branch or to another bank, its modification or cancellation can take effect only upon receipt thereof by such branch or other bank, prior to payment or negotiation, or the acceptance of drawings thereunder by such branch or other bank. (Uniform Customs and Practice.) 10. Irrevocable credits are definite undertakings by an issuing bank and constitute the engagement of that bank to the beneficiary or as the case may be, to the beneficiary and bona fide holders of drafts drawn thereunder that the provisions for payment, acceptance or negotiation contained in the credit, will be duly fulfilled provided that the documents or, as the case may be, the documents and the drafts drawn thereunder comply with the terms and conditions of the credit. (Uniform Customs and Practice.) 11. A transferable or assignable credit is a credit in which the paying or negotiating bank is entitled to pay in whole or in part to a third party or parties on instructions given by the first beneficiary. (Uniform Customs and Practice.) 12. The draft or drafts drawn under this Credit must be accompanied by the following documents: complete set clean on board Ocean Bills of Lading made out to order and endorsed in blank; signed Invoices in duplicate; Marine Insurance Policy or Certificate covering Marine and War Risks for full invoice value plus 10%; Consular Invoice in duplicate, duly legalized by XYZ Consulate. 13.The International Chamber of Commerce recommends the insertion of the following clause in foreign contracts: All disputes arising in connection with the present contract shall be finally settled under the Rules of Conciliation and Arbitration of the International Chamber of Commerce by one or more arbitrators appointed in accordance with the Rules. 14. Incoterms 1953 (C.I.F.): Seller must: ... 2. contract on usual terms at his own expense for the carriage of the goods to the agreed port of destination by the usual route, in a seagoing vessel (not being a sailing vessel) of the type normally used for the transport of goods of the contract description, and pay freight charges and any charges for unloading at the port of discharge which may be levied by regular shipping lines at the time and port of shipment ... 4. load the goods at his own expense on board the vessel at the port of shipment and at the date or within the period fixed or, if neither date nor time have been stipulated, within a reasonable time, and notify the buyer, without delay, that the goods have been loaded on board the vessel. 5. procure at his own cost and in a transferable form, a policy of marine insurance against the risks of the carriage involved in the contract. The insurance shall be contracted with underwriters or insurance companies of good repute on "Institute Cargo Clauses, F.P.A." terms or other insurance conditions as listed in Appendix A and shall cover the C.I.F. price plus 10 per cent. The insurance shall be provided in the currency of the contract, if procurable. Unless otherwise agreed, the risks of carriage shall not include special risks that are covered in specific trades or against which the buyer may wish individual protection. Among the special risks that should be considered and agreed upon between seller and buyer are theft, pilferage, leakage, breakage, chipping, sweat, contact with other cargoes and others peculiar to any particular trade. When required by the buyer, the seller shall provide, at the buyer's expense, war risk insurance in the currency of the contract, if procurable. 6. subject to the provisions of article B.4 below, bear all risks of the goods until such time as they shall have effectively passed the ship's rail at the port of shipment. 7. at his own expense furnish to the buyer without delay a clean negotiable bill of lading for the agreed port of destination, as well as the invoice of the goods shipped and the insurance policy, or, should the insurance policy not be available at the time the documents are tendered, a certificate of insurance issued under the authority of the underwriters and conveying to the bearer the same rights as if he were in possession of the policy and reproducing the essential provisions thereof. The bill of lading must cover the contract goods, be dated within the period agreed for shipment, and provide by endorsement or otherwise for delivery to the order of the buyer or buyer's agreed representative. Such bill of lading must be a full set of "on board" or "shipped" bills of lading, or a "received for shipment" bill of lading duly endorsed by the shipping company to the effect that the goods are on board, such endorsement to be dated within the period agreed for shipment. If the bill of lading contains a reference to the charter party, the seller must also provide a copy of this latter document.

2. Deutsch–Englisch — 2. German–English

1. Seit 1950 hat sich der Güteraustausch Westdeutschlands mit dem Ausland mehr als vervierfacht (rund 91 Mrd. DM). Deutschlands Anteil am Weltexport betrug im Jahre 1961 9,7%, Deutschlands Anteil an den Weltimporten etwa

8,5%. 2. Der Außenhandel umfaßt die Einfuhr und die Ausfuhr von Waren, den Veredelungs- und den Transitverkehr sowie alle Maßnahmen zu deren Abwicklung, einschließlich Finanzierung und Versand. Die Entwicklung der modernen Verkehrs- und Nachrichtenmittel und die Aufhebung mengenmäßiger Einfuhrbeschränkungen begünstigen den Außenhandel, handelspolitische Zwangsmaßnahmen erschweren ihn dagegen sehr. 3. Autarkie bedeutet die Eigenversorgung eines Staates oder einer Staatengruppe lediglich aus der heimischen Erzeugung unter Anpassung des Verbrauchs an die im autarken Raum selbst gegebenen Produktionsvoraussetzungen. 4. Unter Transitverkehr versteht man die Durchfuhr von Waren durch ein Land. Transithandel ist ein Außenhandelsgeschäft, bei dem ein Transithändler im Ausland Waren kauft und sie an einen Abnehmer in einem dritten Land weiterverkauft. 5. Im Jahre 1960 hat der Außenhandel der Republik Irland eine Ausweitung erfahren. Die Exporte (einschließlich Re-Exporte) erhöhten sich um 17%, die Importe um 6%. Infolge der geringen Zunahme der Einfuhren hatte sich das Handelsbilanzdefizit von 82 auf 74 Mill. £ verringert. 6. Der bedeutende Kapitalbedarf zur Erfüllung der Entwicklungsaufgaben Israels konnte in den letzten Jahren, da auch die Handelsbilanz stark passiv war, nur durch Kapitaleinfuhr aus verschiedenen Quellen gedeckt werden. 7. Unter sichtbarer Ausfuhr versteht man den Export von Waren jeder Art; als unsichtbare Ausfuhr bezeichnet man die Dienstleistungen, die für ausländische Auftraggeber ausgeführt werden. Beispiel dafür sind der Transport ausländischer Waren auf inländischen Schiffen, für die die Fracht von Ausländern bezahlt wird, Vertretertätigkeit für Ausländer und Vermittlungsleistungen für Ausländer durch inländische Banken. 8. Im Außenwirtschaftsgesetz vom 1. September 1961 wurden alle früheren Vorschriften über die Warenein- und -ausfuhr, den sonstigen Warenverkehr sowie den Dienstleistungs-, Kapital- und Zahlungsverkehr übersichtlich zusammengefaßt. Die Bestimmungen über den bisher schon weitgehend liberalisierten Dienstleistungsverkehr mit dem Ausland sind dabei weiter vereinfacht worden. 9. Mexiko sieht sich gezwungen, die Einfuhr aller entbehrlichen Güter zu unterbinden oder zumindest mit prohibitiv wirkenden Zollsätzen zu belegen, um das zur Verfügung stehende Devisenpotential soweit wie möglich für den Import von Investitionsgütern zu verwenden, die noch nicht im Lande hergestellt werden können. 10. Kontingentierungen nennt man die im zwischenstaatlichen Warenaustausch bei bilateralen oder regional abgeschirmten Handelsbeziehungen aus Gründen der Währungspolitik oder einer protektionistischen Handelspolitik gebräuchlichen wert- oder mengenmäßigen Begrenzungen der zulässigen Ein- und Ausfuhr. 11. Unter Liberalisierung versteht man die schrittweise Aufhebung der Kontingente. 12. Der

Weg über den Allein-Importeur ist in den meisten Fällen in Irland der günstigste, weil die Einzelhändler oder Endabnehmer sich gewöhnlich scheuen, die Importformalitäten selbst zu erledigen. 13. Eine Reihe bedeutender ausländischer Hersteller haben in den USA ansässige Agenten, die auf Kommissionsbasis den Verkauf für ihre Auftraggeber übernehmen. Manchmal vertreten diese Vermittlerfirmen eine Reihe von ausländischen Herstellern, die nicht im Wettbewerb miteinander stehen. 14. Die Internationale Handelskammer hat auf Ersuchen ihrer britischen Landesgruppe das GATT erneut auf die Notwendigkeit hingewiesen, Konsulatsfakturen, konsularische Beglaubigungen von Rechnungen und anderen Handelspapieren sowie Gebührenerhebungen aus diesem Anlaß abzuschaffen, da derartige Maßnahmen schwere Hemmnisse für den internationalen Handel bilden. 15. Für alle Sendungen nach dem Irak sind im allgemeinen Handelsrechnungen in vierfacher Ausfertigung erforderlich. Außerdem werden Ursprungserzeugnisse in zweifacher Ausfertigung verlangt, die von der zuständigen Handelskammer beglaubigt sein müssen. 16. Für Lieferungen nach Indonesien kommt als Zahlungsbedingung normalerweise nur das unwiderrufliche Akkreditiv in Frage. Die Stellung eines Akkreditivs bietet dem deutschen Exporteur die Gewähr, daß die finanzielle Abwicklung des Geschäfts ordnungsgemäß erfolgen kann. 17. Bei der Zahlungsbedingung „Dokumente gegen Kasse" übergibt der Exporteur nach Versand der Ware die Dokumente seiner Bank mit der Weisung, den Einzug des Gegenwertes vom Käufer durch eine Bank an dessen Platz zu veranlassen. 18. Dokumenten-Inkassi aus der Zeit vor dem 21. 3. 1961 für Importe von anderen Waren als Maschinen können von den iranischen Banken direkt, d. h. ohne Genehmigung der Zentralbank, reguliert werden, falls das Verschiffungsdatum nicht mehr als zwei Jahre zurückliegt. 19. Der Rembourskredit ist ein Kredit, bei dem meist schwimmende (Stapel-)Waren in der Weise bevorschußt werden, daß der vom Verkäufer gezogene und von den Dokumenten begleitete Wechsel von der kreditgewährenden Bank für Rechnung des Käufers akzeptiert wird. 20. Die iranischen Banken dürfen auf Grund einer Anordnung der Zentralbank keine bestätigten Akkreditive hinauslegen. Die Gültigkeitsdauer von Akkreditiven kann ohne Rückfrage bei der Zentralbank einmalig um drei Monate verlängert werden, vorausgesetzt, daß die Einfuhr der zu bezahlenden Waren in der Zwischenzeit nicht verboten worden ist.

XVII. Advertising and Publicity

XVII. Werbung

A. Terminology

A. Terminologie

public relations	die Öffentlichkeitsarbeit, die Meinungspflege, die Public Relations
sales promotion	die Verkaufsförderung, die Absatzförderung
publicity	die Publicity *(alle Maßnahmen, die geeignet sind, den Ruf einer Firma zu fördern bzw. das Interesse der Öffentlichkeit für bestimmte Erzeugnisse, Ideen etc. zu wecken, einschließlich des Einsatzes von Werbemitteln)*
editorial publicity	die redaktionelle Werbung
advertising	die Werbung, die Reklame
psychology of advertising	die Werbepsychologie
individual advertising	die Einzelwerbung
co-operative advertising	die Gemeinschaftswerbung
selective advertising	die gezielte Werbung
non-selective advertising	die ungezielte Werbung
newspaper advertising, press publicity	die Zeitungswerbung
radio advertising	die Rundfunkwerbung
outdoor advertising	die Außenwerbung
billboard advertising, poster advertising	die Plakatwerbung
point-of-sale advertising	die Werbung im Einzelhandelsgeschäft (durch den Hersteller)
direct advertising	die Direktwerbung
direct-mail advertising	die Direktwerbung durch die Post
follow-up advertising	die Erinnerungswerbung
advertising medium (*pl.* media, mediums)	das Werbemittel, der Werbeträger
advertising campaign	der Werbefeldzug
advertising slogan	der Werbespruch
impact test	der Wirksamkeitstest

testing the advertising impact, testing the effectiveness of advertising	die Werbeerfolgskontrolle
puffing advertising	die marktschreierische Reklame
misleading advertising	die täuschende Reklame
deceptive statements	irreführende Behauptungen
unfair competition	der unlautere Wettbewerb
disparagement of competitors	die Herabsetzung von Mitbewerbern
antipathy to advertising	die Abneigung gegen die Werbung
oversaturation with advertising	die Übersättigung mit Reklame
advertising department, publicity department, sales promotion department	die Werbeabteilung
head of advertising department, advertising manager	der Leiter der Werbeabteilung, der Werbeleiter
advertising agency	das Werbebüro
advertising consultant	der Werbeberater
costs of advertising, advertising costs	die Werbekosten
advertising budget	der Werbeetat
advertising copy	der Werbetext, die Werbetexte
copy writer	der Werbetexter
copy writing	die Abfassung von Werbetexten
commercial art	die Gebrauchsgraphik, die Werbegraphik
commercial artist	der Gebrauchsgraphiker, der Werbegraphiker
advertisement, advert, ad *(US)*	die (Zeitungs-)Anzeige, die Werbeanzeige
classified advertisements	die kleinen Anzeigen
to insert (*or:* run) an advertisement in a newspaper	eine Anzeige (ein Inserat) in einer Zeitung aufgeben
advertiser	der Aufgeber einer Anzeige; der Werbungtreibende
position of an advertisement	die Placierung einer Anzeige
"keying" of advertisements	die Kennwort- bzw. Kennziffermethode (Erfolgskontrolle bei Anzeigenwerbung)
advertising rates	die Anzeigenpreise
line rate	der Zeilensatz
spread	die ganzseitige Anzeige

double spread	die doppelseitige Anzeige
layout	das Layout, die Anordnung von Bild und Text bei Anzeigen; die Gestaltungsskizze, der Entwurf
headline, head, heading	die Überschrift, die Schlagzeile
subhead, subtitle	der Untertitel, die Unterüberschrift
caption	die Bildüberschrift (*manchmal auch:* Bildunterschrift); die Überschrift, die Schlagzeile, der Untertitel *(Film)*
bold print	der Fettdruck
column	die (Text-)Spalte
(printing) block	das Klischee
line block	das Strichklischee
half-tone block	das Halbtonklischee
stereotype, stereo	das Stereo
electrotype, electro	das Galvano, die Elektrotype
matrix	die Matrize, die Mater
daily newspaper, daily	die Tageszeitung
weekly newspaper, weekly	die Wochenschrift
periodical	die Zeitschrift
magazine	die illustrierte Zeitschrift, die Illustrierte, das Magazin
journal	die Zeitung, die Zeitschrift
trade, technical, and professional magazines (*or:* journals)	die Fachzeitschriften
house organ, company magazine, company newspaper	die Hauszeitschrift, die Kundenzeitschrift
circulation	die Auflage, die Auflagenhöhe
the newspaper has a circulation of over a million	die Zeitung hat eine Auflage von über einer Million
commercial	die Werbesendung (in Hörfunk und Fernsehen)
sponsor	die Patronatsfirma
sponsored program *(US)*	die Patronatssendung *(d. h. die von einem* „sponsor" *finanzierte Sendung)*
sustaining program *(US)*	die stationseigene *(d. h. von der Rundfunkstation selbst finanzierte)* Sendung

soap opera *(US) (serial programs on radio or TV, so called because often sponsored by soap makers)*	das von einem „sponsor" finanzierte Fortsetzungsprogramm *(in Hörfunk oder Fernsehen)*
advertising spot	der Werbespot
advertising film	der Werbefilm
minute movie *(US)*	der Werbefilm von einer Minute Dauer
animated cartoon	der Zeichentrickfilm
film strip	der Filmstreifen, das Bildband
slide, transparency	das Dia(positiv)
slide projector	der Bildwerfer, der Dia-Projektor
transparency	das Transparent
decalcomania, transfer	das Abziehbild
poster, placard	das Plakat
poster panel	die Plakattafel, die Anschlagtafel
painted bulletin	das gemalte Außenplakat
car card	das Innenplakat in öffentlichen Verkehrsmitteln
sandwich man	der Plakatträger, das wandelnde Plakat, der Sandwichmann
skywriting	die Himmelsschrift
airplane banner	die von einem Flugzeug gezogene Werbefahne
sound truck	der Lautsprecherwagen
public address system	die Lautsprecheranlage
electric signs, electric spectaculars *(US)*	die Lichtreklame
fluorescent tube	die Leuchtstoffröhre
shopwindow, show window, display window, store window	das Schaufenster
window display	die Schaufensterauslage
to display merchandise in the shopwindow	Waren im Schaufenster ausstellen
dealer aids *(promotional material furnished by manufacturers to retail outlets)*	die Händlerhilfen
free sample	das Gratismuster, die Gratisprobe
advertising gift	das Werbegeschenk
coupon	der Gutschein

dummy	die Schaupackung
competition	das Preisausschreiben (*auch:* der Wettbewerb)
sales literature	die Verkaufsliteratur
sales letter	das Werbeschreiben
follow-up letter	der Nachfaßbrief
circular letter, circular	das Rundschreiben
circularization	die Drucksachenwerbung
bulk mail	die Postwurfsendung
mailing list	die Adressenliste
business-reply card	die Werbeantwortkarte
handbill, dodger *(US)*	der Handzettel
leaflet	das Werbeblatt, das Flugblatt
prospectus*, pamphlet, folder	der Prospekt
brochure, booklet	die Broschüre, das Werbeheft
catalogue (*US:* catalog)	der Katalog
illustrated catalogue	der bebilderte Katalog
instruction booklet	die Gebrauchsanweisung *(für elektrische Geräte, etc.)*

B. Translation Exercises

B. Übersetzungsübungen

1. English–German

1. Englisch–Deutsch

1. The first step in an advertising campaign is to prepare the advertising budget. 2. After approval of the budget, the advertising manager and his department select the media most suitable for reaching the public. 3. Whether radio and television programmes or advertisements in newspapers, magazines and trade or professional journals are selected depends on the sections of the population it is intended to reach. 4. The impact of advertising can be measured by its influence on sales. 5. The layout and content of the advertising copy are dependent on the objectives of the campaign. 6. Advertising agencies employ commercial artists to illustrate their copy. 7. Advertisement illustrations are usually printed by means of half-tone blocks, which are produced by a special photographic process. 8. In many cases, when it is undesirable to

* Das Wort „prospectus" wird nur auf den Prospekt im Bank- und Börsenverkehr (bei der Einführung von neuen Wertpapieren) angewandt; eine Ausnahme ist der „prospectus" von Privatschulen und ähnlichen Instituten.

send blocks by mail, a papier-mâché mould called a matrix, or, if finer reproduction is wanted, an electrolytically produced copper shell, called an electrotype (or "electro"), may be made from the block. 9. Classified advertisements can be accepted, space permitting, up to Saturday morning for publication on the following Friday. 10. Advertisement copy, blocks and instructions must be received at least 14 days ahead of publication date.

2. DEUTSCH–ENGLISCH 2. GERMAN–ENGLISH

1. Die Aufmachung ist ein wichtiger Werbefaktor. 2. Für Ihre Firma ist es wirtschaftlicher, 2000 Werbebriefe zu verschicken, als 3 oder 4 Zeitungsanzeigen aufzugeben. 3. Ziel der Werbung (Reklame) ist die planmäßige Beeinflussung einer Personengruppe. 4. Die Werbung dient vorwiegend der Schaffung neuen Bedarfs, der Einführung neuer Konsumgüter und der Absatzförderung. 5. Wirksame Werbeträger (Werbemittel) sind Presse (Anzeige), Fernsehen, Film, Diapositiv, Rundfunk, Plakate (Gebrauchsgraphik), Prospekte, Werbebriefe, Flugblätter, Schaufensterdekoration. 6. Werbebriefe sind ein Direktwerbemittel und werden meist an ausgewählte Interessenten versandt. Der Werbetext soll den Verbraucher von der Güte des betreffenden Erzeugnisses überzeugen. 7. Bei allen Werbemitteln werden laufend wiederholte Werbesprüche verwendet. 8. Die Werbung wird entweder von der Werbeabteilung des betreffenden Unternehmens oder von einer Werbeagentur durchgeführt. 9. Die Außenwerbung (z. B. Plakate, Schilder, Transparente, Leuchtschriften), insbesondere Lichtreklame, wird zum Teil durch örtliche Bestimmungen beschränkt. 10. Wir bitten Sie, die untenstehende Anzeige in die Sonntagsausgabe Ihrer Zeitung aufzunehmen. Die Anzeige soll zwei Spalten breit und etwa 10 cm hoch sein.

# XVIII. Fairs and Exhibitions	# XVIII. Messen und Ausstellungen
A. Terminology	**A. Terminologie**
fair *(a gathering of buyers and sellers at a particular place with their merchandise; a competitive exhibition of wares)*	die Messe
exhibition, exhibit, exposition *(when on a large scale)*, show *(mainly US)*	die Ausstellung
to exhibit	ausstellen
spring fair	die Frühjahrsmesse
summer fair	die Sommermesse
autumn fair	die Herbstmesse
permanent exhibition	die Dauerausstellung
travelling exhibition	die Wanderausstellung
world fair, international exhibition, international exposition, universal exposition	die Weltausstellung
export goods fair	die Exportmesse
trade fair, commercial fair, trade show	die Handelsmesse
samples fair	die Mustermesse
competitive exhibition	die Leistungsschau
special exhibition, special show	die Sonderausstellung, die Sonderschau
agricultural fair, agricultural show	die Landwirtschaftsmesse
automobile show, motor show	die Automobilausstellung
book fair	die Buchmesse
camping equipment exhibition	die Camping-Ausstellung
special show of the catering trade	die Hotelfachausstellung
cookery show	die Kochkunstschau
electrical goods fair	die Elektromesse
exhibition of fashions	die Modeausstellung
exhibition of the food-processing industry	die Nahrungs- und Genußmittelausstellung
furniture fair (exhibition)	die Möbelausstellung

special exhibition of the building trades	die Fachschau des Baugewerbes
handicrafts fair	die Handwerksmesse
household appliances exhibition	die Haushaltsausstellung
industrial (*or:* industries) fair	die Industriemesse
leather goods fair	die Lederwarenmesse
machinery fair	die technische Messe, die Maschinenmesse
machine tool exhibition	die Werkzeugmaschinenausstellung
textile goods fair	die Textilmesse
toy fair	die Spielwarenmesse
watch and clock fair	die Uhrenfachmesse
the fair takes place, the fair is held	die Messe findet statt, die Messe wird abgehalten
management (of a fair), fair authorities	die Messeleitung
organizer, promoter	der Veranstalter
to organize a fair, to stage an exhibition	eine Messe veranstalten
exhibitor	der Aussteller, der Messeteilnehmer
individual exhibitor	der Einzelaussteller
collective show	die Sammelschau, die Kollektivschau
foreign exhibitors	die Auslandsbeteiligung
total number of exhibitors	die Messebeteiligung
participation in a fair	die Beteiligung an einer Messe
official participation	die offizielle Beteiligung
organization of a participation	die Durchführung einer (Messe-) Beteiligung
to participate in a fair	sich an einer Messe beteiligen
to send goods to a fair for display, to participate in a fair	eine Messe beschicken
to exhibit goods at a fair, to display goods at a fair	Waren auf einer Messe ausstellen
exhibits (goods displayed at a fair)	die Ausstellungsgüter
a fair offering a large variety of exhibits	eine gut beschickte Messe
exhibition space, floor space	die Ausstellungsfläche
to rent exhibition space	Ausstellungsfläche mieten
to register, to apply for space	sich zu einer Messe anmelden

application for space	der Antrag auf Zuteilung von Ausstellungsfläche
applications received so far	die bisher vorliegenden Anmeldungen
deadline for applications	der Anmeldeschluß
cancellation of application	die Zurückziehung der Anmeldung
to cancel one's registration, to cancel (*or:* withdraw) one's application	die Anmeldung zurückziehen
all fees paid will be refunded less an administrative charge	die eingezahlten Gebühren (Beträge) werden abzüglich einer Verwaltungsgebühr zurückerstattet
the fees will not be refunded	die Gebühren werden nicht zurückerstattet, die Gebühren verfallen
admission	die Zulassung
assignment of space, allocation of space	die Zuweisung von Ausstellungsfläche
space rate	die Gebühr für Ausstellungsfläche (pro Flächeneinheit)
exhibition regulations	die Messeordnung
to impose strict conditions for admission of exhibitors	eine scharfe Auslese unter den Ausstellern treffen
catalogue (*US:* catalog), official catalogue of a fair	der Messe-, Ausstellungskatalog
list (*or:* catalogue) of exhibitors, fair directory	das Ausstellerverzeichnis
classification of exhibitors according to products exhibited	das Ausstellerverzeichnis nach den ausgestellten Erzeugnissen
to list in the catalogue	in den Katalog aufnehmen
exhibition building	das Messegebäude
one-story (*or:* one-storied) exhibition building	eingeschossiges Messegebäude
multistory (*or:* multistoried) exhibition building	mehrgeschossiges Messegebäude
general information centre, information office	das Auskunftsbüro
guard service	der Bewachungsdienst
exhibition site, exhibition grounds, fair grounds	das Ausstellungsgelände, das Messegelände
open-air site, open-air grounds, open-air space	das Freigelände

exhibition hall	die Ausstellungshalle
hall plan	der Hallenplan
floor plan	der Raumverteilungsplan
exhibition room, show room	der Ausstellungsraum
showcase	der Schaukasten
pavilion	der Pavillon
national pavilions	die Länderpavillons
stand, booth	der Stand
prefabricated stand	der Fertigstand
empty stand	der Leerstand
to put up (*or:* install) a stand	einen Stand aufstellen
to remove (*or:* dismantle) a stand	einen Stand abbauen
technical aid, technical assistance	die technische Hilfe
the opening	die Eröffnung
to open a fair (exhibition)	eine Messe (Ausstellung) eröffnen
under the auspices of	unter der Schirmherrschaft von
entrance fee	die Eintrittsgebühr
day ticket	die Tageskarte
season ticket	die Dauerkarte
free (*or:* complimentary) ticket	die Freikarte
fair pass	der Messeausweis
exhibitor's pass	der Ausstellerausweis
buyer's pass	der Einkäuferausweis
to issue a pass	einen Ausweis ausstellen
to visit (*or:* attend) a fair	eine Messe besuchen
visitors, fairgoers	die Messebesucher
the stream of visitors from all countries	der Besucherstrom aus aller Herren Länder
thousands of fairgoers (*or:* spectators, visitors) thronged to the fair, visited the fair	Tausende von Schaulustigen strömten zur Messe, besuchten die Messe
record attendance	der Rekordbesuch
the exhibits excited great interest, attracted a great deal of attention, met with great approval, found the approval of the visitors, proved popular with the visitors	die ausgestellten Waren fanden starke Beachtung (guten Anklang)

B. Translation Exercises	B. Übersetzungsübungen

1. English–German	1. Englisch–Deutsch

1. An extensive advertising and publicity campaign is planned for the United States World Trade Fair in order to attract every important buyer of the products which will be on display. 2. An anticipated 1,000,000 visitors will come to the fair during the 14 days that it is open. 3. The open-air exhibition space had to be increased by 5,000 sq. yd. to about 50,000 sq. yd. 4. Applications for space should be made to the Management. After application, acceptance and the assignment of space, contracts in triplicate will be sent to the applicants for signature and return. The exhibitor should return duly signed and executed contract copies within the time specified, together with check or draft for 5% of the contract price. 5. Catalogues will be available to all buyers visiting the Fair. Rates for advertisements in the Official Catalogue are available upon request. 6. To reduce expenses, the importer should have a booth so designed that it can be easily dismantled and moved from one exhibition site to another.

2. Deutsch–Englisch	2. German–English

1. Die auf den Mustermessen ausgestellten Waren sind nicht zum Verkauf bestimmt, sondern bilden die Grundlage für die Auftragserteilung. 2. Die Messeleitung erhielt bisher über 500 Anmeldungen. 3. Für die in Bogotá stattfindende Internationale Messe sind vor kurzem die Richtlinien für die Einfuhr der Ausstellungsgüter erlassen worden. 4. Nach einer Mitteilung der Messeleitung ist die Ausstellung, die in der Zeit vom 5. bis 14. März stattfinden sollte, bis auf weiteres verschoben worden. Die Anmeldungen der Aussteller bleiben bestehen. 5. Wir sind gerne bereit, den Ausstellern Firmen zu empfehlen, die in der Anlage von Messeständen spezialisiert sind. 6. Auf dem Messegelände stehen den Besuchern folgende Einrichtungen zur Verfügung: ein Informationsstand, ein Dolmetscherdienst, ein Wechselbüro, ein Reisebüro, ein Sonderpostamt, ein Konferenzsaal sowie zwei Restaurants und eine Bar.

# XIX. Transport	# XIX. Transportwesen

A. Terminology	**A. Terminologie**
1. General Terms	1. Allgemeines
transport, transportation *(US)*, carriage, conveyance	die Beförderung, der Transport
to transport, to carry, to convey	befördern, transportieren
shipment	a) die Verschiffung, der Seetransport; *US auch:* die Beförderung, der Transport *(allgemein)* b) die verschifften oder zu verschiffenden Waren, die (Schiffs-)Sendung, die Schiffsladung; *US auch:* die Sendung *(allgemein)*
to ship	verschiffen; *US auch:* befördern *(allgemein)*
to transport by land, by sea, or by air	auf dem Land-, See- oder Luftweg befördern
land transport(ation)	der Landtransport
water transport(ation)	der Transport zu Wasser
ocean transport(ation)	der Seetransport
air transport(ation)	der Lufttransport
road versus rail	der Wettbewerb zwischen Schiene und Straße
Minister of Transport *(GB)*	der (britische) Verkehrsminister
Ministry of Transport *(GB)*	das (britische) Verkehrsministerium
Interstate Commerce Commission (ICC) *(US)*	eine aus 11 vom Präsidenten der Vereinigten Staaten ernannten Mitgliedern bestehende Kommission, deren Hauptaufgabe es ist, die Tätigkeit aller Transportunternehmen zu überwachen, die über die Grenzen ihres Staates hinaus Personen oder Güter befördern
conveyance of passengers	die Personenbeförderung

conveyance of goods, shipment of goods	die Güterbeförderung
transport(ation) facilities	die Beförderungseinrichtungen
means of conveyance, conveyance, transportation *(US)*	das Beförderungsmittel
public conveyance	das öffentliche Verkehrsmittel
mode of carriage, manner of shipment	die Beförderungsart, die Versandart
costs of transport(ation), transport(ation) costs	die Transportkosten, die Beförderungskosten
traffic *(cf. p. 192)*	der Verkehr; der Handel *(vgl. S. 192)*
passenger traffic	der Personenverkehr
goods traffic, freight traffic *(US)*	der Güterverkehr
inland traffic	der Binnenverkehr
international traffic	der internationale Verkehr
road traffic	der Straßenverkehr
railway traffic, rail traffic, railroad traffic *(US)*	der Eisenbahnverkehr
shipping traffic	der Schiffsverkehr
coastal traffic	der Küstenverkehr
air traffic	der Luftverkehr
contract of carriage	der Frachtvertrag
to contract for the carriage of goods	einen Vertrag über die Beförderung von Waren abschließen
carrier	jemand, der Transporte durchführt, der Frachtführer, der Verfrachter
common carrier	der (gewerbsmäßige) Frachtführer
private carrier	jemand, der Transporte durchführt, ohne Frachtführer zu sein
carrier's liability	die Haftung des Frachtführers
transport(ation) of goods by two or more different carriers	der gebrochene Verkehr
carriage charges, carriage	die Fracht(gebühr) *(allgemein)*
freight	a) die Fracht (die beförderten Güter), die Ladung, *bes.* die Schiffsladung; *US:* die Fracht, die Ladung *(allgemein)* b) die Seefracht *(die Gebühr für den Seetransport); US:* die Fracht, die Frachtkosten *(allgemein)*

carriage paid (*abbr.* carr. pd., C/P), freight paid, freight prepaid	frachtfrei, Fracht bezahlt
carriage forward (*abbr.* carr. fwd., C/F), freight forward, freight collect	unfrei, Fracht zahlt der Empfänger
rate	die Frachtrate, der Frachtsatz
tariff *(a schedule of rates)*	der Frachttarif
passenger tariff	der Personentarif
goods tariff, freight tariff *(US)*	der Gütertarif
forwarding agent, forwarder*, freight forwarder, shipping agent	der Spediteur, die Spedition
international forwarding agent, foreign freight forwarder	die internationale Spedition
correspondent forwarder	der Korrespondenzspediteur
forwarder's receipt, Forwarding Agent's Certificate of Receipt (FCR)	die Spediteurübernahmebescheinigung *(das* FCR *ist ein internationales Speditreurdokument der* FIATA = Fédération Internationale des Associations des Transporteurs et Assimiles)
forwarder's note of charges	die Spediteurrechnung *(besteht in der Hauptsache aus Barauslagen für Frachten, Zölle etc.)*
consignor *(cf. p. 249)*	der Versender, der Absender *(vgl. S. 249)*
consignee *(cf. p. 249)*	der Empfänger *(vgl. S. 249)*
shipper	der Befrachter, der Ablader; *US:* der Versender *(allgemein)*
consignment *(cf. p. 249)*, shipment	die (Waren-)Sendung *(vgl. S. 249)*
grouped consignment, consolidated shipment *(US)*	die Sammelladung
to group freight (cargo), to consolidate shipments *(US)*	Sammelladungen zusammenstellen
grouped traffic	der Sammelladungsverkehr
goods in transit	auf dem Transport *(d. h. im Gewahrsam des Frachtführers)* befindliche Waren

* Webster's definition of "forwarder": "One who receives goods for transportation, delivers them to the carrier by whom they are transported, and performs other services for shippers, but does not assume and is not paid for the transportation. The same person may act as carrier as to one part of the route and forwarder as to another."

goods passing in transit through a country	die Transitwaren
in transit, en route	während des Transports, unterwegs
loss or damage in transit	Verlust oder Beschädigung während des Transports
right of stoppage in transitu	das Verfolgungsrecht des Verkäufers *(bei Zahlungsunfähigkeit des Käufers)*
date of dispatch, date of shipment	das Versanddatum
place of dispatch, point of shipment, shipping point	der Versandort
place of destination, point of destination	der Bestimmungsort
country of destination	das Bestimmungsland

2. Rail Transport — 2. Eisenbahnverkehr

railway, railroad *(US)*	die Eisenbahn
carriage of goods by rail	der Gütertransport per Bahn
to forward by rail	mit der Eisenbahn befördern
nationalization of the railways	die Verstaatlichung der Eisenbahnen
railroad companies *(US)*	die (privaten) amerikanischen Eisenbahngesellschaften
to operate a railway line	eine Eisenbahnlinie betreiben
operation of a railway	der Betrieb einer Eisenbahn
rolling stock	das rollende Material
rails	die Eisenbahnschienen
railway track, railroad track *(US)*	das Eisenbahngleis
single-track railway	die eingleisige Eisenbahnstrecke
double-track railway	die zweigleisige Eisenbahnstrecke
main track	das Hauptgleis
siding, sidetrack *(US)*	das Nebengleis, das Anschlußgleis, das Fabrikgleis, das Abstellgleis, das tote Gleis
dock siding	das Kaianschlußgleis
subbase	der Unterbau
permanent way	der Oberbau
gauge, gage	die Spurweite

standard gauge	die normale Spurweite
narrow gauge	die Schmalspur
broad gauge, wide gauge	die Breitspur
level crossing, grade crossing *(US)*	der schienengleiche Bahnübergang
route	die Strecke
railroad network	das Bahnnetz
railway junction	der Eisenbahnknotenpunkt
trunk-line system	das Hauptstreckennetz, *(US:)* ein System direkter Eisenbahnlinien, die Binnenplätze mit Seehäfen verbinden
(railroad) terminus (*pl.* termini, terminuses)	der Kopf-, der Endbahnhof
the port is served by the XYZ Railroad	den Hafen bedient die XYZ Bahn
transfer of cargo between rail and vessel	der Umschlag vom Waggon ins Schiff
goods station, goods yard, freight yard *(US)*	der Güterbahnhof
freight office	die Güterannahmestelle
loading platform, loading ramp	die Verladerampe
marshalling yard, switchyard, shunting yard	der Rangierbahnhof
switching, shunting	das Rangieren
locomotive, engine	die Lokomotive, die Lok
the cars are attached to a locomotive	die Waggons werden an eine Lokomotive gehängt
engine driver, engineer *(US)*	der Lokomotivführer, der Lokführer
engine shed	der Lokomotivschuppen, der Lokschuppen
steam locomotive	die Dampflokomotive
electric locomotive	die Elektrolokomotive
Diesel-electric locomotive	die dieselelektrische Lokomotive
Diesel locomotive	die Diesellokomotive
(Diesel) rail car	der (Diesel-)Triebwagen
steam propulsion	der Dampfantrieb
electrification	die Elektrifizierung (einer Strecke)
to electrify a line	eine Strecke elektrifizieren
dieselization	die Umstellung auf Dieselverkehr

carriage, wagon (waggon), van, truck, railroad car *(US)*	der Eisenbahnwagen, der Eisenbahnwaggon
(railway) carriage, passenger car *(US)*	der Personenwagen
luggage van, baggage car *(US)*	der Gepäckwagen
goods wag(g)on, freight car *(US)*	der Güterwagen
open wag(g)on, (open) truck, gondola car *(US)*	der offene Güterwagen
covered wag(g)on, box wag(g)on, box car *(US)*	der gedeckte Güterwagen
platform car, flatcar	der Flachwagen
piggyback flatcar	der Flachwagen für den Huckepackverkehr
side-stanchion car	der Rungenwagen
refrigerator car	der Kühlwagen
tank car	der Tankwagen
cattle truck, cattle car *(US)*, stockcar *(US)*	der Viehwagen
timber truck, lumber car *(US)*	der Langholzwagen
container car	der Behälterwagen
container	der Behälter, der Container
container service	der Behälterdienst, der Containerdienst
tarpaulin	die Wagenplane
a wag(g)on equipped with tarpaulins	ein mit Planen versehener Wagen
to hire tarpaulins	Planen mieten
passenger train	der Personenzug
goods train, freight train *(US)*	der Güterzug
to make up a train	einen Zug zusammenstellen
by goods train, by slow freight *(US)*	als Frachtgut
by passenger train, by fast freight *(US)*	als Eilgut
by express	als Expreßgut
Railway Express Agency *(US)*	eine Gründung der großen Eisenbahngesellschaften in den USA, die den gesamten Expreßgutverkehr abwickelt
consignment note, (railroad) waybill *(US)*, railroad bill of lading *(US)**	der (Eisenbahn-)Frachtbrief

* Ein Traditionspapier, das wie das Konnossement entweder Namens- oder Orderpapier sein kann; im europäischen Bahnverkehr gibt es kein vergleichbares Frachtdokument.

wag(g)on load, carload lot (*abbr.* CL) *(US)*	die Wagenladung, die Waggonladung
less-than-carload lot (*abbr.* LCL) *(US)*	das Stückgut
consolidated car *(US)*	der Sammelwaggon
railway rates	die Bahnfrachtsätze, der Eisenbahntarif
mileage rates	der Meilentarif *(entspricht dem deutschen Kilometertarif)*
tapering rates	der Staffeltarif
zone rates	der Zonentarif
standard rates	der Normaltarif
special rates	der Ausnahmetarif
CL-rates *(US)*	der Wagenladungstarif
LCL-rates *(US)*	der Stückguttarif
demurrage *(payment for detaining freight cars beyond a reasonable time for loading and unloading)*	das Wagenstandgeld
transit privilege *(US)*	eine von den amerikanischen Eisenbahngesellschaften gewährte Vergünstigung, die darin besteht, daß bei Waren, die zum Zweck der Weiterbearbeitung oder Zwischenlagerung an einen bestimmten Ort gebracht und anschließend zu ihrem endgültigen Bestimmungsort weiterbefördert werden sollen, für die gesamte Strecke die (günstigere) Direktfracht berechnet wird
cartage, drayage *(US)*	das Rollgeld
carting agent, cartage contractor	der Rollfuhrdienst, der Rollfuhrunternehmer
carted goods	das Rollgut
to collect, to pick up (a consignment)	(eine Sendung) abholen
to deliver (a consignment)	(eine Sendung) ausliefern, ins Haus liefern
freight delivery	die Frachtzustellung
door-to-door service, store-door delivery service *(US)*	der Haus-Haus-Verkehr

3. Road Transport / 3. Strassentransport

road transport, road haulage, transportation by road *(US)*	der Straßentransport, der Transport per Achse
road haulier, haulage contractor, trucking company *(US)*	das LKW-Transport-Unternehmen
short hauls	der Nahverkehr
long hauls	der Fernverkehr
(motor) lorry, (motor) truck *(US)*	der Lastkraftwagen, der LKW
fleet of lorries, fleet of trucks	der Fuhrpark
by lorry, by truck *(US)*	mit LKW
lorry (truck) toll rates	die Straßenbenutzungsgebühren für LKW
truck with dump body, dump truck	der Lastwagen mit Kippvorrichtung
trailer	der Anhänger (für LKW)
semitrailer truck (truck tractor and semitrailer)	der Sattelschlepper (Sattelzugmaschine und Sattelanhänger)
piggyback service, trailer on flat car, (t. o. f. c.) *(US)*	der Huckepackverkehr
fishyback service (motor-truck trailers on car ferries) *(US)*	der Transport von LKW-Anhängern auf Fährschiffen

4. Air Transport / 4. Lufttransport

aviation	die Luftfahrt
civil aviation	die Zivilluftfahrt
air line (company)	die Luftverkehrsgesellschaft
air route, air lane	die Flugverbindung, die Flugroute
air service	der Flugdienst
air-freight service, freight-plane service	der Frachtflugverkehr
air cargo, air freight	die Luftfracht *(das mit dem Flugzeug beförderte Frachtgut)*
air express rate	die Luftexpreßfracht *(Frachtsatz)*
air waybill, air consignment note	der Luftfrachtbrief
aircraft (*pl.* aircraft)	das Luftfahrzeug
freight plane	das Frachtflugzeug
plane load	die Flugzeugladung

pay load	die Nutzlast
cargo pit	der Frachtraum *(im Flugzeug)*
airfield	der Flugplatz
airport	der Flughafen
commercial airport	der Zivilflughafen
heliport	der Start- und Landeplatz für Hubschrauber
helicopter	der Hubschrauber
take-off	der Start
to take off	starten
landing	die Landung
to land	landen
landing field	der Start- und Landeplatz
runway	die Start- und Landebahn, die SL-Bahn, die Piste
taxiway	die Rollbahn
control tower	der Kontrollturm
terminal building	der Flugbahnhof, das Abfertigungsgebäude

5. Water Transport — 5. Transport zu Wasser

shipping, navigation	die Schiffahrt
inland water transport(ation), inland water navigation	die Binnenschiffahrt
inland waterway	die Binnenwasserstraße
navigable rivers	schiffbare Flüsse
inland waterway carrier	das Binnenschiffahrtsunternehmen
ocean routes	die Schiffahrtswege
merchant marine, mercantile marine	die Handelsmarine
merchant fleet	die Handelsflotte
seagoing vessel	das Seeschiff
steamship (*abbr.* S. S., s. s.)	der Dampfer (*Abk.* D.)
motor ship (*abbr.* M. S.), motor vessel (*abbr.* M.V.)	das Motorschiff (*Abk.* M.S.)
freighter, cargo steamer, cargo vessel	der Frachtdampfer
liner	das Linienschiff *(d. h. das in der Linienschiffahrt eingesetzte Schiff)*

passenger liner	das Fahrgastschiff, das Passagierschiff
cargo liner	das Frachtschiff im Liniendienst
tramp steamer, tramp	das Trampschiff
tanker	der Tanker
collier, coal freighter	der Kohlendampfer
refrigerator ship	das Kühlschiff
banana boat	der Bananendampfer
coaster *(a vessel engaged in the coasting trade)*	der Küstendampfer
train ferry	die Eisenbahnfähre
automobile ferry	die Autofähre
icebreaker	der Eisbrecher
tug(-boat)	der Schleppdampfer
lighter, barge	der Leichter
to discharge into lighters	auf Leichter umladen
lighterage	das Ableichtern; die Leichtergebühr
surf boat	das Brandungsboot
hull	der Schiffsrumpf
hold	der Schiffsraum, der Laderaum
bottom	der Schiffsboden
bow	der Bug
stern	das Heck
port	das Backbord (linke Schiffsseite)
starboard	das Steuerbord (rechte Schiffsseite)
bulkhead	das Schott
porthole	das Bullauge
rail	die Reling
ship's loading gear, loading tackle	die Ladevorrichtungen eines Schiffes, das Ladegeschirr
windlass, winch	die Ladewinde (Deckwinde)
derrick	der Ladebaum
cargo hatch, loading hatch	die Ladeluke
cargo capacity	die Ladefähigkeit
draught (*US:* draft)	der Tiefgang
displacement	die (Wasser-)Verdrängung *(bei Kriegsschiffen wird die Verdrängung in metr. t oder engl. tons angegeben:* displacement tonnage)

registered tonnage	der in Registertonnen gemessene Raumgehalt eines Schiffes (bei Handelsschiffen)
gross (registered) tonnage	der Bruttoraumgehalt, die Bruttoregistertonnage
net (registered) tonnage	der Nettoraumgehalt, die Nettoregistertonnage
deadweight tonnage *(the weight of cargo, stores, and fuel a vessel can transport)*	das Gesamtzuladungsgewicht *(Gewicht von Ladung, Proviant und Brennstoff)*
nautical mile (6,080 ft.)	die Seemeile (1852 m)
knot *(one nautical mile an hour)*	der Knoten *(eine Seemeile pro Stunde)*
Lloyd's Register of Shipping	Lloyd's Register of Shipping *(Klassifikationsgesellschaft)*
seaworthy	seetüchtig
seaworthiness *(fitness of a vessel for a voyage, esp. referring to the condition of its hull and machinery)*	die Seetüchtigkeit
unseaworthiness	die Seeuntüchtigkeit
ship's papers	die Schiffspapiere
log, log book	das Logbuch, das Schiffstagebuch
bill of health	das Gesundheitszeugnis, das Gesundheitsattest, der Gesundheitspaß
clean bill of health	das einwandfreie Gesundheitszeugnis
quarantine	die Quarantäne
manifest *(list of cargo on board a ship)*	das (Ladungs-)Manifest
a ship sailing under the British flag	ein unter der britischen Flagge fahrendes Schiff
a ship flying the British flag	ein Schiff unter britischer Flagge
flags of convenience	die „billigen Flaggen"
master	der Schiffskapitän
crew	die Schiffsmannschaft
shipowner	der Reeder
shipping company, steamship company	die Schiffahrtsgesellschaft
shipping line	die Schiffahrtslinie
shipping conference, steamship conference	die Schiffahrtskonferenz

outsider	der Außenseiter, der Outsider *(Schifffahrtsunternehmen außerhalb der Konferenz)*
ship broker	der Schiffsmakler
shipping list, sailing list	die Schiffsliste, die Schiffsabfahrtsliste
cargo	die Ladung
bulk cargo	die Massengutladung, die Bulkladung
deck cargo	die Deckladung
shipment on deck	die Deckverladung
under-deck cargo	die unter Deck verladenen Güter
freight space, cargo space, shipping space	der Frachtraum
the demand for freight space	die Nachfrage nach Schiffsraum
the freight space available	der verfügbare Schiffsraum
to book freight space	Frachtraum buchen
tentative booking of freight space, option on freight space	die konditionelle Buchung
contract of affreightment	der Seefrachtvertrag
shipper	der Befrachter
(ocean) carrier	der Verfrachter
charter party *(contract by which the owners of a vessel let the entire vessel, or some principal part of the vessel)*	der Chartervertrag, die Charterpartie
to charter a vessel	ein Schiff chartern
voyage charter	die Reisecharter
time charter	die Zeitcharter
complete charter of a vessel	die Vollcharter
partial charter	die Teilcharter
charterer	der Charterer *(der Mieter eines Schiffes oder Schiffsteils)*
parcel receipt	der Parcelschein
inland waterway bill of lading	der Ladeschein
ocean bill of lading	das Konnossement
Hague Rules bill of lading	ein auf den Haager Regeln basierendes Konnossement
bill of lading marked "freight prepaid"	Konnossement mit dem Vermerk „Fracht bezahlt“
full set of bills of lading	der vollständige Satz Konnossemente
master's copy	die Kapitänskopie

bill of lading clauses	die Konnossementsklauseln
protective clauses	die Freizeichnungsklauseln
clean bill of lading	das reine Konnossement
foul, unclean, dirty bill of lading	das unreine Konnossement
letter of indemnity	der (Konnossements-)Revers
received-for-shipment bill of lading	das Übernahme-, das Empfangskonnossement
shipped bill of lading	das Verschiffungskonnossement
on-board bill of lading	das Bordkonnossement
straight bill of lading	das Namenskonnossement
order bill of lading	das Orderkonnossement
notify clause	die Notadresse (auf Orderkonnossementen)
through bill of lading	das Durchkonnossement
forwarder's bill of lading	das Spediteurkonnossement
grouped (*or:* groupage) bill of lading, consolidated bill of lading *(US)*	das Sammelkonnossement
delivery note, shipping certificate	der Konnossements-Teilschein
shipping note, delivery permit *(US)*	der Schiffszettel
temporary receipt	die vorläufige Empfangsbescheinigung
wharfinger's receipt, dock receipt *(US)*	der Kai-Annahmeschein
mate's receipt	die Steuermannsquittung
(ocean) freight	die Seefracht
conference rates	die Konferenzfrachten
outsider rates	die Outsiderfrachten
tariff rates	die Tariffrachten
contract rates	die Kontraktfrachten
deferred rebate system	das System der zurückgestellten Rabatte
lump-sum-freight, flat-rate freight	die Fracht in Bausch und Bogen, die Pauschalfracht
dead freight (charge) *(a charge levied by the steamship company if the exporter fails to deliver the cargo in time due to reasons within his control)*	die Fautfracht, die Reufracht
minimum bill of lading charge	die Mindestfracht, die Minimalfracht
reduction of freight	die Frachtermäßigung

extra freight, additional freight, surcharge	der Frachtaufschlag
primage	die Primage
heavy lift charge	der Schwergutaufschlag
quotation	die Quotierung *(die Nennung einer Frachtrate)*
freight bill, freight note	die Frachtrechnung
freight on a measurement basis, freight assessed on the basis of cubic measurement	die Raumfracht
freight on a weight basis, freight assessed by weight	die Gewichtsfracht
W/M ship's option	Maß oder Gewicht in Schiffswahl
ad valorem freight, freight assessed according to the value of the goods	die Wertfracht
to call forward a shipment	eine Sendung abrufen
calling-forward notice	der Abruf *(Aufforderung zur Absendung der Ware)*
delivery alongside the vessel	die Längsseitlieferung
lay days	die Liegetage *(die für Laden und Löschen von Schiffen vereinbarte Zeit)*
demurrage	das Überliegegeld
to load	verladen
loading	die Verladung
to discharge	löschen
discharge (of cargo, of a ship)	das Löschen, das Ausladen
to transship (*also:* tranship)	umladen
loading charges	die Verladegebühr
charges for loading, discharge, or transshipment	die Umschlaggebühren
to stow	verstauen
stowage plan	der Stauplan
dunnage	die Abmattung
tally clerk, tally man	der Tallymann
stevedore	der Schauermann, der Stauer
dock worker, dock hand, docker, longshoreman *(US)*	der Hafenarbeiter
harbour (*US:* harbor)	der (natürliche) Hafen
port	der (künstlich angelegte) Hafen

the port can accommodate vessels of any draught (*US:* draft)	der Hafen kann Schiffe ohne Rücksicht auf den Tiefgang aufnehmen
harbour master	der Hafenmeister
harbour police	die Hafenpolizei
harbour regulations, port regulations	die Hafenordnung
port authorities	die Hafenbehörde
ocean port	der Seehafen
inland harbour, inland port	der Binnenhafen
river port	der an einer Flußmündung gelegene Hafen
open roadstead port	der Reedehafen
principal port	der Haupthafen
port of shipment	der Verschiffungshafen
port of exportation	der Ausfuhrhafen
port of importation	der Einfuhrhafen
intermediate port	der Zwischenhafen
port of destination	der Bestimmungshafen
port of transshipment	der Umschlaghafen
port of refuge, port of distress	der Nothafen
port dues, port charges, anchorage	die Hafengebühren
port entrance	die Hafeneinfahrt
to call at a port, to enter a port	einen Hafen anlaufen
to clear port, to leave port, to put to sea	auslaufen
clearance inwards	die Einklarierung (eines Schiffes)
clearance outwards	die Ausklarierung (eines Schiffes)
to drop anchor	vor Anker gehen
to weigh anchor	den Anker lichten
to moor a ship *(to secure a vessel by fastening with cables and anchors, or with lines)*	ein Schiff festmachen
a ship anchored in a roadstead	ein auf der Reede liegender Seedampfer
anchorage	der Ankerplatz
wharf (*pl.* wharves), quay, dock	der Kai
a wharf berthing two vessels	Kai mit Anlagemöglichkeiten für zwei Schiffe
berth	der Schiffsliegeplatz
loading berth	der Ladeplatz

pier, jetty	der Pier *(zungenartig in den Hafen vorgebauter Kai)*, die Landebrücke
breakwater, mole, jetty, pier	der Hafendamm, die Mole, der Wellen- oder Flutbrecher
basin	das Hafenbecken
docks	die Hafenanlagen
waterfront facilities	die Kaianlagen für den Warenumschlag
jib crane	der Auslegerkran
pillar crane	der Turmkran
travelling crane	der Laufkran
floating crane	der Schwimmkran
heavy-lift (*or:* heavy-duty) crane	der Schwerlastkran
belt conveyor	der Bandförderer, der Gurtförderer
pneumatic suction machine, pneumatic suction plant	der pneumatische Getreideheber
drydock	das Trockendock
floating dock	das Schwimmdock
shipyard	die Schiffswerft
to launch a vessel	ein Schiff vom Stapel lassen
launching of a vessel	der Stapellauf
harbour lock	die Hafenschleuse
canal lock	die Kanalschleuse
lock charges, lockage	das Schleusengeld
pilot	der Lotse
pilotage	die Lotsengebühr
to tow	ins Schlepptau nehmen
towage charges	der Schlepplohn
light house	der Leuchtturm
light dues	die Leuchtfeuerabgaben
beacon	die Bake *(festes Seezeichen an Land zur Kenntlichmachung von Untiefen)*
beaconage	das Bakengeld
buoy	die Boje

B. Translation Exercises

B. Übersetzungsübungen

1. English–German

1. Englisch–Deutsch

1. A common carrier is liable for any loss or damage occurring to goods while in his possession. Exceptions to this rule are (a) acts of God, (b) enemy action, (c) inherent vice, and (d) negligence of the sender. 2. When goods are delivered to the railway authorities, a consignment note has to be filled in and handed to the carter or other agent of the railway. 3. The rails have developed their own three-deck, 15-auto flatcars that are helping them win back a big slice of the new-car hauling business lost to truckers. 4. Where the shipment is less than a carload lot, the consignor may use the services of a forwarding company which gathers L.C.L. shipments from several consignors to the same destination and forwards them as a carload lot. In doing so, the consignor is able to secure a lower freight rate on his shipment. 5. Truck piggyback service for general freight has doubled in two years. 6. Motor transport, both for passengers and freight, has become a serious rival to the railways. 7. Generally speaking, the goods particulary suitable for carriage by air are goods of high value and small bulk, goods which must be delivered quickly, or those which require very careful handling. 8. The port of New Orleans is served by nine trunk-line railroads. There are also 15,000 miles of navigable rivers and canals connecting New Orleans with the interior, on which traffic is moving in rapidly increasing volume. 9. High taxation has caused many shipowners to register their vessels under a "flag of convenience," for example of Panama or Liberia. 10. Tramp steamers do not make regular trips between the same ports; they go wherever there is a prospect of bulk cargo to be carried. 11. Towards the end of the year tramp rates increased slightly as a result of livelier international trade. 12. The rates for the supply of tugs for the towage of vessels are a matter for arrangement between the shipowners and the towage companies. 13. The "deferred rebate system" is used to tie the shippers to the Conference. A shipper who for a certain period has shipped all his goods by conference lines, is allowed a rebate on the freight paid during this period. This rebate, however, is not paid to the shipper until the end of a further period, during which time he must maintain his loyalty to the Conference by refraining from shipping by "outsiders." 14. On the quays there is a total of 100 electric cranes with capacities from three to five tons. 15. Heavy packages are discharged at points where there are suitable cranes and the cargo is normally conveyed by barge to the vessel when the ship is ready to receive it. 16. All goods sent to the docks for shipment must be accompanied by a shipping note giving the

following information: (a) the name of the ship; (b) the marks and numbers of the packages; (c) the port of discharge; (d) the description of the goods; (e) the gross weight; (f) the name and address of the person or firm to whom dock charges are to be rendered; (g) the name and address of the supplier of the goods. 17. A bill of lading is (a) a receipt for goods, signed by the master or other duly authorized person on behalf of the shipowner; (b) a document of title to the goods specified therein; (c) evidence of the contract of affreightment, containing the terms and conditions on which it has been agreed that the goods are to be carried. 18. A bill of lading is negotiable when it is consigned to order; it may be endorsed and transferred to a third party. When it is made out to a named consignee, only this consignee can take possession of the shipment when it arrives at the destination. 19. The minimum bill of lading charge from New York, N.Y., to Halifax, N.S., is $ ... (parcel receipt $ ...). 20. The charterer is allowed a certain number of days for loading and unloading the ship. For any delay beyond the stipulated time he must pay demurrage.

2. Deutsch–Englisch 2. German–English

1. Die Spediteure stellen aus den Einzelsendungen verschiedener Versender Sammelladungen zusammen, die sie als geschlossene Wagenladungen aufgeben. 2. Die Versender kommen dadurch in den Genuß günstigerer Frachtsätze. 3. Die Angleichung der Beförderungstarife innerhalb des Gemeinsamen Marktes wirft eine Reihe schwieriger Probleme auf. 4. Der Landverkehr umfaßt den Straßen- und den Eisenbahntransport, der Seeverkehr gliedert sich in die Küstenschiffahrt und die Seeschiffahrt. 5. Während der Transport auf dem Land- und dem Luftweg in der Regel schneller vor sich geht, ist die Beförderung von Gütern auf dem Wasserweg zum Teil erheblich billiger. Dies macht sich besonders beim Transport von Massengütern bemerkbar. 6. Das rollende Material der Eisenbahnen besteht im wesentlichen aus Lokomotiven, Personenwagen und Güterwagen, zu denen noch gewisse Spezialfahrzeuge hinzukommen. 7. Ein Vorteil des Lastkraftwagenverkehrs ist, daß Waren ohne Umladung auch nach entlegenen Orten des Inlands und des benachbarten Auslands gebracht werden können. 8. Die Güterbeförderung ist nicht ganz so gewinnbringend für manche Luftfahrtgesellschaften wie die Personenbeförderung. 9. Unter „Flugplatz" versteht man die Start- und Landefläche, wogegen der Ausdruck „Flughafen" auch noch sämtliche Einrichtungen umfaßt, die, abgesehen von der Start- und Landefläche, dem Flugverkehr dienen. 10. Verfrachter wird im Abschnitt Seehandel des HGB derjenige genannt, der das

Schiff zur Befrachtung stellt (Reeder), während der Befrachter dem Schiff die Ladung bringt. 11. Das Konnossement bestätigt die Übernahme der Ware durch den Reeder (Übernahmekonnossement) bzw. die Verladung der Ware an Bord des Schiffes (Bordkonnossement). Es enthält ferner das Versprechen des Reeders, die Ladung nach beendeter Reise an den berechtigten Inhaber der Urkunde auszuhändigen. Wenn das Konnossement an Order lautet, kann das Empfangsrecht durch Indossament übertragen werden. 12. Die Charter ist die Miete eines Schiffes durch den Befrachter für eine bestimmte Zeit oder Reise. 13. Zur Verladung von Schwergut sind Schiffe mit besonderen Ladebäumen und Deckwinden versehen. Große Häfen haben zu diesem Zweck auch Schwimmkräne und Schwerlastkräne. 14. Die Trampschiffahrt ist an keine feste Linie gebunden und wird von kleinen, langsamer fahrenden Schiffen betrieben. Ihre Frachtraten liegen unter denjenigen der Linienreedereien. 15. Die Hafenpolizei hat die Aufgabe, in den Häfen Ordnung und Sicherheit zu gewährleisten. Sie wacht darüber, daß die Vorschriften der Hafenordnung hinsichtlich Benutzung von Hafenanlagen, Feuerschutz, Quarantäne usw. eingehalten werden. 16. In der Handelsschiffahrt zeichnet sich seit einigen Jahren eine deutliche Neigung zur Spezialisierung ab; man baut Kühlschiffe, Tanker, Kohlenschiffe, Bananendampfer usw. 17. Tanker sind Spezialschiffe zum Transport flüssiger Ladung, besonders von Mineralöl. 18. Die bedeutendsten Werften besitzen England, Japan, die Vereinigten Staaten und Deutschland. 19. In Deutschland wurden im Jahre 1956 Schiffe mit einer Gesamttonnage von 1 Million Tonnen vom Stapel gelassen. 20. Der zwischen Amerika und Europa verfügbare Frachtraum ist in den letzten Jahren ständig angewachsen.

XX. Insurance — XX. Versicherungswesen

A. Terminology — A. Terminologie

1. General Terms — 1. Allgemeines

insurance, assurance*	die Versicherung
personal insurance	die Personenversicherung
property insurance	die Sachversicherung
voluntary insurance	die freiwillige Versicherung
compulsory insurance	die Zwangsversicherung
insurance for one's own account	die Eigenversicherung
insurance for the account of a third party	die Versicherung für fremde Rechnung
self-insurance	die Selbstversicherung
co-insurance	die Mitversicherung; die Versicherung unter Selbstbeteiligung des Versicherten
class of insurance, type of insurance	die Versicherungssparte, der Versicherungszweig, die Versicherungsart
insurance business	das Versicherungsgeschäft *(innerhalb der Branche wird die Versicherung oft nur als* „business" *bezeichnet, z. B.* „life assurance and other kinds of business")
to transact insurance business	das Versicherungsgeschäft betreiben, Versicherungsgeschäfte durchführen
to insure, to assure, to effect insurance	versichern a) Versicherung nehmen, versichern lassen b) Versicherung geben, gewähren
to take out insurance (a policy), to	versichern lassen, Versicherung neh-

* „Assurance" ist das ältere Wort, das im täglichen Sprachgebrauch (und auch in der amerikanischen Versicherungssprache) kaum mehr verwendet wird. In der englischen Versicherungspraxis spricht man nur bei der Lebensversicherung von assurance (assurer, assured, etc.), bei den übrigen Versicherungsarten jedoch von insurance.

effect insurance, to procure insurance, to contract insurance, to cover insurance (*e. g.,* insurance is to be covered by the buyer)	men, Versicherung abschließen, Versicherung decken (*z. B.* die Versicherung ist vom Käufer zu decken)
to be insured with a company	bei einer Gesellschaft versichert sein
to underwrite a risk	ein Risiko versichern, die Versicherung eines Risikos übernehmen
to write insurance	als Versicherer tätig sein; (als Versicherer) Versicherungsverträge abschließen, Versicherung geben
insurable	versicherbar
uninsurable	unversicherbar
insured, assured (*pl.* insureds, assureds)	der Versicherte
insurer, assurer, underwriter, insurance carrier	der Versicherer, der Versicherungsgeber, der Versicherungsträger; der Assekuradeur *(veraltet)*
individual underwriter	der Einzelversicherer
Lloyd's underwriter	ein Einzelversicherer, der Mitglied von Lloyd's ist
Corporation of Lloyd's	Lloyd's, eine Gemeinschaft privater Einzelversicherer *(keine Versicherungsgesellschaft!)*
insurance company, assurance company	die Versicherungsgesellschaft, das Versicherungsunternehmen *(innerhalb der Branche oft nur* „office" *genannt)*
joint-stock insurance company, stock (insurance) company	die Versicherungs-Aktiengesellschaft
co-operative insurance association	die Versicherungsgenossenschaft
mutual insurance association, mutual (insurance) company	der Versicherungsverein auf Gegenseitigkeit (VVaG)
syndicate of underwriters, underwriting syndicate	das Versicherungskonsortium
leading company, leading office, leader	das federführende Konsortialmitglied
composite company, composite office, multiple-line underwriter	die Gesellschaft, die in mehr als einer Sparte tätig ist
head office	die Zentrale, die Direktion

claims department, claims office	die Schadensabteilung
general management department	die Betriebsabteilung
collection department	die Inkassoabteilung
real estate and mortgage department	die Grundstücks- und Hypotheken-verwaltungsabteilung
publicity department, advertising department	die Werbeabteilung
administration and coordination department	die Organisationsabteilung
actuarial department	die versicherungsmathematische Abteilung
regional head office	die Bezirksdirektion
branch office, field office	die Geschäftsstelle, die Filiale
field organization	die Außenorganisation
to work in the field	im Außendienst tätig sein
sales force	die Vertreterorganisation
insurance agent, insurance salesman *(colloq.)*, insurance canvasser *(colloq.)*	der Versicherungsvertreter, der Versicherungsagent
to sell insurance	Policen verkaufen, als Versicherungs-vertreter tätig sein
full-time agent	der hauptberufliche Vertreter
part-time agent	der nebenberufliche Vertreter
general agent	der Generalvertreter *(häufig mit der Bezeichnung* „Bezirksdirektor“*)*
agency	die Agentur, die Vertretung
general agency	die Generalagentur, die Bezirksdirektion
insurance broker	der Versicherungsmakler
proposal form	der Versicherungsantrag
proposer *(one who applies for an insurance)*	der Antragsteller
cover note	die Deckungsbestätigung, die vorläufige Deckungszusage
contract of insurance, insurance contract	der Versicherungsvertrag
policy	die Police, der Versicherungsschein
to issue a policy	eine Police ausstellen
policyholder	der Versicherungsnehmer

beneficiary	der Bezugsberechtigte, der Begünstigte
terms of the policy	die Bedingungen der Police
to comply with the terms of the policy	sich an die Bedingungen der Police halten
valued policy	die taxierte Police
unvalued policy	die untaxierte Police
valuation of the policy	die Festsetzung der Versicherungssumme, die Taxierung
participating policy	die Police mit Gewinnbeteiligung
non-participating policy	die Police ohne Gewinnbeteiligung
supplementary policy	die Zusatzpolice
policy number	die Policennummer
policy period, currency of the policy	die Laufzeit der Police
expiry of the policy	der Ablauf der Police
renewal of a policy	die Erneuerung einer Police
to renew a policy	eine Police erneuern
to reinstate a policy	einen Versicherungsvertrag wieder aufleben lassen
cancellation of a policy	die Kündigung eines Versicherungsvertrages
to cancel a policy	einen Versicherungsvertrag kündigen
endorsement on a policy, addendum to a policy, amendment to a policy	der Zusatz zu einer Police, die Ergänzung einer Police
to amend a policy	eine Police ergänzen
the policy is extended by endorsement	die Police wird durch einen Zusatz erweitert
cover, coverage	der Deckungsschutz
to provide cover, to give cover, to extend cover	Deckungsschutz gewähren
extent of cover	der Umfang des Deckungsschutzes
suspension of cover	die zeitweilige Deckungsaufhebung
waiting (*or:* qualifying) period	die Wartezeit, die Karenzzeit
the insurance attaches	der Versicherungsschutz beginnt
insurable interest	das versicherbare Interesse
insurable property	das versicherbare Eigentum, die versicherbaren Gegenstände
subject-matter insured	der versicherte Gegenstand
sum insured, sum assured	die Versicherungssumme

minimum insurance	die Mindestversicherung
underinsurance *(insurance for an amount less than the value of the property insured)*	die Unterversicherung
to underinsure	unterversichern
overinsurance *(insurance which exceeds the actual value of the property insured)*	die Überversicherung
to overinsure	überversichern
double insurance	die Doppelversicherung
premium	die Prämie
premium rate	der Prämiensatz
to fix the premium, to assess the premium	die Prämie festsetzen
to make rates	die Prämiensätze festsetzen
to charge a premium	eine Prämie berechnen
premium due date	die Fälligkeit der Prämie
first premium	die Erstprämie
renewal premium	die Folgeprämie
single premium	die Einmalprämie, die Mise
annual premium	die Jahresprämie
semi-annual premium	die Halbjahresprämie
quarterly premium	die Vierteljahresprämie
monthly premium	die Monatsprämie
premium instalment	die Prämienrate
gross premium	die Bruttoprämie
net premium	die Nettoprämie
loading, margin	der Zuschlag für Verwaltungskosten und Gewinn *(Differenz zwischen Brutto- und Nettoprämie)*
level premium	die gleichbleibende (Durchschnitts-) Prämie
fixed premium	die feste Prämie
flat-rate premium	die Pauschalprämie
additional premium, supplementary premium	die Zuschlagsprämie
earned premium	die verbrauchte Prämie
unearned premium	die unverbrauchte Prämie
unearned premiums will be credited against the new policy	die unverbrauchten Prämien werden auf die neue Police angerechnet

refund of premium	die Prämienrückgewähr
return premium	die Rückgabeprämie
risk	das Risiko
(a) the peril insured against	a) die versicherte Gefahr
(b) the property or person insured	b) der versicherte Gegenstand bzw. die versicherte Person
hazard	das Risiko, die Schadensmöglichkeit bzw. -wahrscheinlichkeit; die Gefahrenquelle
moral hazard	das subjektive Risiko
to be exposed to a hazard	einer Gefahr ausgesetzt sein
insurable risk	das versicherbare Risiko
genuine risk	das echte Risiko, die echte Gefahr
unilateral risk	das einseitige Risiko
bilateral risk	das zweiseitige Risiko
speculative risk	das spekulative Risiko
economic risk	das wirtschaftliche Risiko
business risk	das Geschäftsrisiko
risks peculiar to a particular trade	die für eine bestimmte Branche charakteristischen Risiken
a risk must be quantitatively measurable	ein Risiko muß quantitativ meßbar sein
the risk is held covered	das Risiko gilt als gedeckt
risks covered by the policy	die in der Police gedeckten Risiken
change in the risk	die Risikoänderung
increase in the risk	die Risikoerhöhung
commencement of risk, attachment of risk	der Risikobeginn
termination of risk, cessation of risk	das Risikoende
fortuitous event	der Zufall, das zufällige Ereignis
accidental event, accident	der Unfall
force majeure, acts of God and other circumstances beyond a person's control	höhere Gewalt, Force Majeure *(unter* „acts of God" *versteht man Naturereignisse, wie z. B. Blitzschlag, Erdbeben, Überschwemmungen etc.)*
inevitable accident (*or:* event)	das unabwendbare Ereignis
damage	der Schaden, die Schäden *(der Plural* „damages" *bedeutet fast immer* „Schadenersatz")

loss	der Verlust (einer Sache)
(financial) loss	der (finanzielle) Verlust, der Vermögensschaden
loss of property	der Sachschaden
loss of income	der Einkommensverlust, der Einkommensausfall
consequential loss	der Folgeschaden
determination of the cause of a loss	die Feststellung der Schadensursache
to substantiate a loss	den Schadensnachweis erbringen
claim	der Versicherungsanspruch, der Schadensfall
claimant	der Anspruchsteller
notice of claim	die Schadensanzeige
to handle claims	Schadensfälle bearbeiten
to settle a claim	einen Schaden regulieren
to pay a claim	einen Versicherungsanspruch befriedigen
processing of claims	die Schadensbearbeitung
adjustment of claims, settlement	die Schadensregulierung
adjuster	der Schadensbearbeiter, der Schadensregulierer
lump-sum-settlement	die Pauschalentschädigung
indemnification	die Entschädigung, die Schadloshaltung
to indemnify	schadlos halten, entschädigen
indemnity	die Entschädigung(-ssumme); das Versprechen der Schadloshaltung
measure of indemnity	das Entschädigungsmaß
limit of indemnity	die Entschädigungsgrenze
recoverable sum	die erzielbare Entschädigung
reasonable cost of repairs	die angemessenen Reparaturkosten
depreciation	die Wertminderung
deductions	die Abzüge
customary deductions *(e. g. for depreciation when old parts are replaced by new)*	die üblichen Abzüge *(z. B. wegen Wertminderung, wenn alte Teile durch neue ersetzt werden)*
new for old (n. f. o.)	neu für alt
release	die Abfindungserklärung
subrogation	der Gläubigerwechsel, der Forde-

	rungsübergang *(z. B. der Übergang der Forderung des Gläubigers gegen den Schuldner an den Bürgen, der den Gläubiger befriedigt hat);* der Übergang von Ersatzansprüchen des Versicherten gegen Dritte an den Versicherer, der gezahlt hat
insurance fraud	der Versicherungsbetrug

2. Actuarial Terms — 2. Ausdrücke aus der Versicherungsmathematik

actuary	der Versicherungsmathematiker
actuarial	versicherungsmathematisch
actuarial theory, insurance mathematics	die Versicherungsmathematik
actuarial statistics, insurance statistics	die Versicherungsstatistik
actuarial method, table method *(in actuarial statistics)*	die Tafelmethode *(in der Versicherungsmathematik)*
actuarial rate, corrected rate, standardized rate	die Tafelziffer
law of large numbers	das Gesetz der großen Zahlen
probability, likelihood	die Wahrscheinlichkeit
calculus of probability, probability calculus, theory of probability	die Wahrscheinlichkeitsrechnung
probability curve	die Wahrscheinlichkeitskurve
mathematical (statistical) probability	die mathematische (statistische) Wahrscheinlichkeit
probability of a loss	die Wahrscheinlichkeit eines Schadens (eines Verlustes)
expectation of loss	die Erwartung eines Schadens (eines Verlustes)
incidence of loss	die Schadenhäufigkeit
loss experience	der Schadenverlauf

3. Marine Insurance	3. Seeversicherung
marine insurance, ocean marine insurance *(US)*	die Seeversicherung
inland marine insurance *(US)*	die Binnentransportversicherung
hull insurance	die Kaskoversicherung
cargo insurance	die Kargoversicherung, die Güterversicherung
war-risk insurance	die Kriegsrisikoversicherung
the insurance covers the C.I.F. price plus 10 per cent	die Versicherung deckt den CIF-Preis zuzüglich 10% (imaginärer Gewinn)
anticipated profit	der imaginäre Gewinn
Institute Clauses	Versicherungsbedingungen der englischen Seeversicherer (Institute Cargo Clauses [*für* F.P.A., W.A. *und* A.A.R.-Versicherung], Institute War Clauses *etc.*)
transferable marine insurance policy	die übertragbare Seeversicherungspolice
valued policy	die taxierte Police
unvalued policy	die untaxierte Police
voyage policy	die Einzelpolice
open policy, floating policy	die laufende Versicherung
open policy	die Generalpolice
declaration policy, floating policy	die Abschreibepolice
lump sum, round sum	der Pauschalbetrag
the individual shipments are written off	die einzelnen Sendungen werden abgeschrieben
certificate of insurance, insurance certificate	das Versicherungszertifikat
general average (G. A.)	die große (gemeinschaftliche) Havarie (Havarei), Havarie-grosse
particular average (P.A.)	die besondere Havarie
petty average	die kleine Havarie *(die während der Reise auftretenden und vom Verfrachter zu tragenden Kosten)*
"free of particular average" (F.P.A.)	„frei von Beschädigung" *(die englische Klausel entspricht ungefähr der Bedin-*

	gung „frei von Beschädigung außer im Strandungsfalle“ *der Allgemeinen Deutschen Seeversicherungsbedingungen)*
“with particular average” (W.P.A.), “with average” (W.A.)	„mit besonderer Havarie“, „einschließlich Beschädigung“
“with particular average if amounting to 3%”	*entspricht der Klausel* „frei von Beschädigung, wenn unter 3%“ *der Allgemeinen Deutschen Seeversicherungsbedingungen*
“each shipping package separately insured”	„jedes Kollo eine Taxe“
irrespective of percentage (i.o.p.)	ohne Franchise
franchise	die Integralfranchise
deductible amount	die Abzugsfranchise, die Dekortfranchise
“against all risks” (A.A.R.)	„gegen alle Gefahren“
“total loss only” (T.L.O.)	„nur gegen Totalverlust“
“warehouse to warehouse”*	„von Haus zu Haus“
“theft, pilferage and non-delivery” (T.P.N.D.)*	„Diebstahl, Beraubung und Nichtauslieferung“
craft, &c., clause*	die Leichter- usw. Klausel
deviation clause*	die Wegabweichungsklausel
liberties clause (termination of contract of affreightment)*	die Sonderrechtsklausel (Ende des Befrachtungsvertrags)
general-average clause*	die Havarie-grosse-Klausel
bills of lading, &c., clause*	die Konnossements- usw. Klausel
bailee clause*	die Gewahrsamsklausel
free of capture and seizure clause (F.C.&S. clause)*	„frei von Beschlagnahme“, die Kriegsausschlußklausel
“strikes, riots, and civil commotions” (S.R.&C.C.)*	„Streik, Aufruhr und bürgerliche Unruhen“
both-to-blame collision clause*	die Kollisionsklausel (beiderseitiges Verschulden)
sue and labour clause	die Schadenminderungsklausel *(die dem Versicherten die Pflicht auferlegt, nach Möglichkeit für die Abwendung und Minderung des Schadens zu*

* Bedingungen der „Institute Cargo Clauses“.

sorgen, was gerichtliche Schritte („sue") *oder sonstige Anstrengungen* („labour") *erforderlich machen kann — alle dem Versicherten in diesem Zusammenhang entstehenden Kosten übernimmt jedoch der Versicherer)*

perils of the sea, marine risks	die Seegefahren
transportation risk	das Transportrisiko
special risks	die besonderen Risiken, die besonderen Gefahren
port risks (P.R.)	die Hafenrisiken
lighter risk	die Leichtergefahr, das Leichterrisiko
war and mine risk	das Kriegs- und Minenrisiko
break-down of machinery	der Maschinenschaden
collision	der Schiffszusammenstoß, die Kollision
stranding	die Strandung
sinking	das Sinken (des Schiffes)
to spring a leak	leck werden
to run aground	auf Grund laufen
to refloat a stranded vessel	ein gestrandetes Schiff wieder flottmachen
salvage	die Bergung
salvage award	der Bergelohn
salvage costs	die Bergungskosten
breakage	der Bruch
leakage	die Leckage
ullage	der Flüssigkeitsverlust, der Verlust durch Auslaufen, der Auslauf
chipping	das Absplittern
ship's sweat	der Schiffsschweiß
theft	der Diebstahl
pilferage	die Beraubung, die Plünderung
piracy	der Seeraub
barratry	die Barratterie *(jeder von Kapitän oder Mannschaft dem Reeder oder den Ladungseigentümern gegenüber begangene Betrug)*
capture, taking at sea	die Aufbringung

seizure	die Beschlagnahme
hostilities	die Feindseligkeiten
warlike operations	die kriegerischen Handlungen
restraint	die Verfügungsbeschränkung
riot	der Aufruhr
insurrection	der Aufstand
rebellion	die Rebellion
revolution	die Revolution
civil war	der Bürgerkrieg
strike	der Streik
lockout	die Aussperrung
inherent vice	der durch die natürliche Beschaffenheit der Güter verursachte Schaden, der innere Verderb
spontaneous combustion	die Selbstentzündung
mould, mold	der Schimmel
rust and oxidation	Rost und Oxydation
jettison	der Seewurf
to jettison the cargo	die Ladung über Bord werfen
sacrifice	die Aufopferung
the deck cargo was washed overboard	die Deckladung wurde über Bord gespült
jetsam	die über Bord geworfene Ladung
flotsam	das Treibgut
short-shipped cargo	der Teil der angelieferten Güter, der (aus Versehen oder einem sonstigen Grund) vom Schiff nicht übernommen wurde
short-landed cargo	die bei Ankunft der Sendung festgestellte Fehlmenge
short delivery	die Minderauslieferung
non-delivery	die Nichtauslieferung
in the event of damage or loss	im Schadensfalle
damage by sea water, sea-water damage	der Seewasserschaden
damage by fresh water, fresh-water damage	der Süßwasserschaden
total loss	der Totalverlust, der Totalschaden
actual total loss	der tatsächliche Totalschaden

constructive total loss	der konstruktive Totalschaden
abandonment *(the insured surrenders to the insurer his interest in the property covered by the policy and claims payment for a constructive total loss)*	der Abandon
to abandon	abandonnieren
partial loss	der Teilverlust
notification (*or:* notice) of loss	die Schadensandienung, die Schadensmeldung
ascertainment of damage	die Schadensfeststellung *(Tatsache)*
assessment of damage	die Schadensfeststellung *(Wert)*
sound value	der Gesundwert, der Wert in unbeschädigtem Zustand
damaged value	der Krankwert, der Wert in beschädigtem Zustand
ship's protest, master's protest	der Seeprotest, die Verklarung
Lloyd's agent	ein Havariekommissar der Lloyd's Versicherer
surveyor, appraiser	der Havariekommissar
survey report	das Schadenszertifikat, das Havariezertifikat
general-average adjuster	der Dispacheur *(ein vereidigter Sachverständiger, der bei Havarie-grosse-Fällen die Schadensumme feststellt und auf die Beteiligten aufteilt)*
general-average statement	die Dispache
to prepare the general-average statement, to draw up the statement, to make up the adjustment	die Dispache aufstellen (aufmachen), die Rechnung über große Havarie aufmachen
general-average bond	der Havariebond, der Havarie-grosse-Verpflichtungsschein
general-average deposit	der Havarie-grosse-Einschuß
general-average contribution, general-average assessment	der Havarie-grosse-Beitrag
York-Antwerp Rules (last revised in 1950)	die York-Antwerpener Regeln (letzte Revision 1950) *(internationale Regeln zur Abwicklung von Havarie-grosse-Fällen)*

4. Life Insurance — 4. Lebensversicherung

life insurance, life assurance	die Lebensversicherung
life (insurance) company, life office	die Lebensversicherungsgesellschaft
life (insurance) contract	der Lebensversicherungsvertrag
life (insurance) policy	die Lebensversicherungspolice
to take out a life policy, to buy life insurance	eine Lebensversicherung abschließen
ordinary life insurance, straight life insurance	die Groß-Lebensversicherung
industrial life insurance	die Klein-Lebensversicherung, die Volksversicherung
subscribers' insurance	die Abonnentenversicherung *(eine von einem Zeitschriftenverlag für seine Abonnenten abgeschlossene Versicherung)*
funeral costs insurance	die Sterbegeldversicherung
individual insurance	die Einzelversicherung
group insurance	die Gruppenversicherung, die Kollektivversicherung
contributory group insurance	Gruppenversicherung mit Beitragsleistung der Versicherten
non-contributory group insurance	Gruppenversicherung ohne Beitragsleistung der Versicherten *(die gesamten Kosten trägt der Versicherungsnehmer, z. B. der Arbeitgeber)*
whole life insurance	die Todesfallversicherung
term (*or:* temporary) life insurance	die Risikolebensversicherung, die kurze Todesfallversicherung, die Wagnisversicherung, die Kurzversicherung
endowment insurance	die abgekürzte Lebensversicherung, die Lebensversicherung auf Todes- oder Erlebensfall; die Lebensversicherung mit festem Auszahltermin *(einschließlich Aussteuer- und Studiengeldversicherung)*
annuity contract	die Rentenversicherung
to convert a life contract into an annuity contract	eine Lebensversicherung in eine Rentenversicherung umwandeln

annuity	die Rente
immediate annuity	die sofort beginnende Rente
deferred annuity	die aufgeschobene Rente
life annuity	die Leibrente
temporary annuity	die Zeitrente
retirement annuity, pension annuity	die Altersrente
survivorship annuity	die Überlebensrente, die Hinterbliebenenrente
annuitant	der Rentner, der Rentenempfänger
mortality table, life table	die Sterbetafel, die Sterblichkeitstabelle
mortality rate, death rate	die Sterblichkeitsziffer
expectation of life, life expectancy	die Lebenserwartung
medical selection	die ärztliche Auslese
medical examiner (appointed by the company)	der Vertrauensarzt (der Versicherungsgesellschaft)
medical examination	die ärztliche Untersuchung
life insurance without medical examination, non-medical insurance	die Lebensversicherung ohne ärztliche Untersuchung
selection of risks	die Risikoauswahl
rating of risks	die Einstufung der Risiken *(zwecks Festsetzung der Prämien)*
substandard risk	das anomale Risiko
rating-up	die Festsetzung höherer Prämien bei anomalen Risiken
surrender value, cash value	der Rückkaufswert
reserve	die Prämienreserve, das Deckungskapital, die Deckungsreserve
double-indemnity clause	die Unfallzusatzversicherung *(bei Tod durch Unfall wird die doppelte Versicherungssumme ausgezahlt)*
incontestable clause *(a clause providing that the company cannot contest the validity of a contract which has been in force for a specified time)*	die Unanfechtbarkeitsklausel
non-forfeiture *(nonpayment of a renewal premium does not cause the insured to lose his claim)*	die Unverfallbarkeit
paid-up insurance	die prämienfreie Versicherung

policy loan	die Beleihung einer Police
to grant a loan on the security of a policy	eine Police beleihen

5. Fire Insurance — 5. Feuerversicherung

fire insurance	die Feuerversicherung, die Brandschadenversicherung
business interruption insurance, (loss of) profit(s) insurance, consequential loss insurance, use and occupancy insurance	die Betriebsunterbrechungsversicherung
friendly fire	das Nutzfeuer
hostile fire	das Schadenfeuer
conflagration	das Großfeuer, der Flächenbrand
fire hazard	die Feuergefahr
combustible material	das brennbare Material
inflammable, flammable *(US)*	feuergefährlich, leicht entzündbar
fireproof	feuerfest
fire-resisting construction	die feuerhemmende Bauweise
fire prevention	die Feuerverhütung
fire protection	der Feuerschutz
fire alarm	die Feuermeldeanlage
fire escape	die Feuerleiter
fire exit, emergency exit	der Notausgang
fire extinguisher	der Feuerlöscher
fire brigade	die Feuerwehr
fireman	der Feuerwehrmann
fire truck	das Löschfahrzeug
hydrant, fire plug	der Hydrant
sprinkler installation	die Sprinkler-Anlage, die Berieselungsanlage

6. Motor Vehicle Insurance — 6. Kraftfahrzeugversicherung

motor vehicle insurance, automobile insurance	die Kraftfahrzeugversicherung
operation of a vehicle	der Betrieb eines Kraftfahrzeuges

operational risk	die Betriebsgefahr
bodily injury, physical injury	die Körperschäden
property damage	die Sachschäden
third-party insurance	die Haftpflichtversicherung
third-party, fire and theft	Haftpflicht und Teilkasko *(Brand und Entwendung)*
comprehensive policy	*GB:* eine kombinierte Haftpflicht-, Kasko-, Insassen-Unfall- und Gepäckversicherung; *US:* eine Art Kaskoversicherung, die jedoch Kollisionsschäden ausschließt
$ 100 deductible	100 Dollar Selbstbeteiligung
foreign extension	die Ausdehnung der Versicherungsdeckung auf das Ausland
international insurance card, Green Card	die grüne Versicherungskarte
collision damage	durch Zusammenstoß oder Aufprall verursachter Schaden am eigenen Fahrzeug
vandalism	die mutwillige Beschädigung
upset, overturning	das Überschlagen des Fahrzeuges
occurrence of a loss	der Schadenseintritt
notice of accident, notification of accident	die Unfallmeldung
to report an accident	einen Unfall anzeigen, einen Unfall melden
to submit an accident report	eine Schadensanzeige einreichen
to secure *(or:* obtain) the names of witnesses	die Namen der Zeugen feststellen
estimated value of car	der Schätzwert des Fahrzeuges
recovery of a stolen automobile	die Wiederbeibringung eines gestohlenen Kraftfahrzeuges

7. Social Insurance — 7. Sozialversicherung

social insurance, National Insurance *(GB)*, Social Security *(US)*	die Sozialversicherung
social insurance carrier	der Sozialversicherungsträger

Social Security Card	die Versicherungskarte für die Sozialversicherung in den USA
social insurance contribution	der Sozialversicherungsbeitrag
obligation to pay contributions	die Beitragspflicht
contributor	der Beitragszahler
employer's contribution	der Arbeitgeberanteil
employee's contribution	der Arbeitnehmeranteil
governmental health insurance	die staatliche Krankenversicherung*
National Health Service *(GB)*	der staatliche Gesundheitsdienst in Großbritannien
local health authorities	die Gesundheitsämter
social insurance benefits	die Sozialversicherungsleistungen
sickness benefits	das Krankengeld
to claim sickness benefits	Krankengeld beantragen
to draw sickness benefits	Krankengeld beziehen
to provide evidence of sickness by a medical certificate	den Krankheitsnachweis durch ärztliches Attest erbringen
to satisfy the conditions for the receipt of sickness benefits	die Bedingungen für den Erhalt von Krankengeld erfüllen
maternity benefits	die Schwangerschaftsbeihilfe
medical treatment	die ärztliche Behandlung
dental treatment	die zahnärztliche Behandlung
school dental treatment	die schulzahnärztliche Betreuung
free choice of medical practitioner	freie Arztwahl
doctor's fee	das Arzthonorar
cost of medicaments	die Arzneikosten
hospital accommodation costs, hospital expense	die Krankenhauskosten
surgery costs, surgical expense	die Operationskosten
related costs of illness	die Krankheits-Nebenkosten
workmen's compensation insurance, employers' liability insurance	die (Betriebs-)Unfallversicherung *(in Großbritannien basiert die gesetzliche Unfallversicherung auf dem* National Insurance (Industrial Injuries) Act, *in den USA auf einzelstaatlicher Gesetzgebung)*

* Die einzige staatliche Krankenversicherung in den USA ist „Medicare", eine 1965 eingeführte Versicherung für Personen ab 65 Jahren.

industrial accidents, accidents at work	die Arbeitsunfälle
accident prevention, accident control	die Unfallverhütung
industrial rehabilitation	die Wiedereingliederung in den Arbeitsprozeß
vocational rehabilitation	die berufliche Umschulung
occupational disease, industrial disease	die Berufskrankheit
disability benefits, disablement benefits	die Invalidenrente, die Invaliditätsrente
disability, disablement	die Invalidität, die Arbeitsunfähigkeit, die Erwerbsunfähigkeit
disabled	erwerbsunfähig
disabled ex-service man	der Kriegsinvalide
total disability (*or:* disablement)	die Vollinvalidität
partial disability	die Teilinvalidität
temporary disability	die zeitweilige Invalidität
permanent disability	die Dauerinvalidität
period of disability	die Dauer der Arbeitsunfähigkeit
unemployment insurance	die Arbeitslosenversicherung
old-age insurance	die Altersversicherung, die Rentenversicherung
federal old-age and survivors' insurance	die (bundes-)staatliche Alters- und Hinterbliebenenversicherung (Rentenversicherung) in den USA
old-age pension, retirement pension	die Altersrente, das Ruhegeld
widow's pension	die Witwenrente
war pension	die Kriegsrente
entitled to a pension	pensionsberechtigt
to qualify for a pension	die Voraussetzungen für die Gewährung einer Pension erfüllen
to be awarded a pension	eine Pension erhalten
pensioner, annuitant	der Rentner, der Rentenempfänger
war disablement pensioner	der Kriegsrentenempfänger
pension age, pensionable age	pensionsberechtigtes Alter
funeral benefit, death grant	das Sterbegeld

8. Other Classes of Insurance	8. Andere Versicherungsarten
accident insurance	die Schaden- und Unfallversicherung
personal accident insurance	die (private) Unfallversicherung
non-governmental health insurance *(cf. p. 311)*	die private Krankenversicherung *(vgl. S. 311)*
household and personal effects insurance, residence contents insurance	die Hausratversicherung
furniture-in-transit insurance	die Umzugsversicherung
transport insurance, marine insurance *(US)*	die Transportversicherung
parcel post insurance	die Paketversicherung
luggage insurance, baggage insurance *(US)*	die Reisegepäckversicherung
tourist weather insurance	die Reisewetterversicherung
plate glass insurance, glass breakage insurance	die Glasversicherung
steam boiler insurance	die Heizkesselversicherung
machinery insurance	die Maschinenversicherung
livestock insurance	die Tierversicherung
crop insurance	die Ernteversicherung
fair and exhibition insurance	die Messe- und Ausstellungsversicherung
burglary insurance	die Einbruchdiebstahlversicherung
sprinkler leakage insurance	die Versicherung von Wasserschäden bei Sprinkler-Anlagen
explosion insurance	die Explosionsversicherung
earthquake insurance	die Erdbebenversicherung
hail insurance	die Hagelversicherung
windstorm insurance	die Sturmversicherung
rain insurance	die Regenversicherung
frost insurance	die Frostversicherung
(general) liability insurance	die (allgemeine) Haftpflichtversicherung
fidelity insurance	die Vertrauensschadenversicherung
fidelity guarantee, fidelity bond *(US)*	die Personen-Kautionsversicherung, die Personen-Garantieversicherung
credit insurance	die Kreditversicherung, die Delkredereversicherung

export credit(s) insurance	die Exportkreditversicherung
government export credit(s) insurance	die staatliche Ausfuhrkreditversicherung *(in Großbritannien durch das* Export Credits Guarantee Department (ECGD), das dem Department of Trade unterstellt ist, *in den USA durch die staatliche Export-Import-Bank (gemeinsam mit der* Foreign Credit Insurance Association, *einer Vereinigung führender privater Versicherungsgesellschaften); in der Bundesrepublik bearbeitet die* Hermes Kreditversicherungs-AG *im Auftrag der Bundesregierung die staatlichen Ausfuhrbürgschaften bzw. -garantien)*

9. Reinsurance / 9. Rückversicherung

reinsurance	die Rückversicherung, die Reassekuranz
to reinsure	rückversichern, rückdecken
cession	die Zession
to cede	zedieren
to place reinsurance, to take out reinsurance, to effect reinsurance	eine Rückversicherung abschließen, sich rückversichern
to accept reinsurance, to assume reinsurance	die Rückversicherung übernehmen
reinsurance transaction, reinsurance business	das Rückversicherungsgeschäft
reinsurer, the accepting company	der Rückversicherer
reinsurance pool, reinsurance syndicate *(US)*	das Rückversicherungskonsortium
ceding company, reinsured (*or:* direct) underwriter, direct-writing company	der Erstversicherer, der Rückversicherte, der Hauptversicherer
retrocession *(reinsurance of a reinsurer)*	die Retrozession *(Rückversicherung eines Rückversicherers)*, die Folge-Rückversicherung

retrocessionaire	der Retrozessionär
to retrocede	retrozedieren
to spread the risk *(by large-scale retrocession)*	das Rückversicherungsrisiko „atomisieren“
obligatory reinsurance	die obligatorische Rückversicherung
automatic reinsurance	die automatische Rückversicherung
facultative reinsurance	die fakultative Rückversicherung
“take” note *(of reinsurer prior to issue of policy)*	die Rückversicherungszusage *(des Rückversicherers vor Ausstellung der Police)*
reinsurance policy	die Rückversicherungspolice
reinsurance treaty *(binding the ceding company to cede and the accepting company to accept part of all risks of a certain class)*	der Rückversicherungsvertrag *(verpflichtet den Erstversicherer, einen Teil sämtlicher Risiken einer bestimmten Klasse zu zedieren, und den Rückversicherer, diese Teilrisiken zu übernehmen)*
quota-share reinsurance	die Quotenrückversicherung
quota-share treaty	der Quotenvertrag
surplus reinsurance	die Exzedentenversicherung
excess-of-loss reinsurance *(a guard against catastrophe)*	die Schaden-Exzedentenversicherung *(Schutz gegen Katastrophen)*
surplus (in excess of retention)	der Exzedent
retention	der Selbstbehalt *(des Erstversicherers)*
table of retentions	die Maximaltabelle
bordereau (*pl.* bordereaux)	der Bordereau *(die Zusammenstellung der Zessionen)*

B. Translation Exercises

B. Übersetzungsübungen

1. English–German

1. Englisch–Deutsch

1. Insurance is the creating of a fund by contributions from persons exposed to the same or similar perils, so that any contributor who sustains loss by one of those perils may be compensated. 2. Lloyd's consists of individuals (Lloyd's underwriters) who group together in syndicates and take a prescribed share of the risk and participate correspondingly in losses and profits. 3. The funds of the Mutual Offices, as the term implies, belong entirely to the life policy-

holders, but even where a life company is owned by shareholders, the latter receive on average only about 10 per cent of the profits, the policyholders getting the balance. 4. Insurance brokers, who like other agents are remunerated by commissions received from the companies, are by far the most important link between the public and the insurance companies. 5. In all cases except life assurance and personal accident insurance the insured person is merely entitled to be compensated for the actual loss he has sustained. 6. The essence of a particular average loss lies in the fact that it is wholly accidental. General average on the other hand consists of a voluntary sacrifice of part of the property, or the incurring of an expense, for the common safety of the adventure, and such sacrifice or expense is borne by the property saved. 7. Industrial life insurance is the business of insuring for small sums under policies providing for weekly or monthly premiums. The medical examination which is required for ordinary insurance is usually dispensed with. 8. All present employees shall be eligible for insurance on the date of issue of this group life insurance. New employees shall be eligible upon the completion of three months of continuous service. 9. Whole-life policies provide insurance for the whole of life and (if not previously terminated) mature for payment only on the death of the person insured. 10. The surrender value is the amount of premium return allowable on the cancellation of a life policy at any given time before maturity or death. 11. This policy shall be incontestable after it shall have been in force for two years from its date except for non-payment of premiums and, at the option of the Company, except as to provisions relative to benefits in the event of total disability and provisions which grant additional insurance against death by accident. 12. If three full years' premiums have been paid and no premiums are in arrears beyond the days of grace, the Company will, upon receipt of the policy and a loan agreement satisfactory to the Company and on the sole security of the policy, loan an amount which with interest shall be within the limit of the cash value of this policy on the due date of the loan. Failure to repay the loan or pay interest shall not avoid the policy unless the total indebtedness, including accrued interest, shall equal or exceed the cash value of the policy. 13. Insurance companies are vitally concerned to reduce fire hazards. The preferential rates granted for buildings conforming to fire-resisting standards furnish a direct incentive to improved building construction. 14. When involved in an accident, the insured is requested by his insurance company to secure names and addresses of all passengers, as well as of all witnesses, and to file his accident report immediately with the nearest claims office of his insurance company. 15. Social insurance in the United States comprises federal old-age and survivors' insurance, a program for federal cooperation with the states in unemployment insurance, and federal assistance to the states for public assistance to the needy aged, needy blind, and dependent children. Federal grants to the states, supplementing state and local funds, are also provided for maternal and child-health service, child-welfare services, and vocational rehabilitation. 16. Workmen's compensation benefits in the United States are generally financed by employers who must give assurance of their ability to meet such obligations. This may be done by insuring with a private carrier, or with a state fund, or by giving proof of their ability to carry their own risk. 17. The greater part of the cost of the National Health Service falls on the Exchequer, to be met from general taxation, and a small part is met by local rates. Other income is derived from the small weekly National Health Service contribution paid by all National Insurance contributors and the payments for those parts of the service for which charges are made. 18. The National Insurance scheme covers about 24 million contributors in Great Britain with their dependents. Only children, students, certain married women and widows, certain persons over pension age and persons with very small incomes, are not liable to contribute. 19. A household and personal effects insurance policy insures against the hazards of fire, lightning, transportation and theft, pilferage, burglary and embezzlement. There is no limitation of coverage on property located in temporary or permanent residence, nor is there any adjustment in premium because of change in location of goods. 20. "Treaty reinsurance" means reinsurance by an agreement between the insurer and the reinsurer, whereby the reinsurer agrees to accept during a specified period, without the option of declining, a certain proportion of any risk.

2. Deutsch–Englisch — 2. German–English

1. In Deutschland betreiben nur Aktiengesellschaften, Versicherungsvereine auf Gegenseitigkeit und öffentlich-rechtliche Unternehmen das Versicherungsgeschäft; der Einzelversicherer hat kaum mehr praktische Bedeutung. 2. Bevor der Versicherungsvertrag zustande kommt, wird der Interessent durch den Versicherungsvertreter über die Versicherungsbedingungen informiert. 3. In fast allen Versicherungszweigen kann der Versicherte durch eine vorläufige Deckungszusage schon vor Ausstellung des Versicherungsscheins Versicherungsschutz erhalten. 4. Steht dem Versicherungsnehmer ein Anspruch auf Ersatz des Schadens gegen einen Dritten zu, so geht der Anspruch auf den Versicherer über, soweit dieser dem Versicherungsnehmer den Schaden ersetzt. 5. Nach Ablauf der Vertragsdauer verlängert sich dieser Versicherungs-

vertrag stillschweigend von Jahr zu Jahr, wenn er nicht spätestens drei Monate vor Ablauf schriftlich gekündigt wird. 6. Der vom Transportversicherer gebotene Versicherungsschutz, der weit über die dem Spediteur bzw. Frachtführer zumutbare Haftungsverpflichtung hinausgeht, beruht auf freier vertraglicher Vereinbarung und kann daher den besonderen Bedürfnissen des Versicherungsnehmers angepaßt werden. 7. Für Firmen, die laufend Transporte durchführen, ist der Abschluß von Einzelversicherungen zu umständlich. Sie bedienen sich daher der Generalpolice, die automatisch sämtliche Transporte bestimmter Güter deckt, die während der Laufzeit der Versicherung durchgeführt werden. Die Versicherung kann auch für einen Pauschalbetrag genommen werden, von dem der Wert der einzelnen Sendungen abgeschrieben wird (Abschreibepolice). 8. Nach den Incoterms muß der CIF-Verkäufer eine Transportversicherung auf seine Kosten abschließen, die den CIF-Fakturenwert zuzüglich eines Betrages von 10% deckt, wenn kein gegenteiliger Handelsbrauch besteht. 9. Nach den Incoterms ist der Ablader zur Mitversicherung der Kriegsgefahr bei der Bedingung CIF nur verpflichtet, wenn dies im Ausfuhrvertrag ausdrücklich vereinbart worden ist. 10. Bruchschäden im Strandungsfall und solche Schäden, die laut Police auch in anderen Fällen mitgedeckt sind, müssen unverzüglich nach Ankunft und Öffnen der Kisten unter Hinzuziehung des in der Police aufgeführten Havariekommissars festgestellt werden. 11. Aufopferungen und Aufwendungen, die zur Rettung von Schiff und Ladung aus gemeinsamer Gefahr vom Kapitän veranlaßt werden, bezeichnet man als „Havarie-grosse". Havarie-grosse-Verluste werden von Schiff, Ladung und Fracht gemeinsam getragen. 12. Der Versicherer haftet nicht für Schäden, die auf mangelhafte Verpackung oder die natürliche Beschaffenheit der Güter zurückzuführen sind. 13. Bei der abgekürzten Lebensversicherung wird die Versicherungssumme nach einer bestimmten Anzahl von Jahren oder bei früherem Tod des Versicherten fällig. 14. Die Feuerversicherung ist der wichtigste Zweig der Sachversicherung. Sie hat den Zweck, dem Versicherten den im Falle eines Brandes entstehenden Schaden zu ersetzen. 15. Die Kraftfahrt-Haftpflicht-Versicherung deckt Haftpflichtansprüche dritter Personen, die diese auf Grund gesetzlicher Bestimmungen gegen den Halter oder den Fahrer des Wagens oder gegen beide geltend machen können. 16. Die Insassen-Unfallversicherung ist eine notwendige Ergänzung der Haftpflichtversicherung; ihre Leistungen sind unabhängig von der Schuldfrage und gelten für alle Unfälle, die in ursächlichem Zusammenhang mit dem Lenken, Benutzen, Be- und Abladen des Kraftfahrzeuges oder seines Anhängers eintreten. Versichert ist jeder berechtigte Insasse (außer im Betrieb angestellte Berufschauffeure), der Versicherungsnehmer selbst und seine Familienangehörigen.

17. Beim Verkauf des bisher versicherten Fahrzeuges erfolgt die Erstattung der unverbrauchten Prämie voll, wenn an Stelle des veräußerten Fahrzeuges ein anderes Fahrzeug zu den gleichen Bedingungen versichert wird. Es ist jedoch zu beachten, daß beim Verkauf eines Kraftfahrzeuges die Kraftfahrversicherung nach den gesetzlichen Bestimmungen auf den Erwerber übergeht, falls dieser nicht kündigt. 18. Während der Versicherungsnehmer bei der Privatversicherung eine Prämie zahlt, entrichtet er bei der Sozialversicherung einen Beitrag. 19. Der Umfang der Versicherungsleistungen aus der privaten Krankenversicherung richtet sich nach dem vereinbarten Tarif. Besondere Vereinbarungen gelten nur dann, wenn sie im Versicherungsschein ausdrücklich vermerkt sind. 20. Da Ihre Wartezeit noch nicht erfüllt ist, haben Sie noch keinen Anspruch auf Erstattung der Arzt- und Arzneikosten.

XXI. Labour — XXI. Arbeit

A. Terminology — A. Terminologie

1. General Terms — 1. Allgemeines

Das englische Wort „work" entspricht dem allgemeinen Begriff „Arbeit", während „labour" mehr im Sinne von schwerer, körperlicher Arbeit, z. B. landwirtschaftlicher Arbeit, verwendet wird. Wird der Ausdruck „labour" jedoch zur Bildung zusammengesetzter Bezeichnungen (wie „labour market") gebraucht, so dient er als Sammelbegriff für alle Arten von Arbeit oder Arbeitnehmern. Dieses Wort wird auch häufig ohne Artikel als Sammelbegriff für die Arbeitnehmer benützt.

labour *(BE)*, labor *(US)*	die Arbeit, die Handarbeit, die schwere Arbeit, die Arbeiter, die Arbeitnehmer, die Arbeiterschaft, die Arbeitskräfte
labour *(adj.)*	Arbeiter ... (*in Zusammensetzungen, z. B.* Arbeiterbewegung)
labour market, manpower market	der Arbeitsmarkt
supply of labour (manpower)	das Angebot an Arbeitskräften
oversupply of labour (manpower)	das Überangebot an Arbeitskräften
manpower needs	der Bedarf an Arbeitskräften
manpower (labour) bottleneck	der Arbeitskräfteengpaß
manpower (labour) shortage	der Mangel an Arbeitskräften
working class, labouring class	die Arbeiterschaft, die Arbeiterklasse (*unter* „labouring class" *versteht man mehr die* „Schwerarbeiterklasse")
working man	der Arbeiter, *(als Sammelbegriff auch:)* die Arbeiterklasse

I am a working man	Ich muß mein Geld verdienen *(hier besagt der Ausdruck lediglich, daß man auf irgendeine Art und Weise arbeiten muß)*
to labour	schwer arbeiten, Schwerarbeit verrichten
to labour at something	sich anstrengen, etwas zu tun
child labour	die Kinderarbeit
hard labour (*e. g.* in penitentiary), forced labour	die Zwangsarbeit (*z. B.* Zuchthaus)
Labour Day	der Tag der Arbeit
tomorrow is labor day *(US idiom)*	Morgen ist „Tag der Arbeit" *(d. h. morgen muß gearbeitet werden)*
work	die Arbeit
works	die Werke *(auch literarischer Art)*, das Werk, die Arbeiten (*z. B.* Bauarbeiten)
public works	die öffentlichen Arbeiten
constructive work	die konstruktive Arbeit
mental work, intellectual work	die geistige Arbeit, die Kopfarbeit
manual work	die Handarbeit, die körperliche Arbeit
group work	die Gruppenarbeit
field work, work in the field	der Außendienst, *(in der Landwirtschaft auch:)* die Feldarbeit
home-work	die Heimarbeit
night work	die Nachtarbeit
piece work	die Akkordarbeit
seasonal work	die Saisonarbeit
shift work	die Schichtarbeit
Sunday work	die Sonntagsarbeit
team-work	die Teamarbeit
illicit work, clandestine work	die Schwarzarbeit
to work, to do work, to perform work	arbeiten, Arbeit leisten, Arbeit ausführen
to work to rule	nach den Vorschriften arbeiten
to work at something	sich bemühen, etwas zu tun
to work on something	sich mit etwas beschäftigen, sich einer Sache widmen, an etwas arbeiten
to work off (*e. g.* a debt)	abarbeiten (*z. B.* Schulden)

to go to work	an die Arbeit gehen
to go to work on something	die Arbeit an etwas aufnehmen
to go to work on somebody *(slang)*	sich jemanden vorknöpfen
job	die Beschäftigung, der Arbeitsplatz, die Stellung, das Arbeitsverhältnis, das Beschäftigungsverhältnis, die Arbeitsstelle; die Tätigkeit, der Arbeitsvorgang
employment	die Beschäftigung
level of employment	der Beschäftigungsstand, die Beschäftigungslage, der Beschäftigungsgrad, das Beschäftigungsniveau
full employment	die Vollbeschäftigung
overemployment	die Überbeschäftigung
underemployment	die Unterbeschäftigung
employed *(adj.)*	beschäftigt
the employed	die Beschäftigten *(Sammelbegriff)*
drop in the number of employed, drop in employment figures	der Rückgang der Beschäftigtenzahl
unemployment	die Arbeitslosigkeit
unemployed *(adj.)*, jobless	arbeitslos, erwerbslos
the unemployed, the jobless	die Arbeitslosen, die Erwerbslosen
number of unemployed, unemployment figure	die Arbeitslosenzahl, die Arbeitslosenziffer
unemployment rate	die Arbeitslosenquote
fluctuating unemployment	die fluktuierende Arbeitslosigkeit
seasonal unemployment	die saisonale Arbeitslosigkeit
structural unemployment	die strukturelle Arbeitslosigkeit
temporary unemployment	die vorübergehende (*oder* zeitweilige) Arbeitslosigkeit
cyclical unemployment	die konjunkturelle Arbeitslosigkeit
unemployment due to rationalization, unemployment due to laboursaving measures	die Arbeitslosigkeit infolge der Rationalisierung
unemployment relief	die Arbeitslosenunterstützung *(allgemeiner Begriff)*
unemployment benefit, dole	die Arbeitslosenunterstützung *(Geldbezüge)*
to be on the dole	stempeln gehen

shut-down of plants, shut-down of enterprises, closing of plants	die Schließung von Betrieben
loss of one's job	der Verlust des Arbeitsplatzes
work procurement	die Arbeitsbeschaffung *(z. B. durch Regierungsmaßnahmen)*
migration	die Landflucht, die Wanderung
migration (from the country to the towns)	die Abwanderung (vom Lande nach den Städten)
international migration of labour	die internationale Wanderung der Arbeitskräfte
freedom of movement	die Freizügigkeit

2. Employees — 2. Die Arbeitnehmer

personnel	das Personal, die Belegschaft, die Betriebsangehörigen
staff *(cf. also p. 130—131)*	der Stab *(vgl. auch S. 130—131)*, die Belegschaft, das Personal
cadre of personnel	das Stammpersonal, der Personalstamm
office personnel	das Büropersonal
factory personnel	das Fabrikpersonal
technical personnel	das technische Personal
salaried personnel	die Gehaltsempfänger, die Angestellten (*vgl.* employee)
wage-earners	die Lohnempfänger (*vgl.* employee), die Lohnarbeitskräfte
employee	der Arbeitnehmer, der Beschäftigte, der Betriebsangehörige, der Angestellte *(Es wird vielfach versucht, den Unterschied zwischen Angestellten und Arbeitern mit der mangelhaften Übersetzung:* „employees and workers" *darzustellen. Diese sehr fragwürdige Lösung ist zu vermeiden und durch* „salaried personnel and wage-earners" *zu ersetzen. Vgl. auch* „employed", *S. 322)*

superior	der Vorgesetzte
inferior	der Untergebene
executive	der leitende Angestellte
works manager, works supervisor, works superintendent, plant manager	der Betriebsleiter
supervisory personnel	das Aufsichtspersonal
supervisor, overseer	der Aufseher
shop supervisor, shop foreman	der Werkmeister
charge hand, foreman	der Vorarbeiter, der Steiger *(im Bergbau)*, der Polier *(in der Baubranche)*
captain	der Steiger *(im Bergbau)*
worker	der Arbeiter *(allgemein; siehe auch* „employee“*)*
workers	die Arbeiter, die Arbeitskräfte
workman *(cf.* working man *p. 320)*	der Arbeiter *(meist im Sinne von gelernten Kräften;* vgl. working man *S. 320)*
hand	der Arbeiter *(vornehmlich für angelernte Kräfte verwendet)*
skilled worker (workman)	der Facharbeiter, der gelernte Arbeiter
skilled workers, skilled labour	die Fachkräfte, die Facharbeiter
semi-skilled	angelernt
unskilled worker	der ungelernte Arbeiter, der Hilfsarbeiter
unskilled labour, unskilled workers	die ungelernten Arbeitskräfte
auxiliary personnel	die Hilfskräfte, das Hilfspersonal
labourer	der Hilfsarbeiter, der Schwerarbeiter
master craftsman (*e. g.* master bricklayer)	der Meister (*z. B.* der Maurermeister)
journeyman	der Geselle
apprentice	der Lehrling
improver	der „Anlernling“, *(etwa:)* der Praktikant („improver“ *wird hauptsächlich im Baufach verwandt*)
operator (*e. g.* machine operator)	die Bedienungsperson (*z. B.* Maschinenbedienung)
full-time workers	die Vollarbeitskräfte

part-time workers	die Kurzarbeiter
permanent labour, permanent personnel	die ständigen Arbeitskräfte
temporary workers, temporary personnel	die temporären Arbeiter, das Aushilfspersonal
day worker, day labourer	der Tagelöhner
casual labour	die Gelegenheitsarbeit, die Gelegenheitsarbeiter
migrant worker	der Wanderarbeiter
seasonal workers, seasonal labour	die Saisonarbeiter
home-worker	der Heimarbeiter
piece-worker	der Akkordarbeiter
to do piecework	im Akkord arbeiten
transfrontier commuter *(a resident of one country who works in another country)*	der Grenzgänger
navvy *(slang)*	der Tiefbauarbeiter

3. Engagement and dismissal, Contract of Employment — 3. Einstellung und Entlassung, der Arbeitsvertrag

recruitment, recruiting	die Anwerbung von Arbeitskräften
recruiting drive	die Werbeaktion
"poaching" of labour (from competitors), labour piracy	die Abwerbung von Arbeitskräften
procurement of labour	die Beschaffung von Arbeitskräften, die Anwerbung von Arbeitskräften
placement, placement service	die Stellenvermittlung, der Arbeitsnachweis
employment agency, placement agency	die (private) Stellenvermittlung
employment exchange, labour exchange, labour office	das Arbeitsamt
film actors' employment exchange *(Germany)*	die Filmbörse
appointments board *(GB)*	die amtliche Stellenvermittlung für leitende Stellungen
ministry of labour	das Arbeitsministerium
Federal Agency for the Placement of	Bundesanstalt für Arbeitsvermittlung

Labour and Unemployment Insurance *(Germany)*, Federal Labour Agency	und Arbeitslosenversicherung (früher), Heute: Bundesanstalt für Arbeit
Land employment office *(Germany)*	das Landesarbeitsamt
vacancy	die offene Stelle, die freie Stelle, die unbesetzte Stelle, der unbesetzte Arbeitsplatz
to advertise a vacancy	eine Stelle ausschreiben
to fill a vacancy	eine Stelle (einen Posten) besetzen
post, position	die Stelle, der Arbeitsplatz, der Posten *(Der Ausdruck* „post" *wird vornehmlich für sogenannte gehobene Posten verwendet, z. B. für eine Beamtenstelle;* „position" *kann alles bedeuten, vom einfachsten* „job" *aufwärts. Beispielsweise wird selbst einem Bürolehrling eine* „position" *angeboten, was ihn aber nicht daran hindert, von seinem* „job" *zu sprechen. Vgl. auch* „job".*)*
managerial (*or:* executive) position	die leitende Stellung
job	die Stelle, der Arbeitsplatz *(jede Arbeitsstelle, auch die eines Ministers, kann als* „job" *bezeichnet werden, obwohl dies im Schriftverkehr meistens vermieden wird)*; die Beschäftigung, der Arbeitsvorgang, die Tätigkeit
on the job	bei der Arbeit
to get on the job	am Arbeitsplatz erscheinen, die Arbeit anfangen
to look for a job, to look for work	Arbeit suchen
to apply for a job, to apply for a vacancy, to apply for appointment (to a position)	sich um eine Stelle bewerben
applicant	der Bewerber
application	die Bewerbung, das Stellengesuch
candidate	der Bewerber *(besonders bei staatlichen Dienststellen)*
to screen candidates (*or:* applicants)	die Bewerber „sieben", eine Auslese unter den Bewerbern treffen

to examine candidates	die Bewerber prüfen
interview	das Interview, das Sich-Vorstellen
please attend for a personal interview	bitte stellen Sie sich bei uns persönlich vor
to hire labour	Arbeitskräfte einstellen
to engage, to appoint	einstellen, anstellen, bestallen
to engage on probation	auf Probe einstellen, für eine Probezeit einstellen
probation, probationary period	die Probezeit, die Bewährungsfrist
probationer	der probeweise Angestellte
regulation of working conditions	die Regelung der Arbeitsbedingungen
contract of employment, employment contract	der (Einzel-)Arbeitsvertrag
promotion	die Beförderung
to promote s. o.	jemanden befördern
length of service	das Dienstalter
transfer	die Versetzung
to transfer	versetzen
to resign	die Stellung aufgeben, ausscheiden, zurücktreten *(nur bei höheren Angestellten)*
to quit	die Arbeit aufgeben, die Arbeitsstelle verlassen, quittieren
to ask for one's cards	die Entlassungspapiere anfordern, um die Entlassungspapiere bitten *(bei den* „cards“ *handelt es sich um die Arbeitslosenversicherungs- und Krankenversicherungskarten)*
to retire	in den Ruhestand treten, in Pension gehen
to pension (off), to retire s. o.	jemanden pensionieren, in den Ruhestand versetzen
pensioner	der Pensionierte, der Ruhegeldempfänger
notice	die Kündigung, die Kündigungsfrist
statutory notice	die gesetzliche Kündigungsfrist
employment may be terminated with 6 weeks' notice to the end of the quarter	das Arbeitsverhältnis kann mit einer 6wöchigen Kündigungsfrist zum Quartalsende gekündigt werden

to give notice	kündigen
to serve notice	die Kündigung zustellen
to stand off	entlassen, ausstellen *(meist im Sinne einer vorübergehenden Ausstellung)*
to discharge, to dismiss	entlassen *(bei kurzfristig Eingestellten:* ausstellen*)*
to fire, to sack, to give s. o. the sack, to give s. o. his cards, to give s. o. the order of the boot	rausschmeißen, (hinaus-)feuern, gegangen werden
to discharge without notice	fristlos entlassen
for cause *(US)*	aus triftigen Gründen
"last in, first out" basis	ein Entlassungsverfahren, bei dem die zuletzt eingestellten Arbeiter als erste entlassen werden
reference	das Zeugnis, die Referenz
certificate of employment	die Arbeitsbescheinigung

4. Working Hours / 4. Die Arbeitszeit

working hours, working time, hours of work	die Arbeitszeit
working day	der Arbeitstag, der Werktag
working week, work-week	die Arbeitswoche
40-hour week	die 40-Stunden-Woche
starting time	der Arbeitsbeginn, der Arbeitsanfang
opening time	die Öffnungszeit
open from ... to ...	geöffnet von ... bis ...
office hours	die Bürozeit
office hours from ... to ...	Parteiverkehr von ... bis ..., Bürostunden von ... bis ...
closing time	der Geschäftsschluß
stopping time	der Arbeitsschluß
full-time job	die Ganztagsarbeit
part-time job	die Halbtagsarbeit
overtime	die Überstunden
to work overtime	Überstunden machen (arbeiten), Überstunden leisten

shorter hours	gekürzte Arbeitszeit, die Arbeitszeitverkürzung
to cut working hours	die Arbeitszeit (ver-)kürzen
break	die Arbeitspause
midday break	die Mittagspause
interruption of work	die Arbeitsunterbrechung
leave, holiday, vacation	der Urlaub, die Ferien
longer holidays	der verlängerte Urlaub, die Urlaubsverlängerung
sick leave	der Krankenurlaub
special leave	der Sonderurlaub
study leave	der Fortbildungsurlaub
a day off	ein freier Tag
legal holiday	der gesetzliche Feiertag
official holidays	die Feiertage
bank holiday	ein gesetzlicher Feiertag in England (im August)

5. Remuneration of Work / 5. Vergütung der Arbeit

earned income, employee compensation	das Arbeitseinkommen
supplementary income	das Nebeneinkommen, die Nebeneinnahmen
to pay (for), to remunerate	vergüten, abgelten; entlohnen
remuneration, payment	die Vergütung, das Entgelt; die Entlohnung
to earn	(Geld) verdienen
earnings	der Verdienst
wage(s)	der Lohn *(im engeren Sinne:* Arbeitsentgelt der Handarbeiter)
to draw a wage (or wages)	einen Lohn beziehen
drawing of wages	der Bezug eines Lohnes
emoluments	die Bezüge *(Dachbegriff)*
wage-earner	der Lohnempfänger; der Arbeitnehmer
wage costs	die Lohnkosten
labour costs	die Arbeitskosten

industry with high labour costs, labour-intensive industry	eine arbeitsintensive (*oder:* lohnintensive) Industrie
direct labour costs	die Fertigungslöhne, die direkten Arbeitskosten *(Lohn für die direkt am Werkstück verrichtete Arbeit, produktiver Lohn genannt, gilt als direkte Kosten, d. h. als Einzelkosten in der Gewinn- und Verlustrechnung der Firma)*
indirect labour costs, costs of unproductive labour	die indirekten Arbeitskosten
wage demands, wage requirements	die Lohnforderungen
raise (in wages), wage increase, wage "hike"	die Lohnerhöhung *(durch den Arbeitgeber)*
retroactive wage increase	die rückwirkende Lohnerhöhung
rise in wages, rising wages	das Ansteigen der Löhne *(allgemeine Entwicklung)*
cutting of wages	die Herabsetzung der Löhne; der Lohnabbau
wage policy, payroll policy	die Lohnpolitik
wage freeze	der Lohnstopp
to decontrol wages, to remove wage controls	die Löhne freigeben
pay pause	die Lohnpause
fixing of (statutory) minimum wages, setting of minimum rates	die Festsetzung von (gesetzlichen) Mindestlöhnen
wage index	der Lohnindex
adjustment of wages	die Anpassung (*oder:* Angleichung) der Löhne
subsistence theory of labour supply	das eherne Lohngesetz
wage-price spiral	die Lohn-Preis-Spirale
sliding wage scale	die gleitende Lohnskala
wage table	die Lohntabelle
wage structure	die Lohnstruktur
wage rate	der Lohnsatz, der Lohntarif
payroll department (*or:* section, office)	das Lohnbüro
payroll account, wages account	das Lohnkonto
pay sheet, payroll sheet	die Lohnliste

pay day	der Zahltag
pay deductions	der Lohnabzug
to deduct from wages (pay), to withhold from wages	vom Lohn abziehen, vom Lohn einbehalten
basic wage	der Grundlohn, der Ecklohn
fixed wage	der Festlohn
weekly wage	der Wochenlohn
daily wage, day wage	der Tageslohn
hourly wage, hourly rate	der Stundenlohn
individual wage	der Individuallohn
progressive wage rate	der Progressivlohn
incentive wage	der Leistungslohn
piecework (*or:* piece) rate	der Akkordlohn, der Stücklohn
differential piece-rate system	das Prämiensystem (nach Taylor)
group piecework rate	der Gruppenakkordlohn
individual piecework rate	der Einzelakkordlohn
wage agreement, labour contract	der Tarifvertrag
scheduled wage	der Tariflohn
premium wage system	das Prämienlohnsystem
cash wages	der Geldlohn, der Barlohn
average wage	der Durchschnittslohn
nominal wages	der Nominallohn
real wages	der Reallohn
total wages	der Gesamtlohn
top wages, top wage rate, maximum rate	der Spitzenlohn, der Höchstlohn
minimum wage	der Mindestlohn
gross wages	der Bruttolohn
net wages	der Nettolohn
payment of wages	die Löhnung, die Lohnauszahlung
wage packet, pay packet	die Lohntüte
equality of wages (for men and women)	die Lohngleichheit (von Mann und Frau)
loss of wages, loss of earnings	der Lohnausfall, der Verdienstausfall
reduced earnings, reduction of earnings	die Einkommensschmälerung
salary	das Gehalt
basic salary	das Grundgehalt

initial salary, starting salary	das Anfangsgehalt
annual salary	das Jahresgehalt
quarterly salary	das Vierteljahresgehalt
monthly salary	das Monatsgehalt
desired salary, salary demands	die Gehaltsansprüche
salary level	das Gehaltsniveau
salary increase	die Gehaltsaufbesserung
rate of increase	der Steigerungssatz
salary according to marital status and number of children	das Gehalt nach Familienstand und Kinderzahl
fee, honorarium	das Honorar *(freie Berufe)*
extra pay	die Zulage, der Lohnzuschlag *(Teil des vertraglich vereinbarten Arbeitsentgelts für schwere oder schmutzige Arbeiten oder mit Rücksicht auf die sozialen Verhältnisse des Arbeitnehmers)*
allowance for children	die Kinderzulage
cost-of-living allowance	die Teuerungszulage
seniority pay	die Dienstalterszulage
efficiency bonus	die Leistungszulage
incentive bonus	die Anreizprämie
dirty money *(BE)*	die Schmutzzulage
danger money, danger bonus	die Gefahrenzulage
overtime pay	der Überstundenlohn
payment of overtime	die Vergütung von Überstunden
night-work bonus	die Prämie für Nachtarbeit
profit-sharing	die Gewinnbeteiligung
commission	die Provision
special allowances	die Sonderzuwendungen
Christmas bonus	die Weihnachtsgratifikation
per diem allowance, subsistence allowance	das Tagesgeld
separation allowance	die Trennungsentschädigung
travelling expenses	die Reisekosten
paid leave	der bezahlte Urlaub
family allowances	die Familienbeihilfen
educational and training grant	Erziehungs- und Ausbildungsbeihilfen
removal costs allowance	die Umsiedlungsbeihilfe

payment in kind	die Sachvergütung, die Naturalleistung(en), das Deputat
fringe benefits, voluntary social contributions	die freiwilligen Sozialleistungen *(der Betriebe)*

6. Pensions — 6. Ruhegeld und Renten

pension	die Rente, die Pension (Beamte), das Ruhegeld
pensioner	der Rentenempfänger, der Pensionär, der Rentner
right to pension, pension claim	der Ruhegeldanspruch, der Anspruch auf Rente
the right to draw ... (*e. g.* a pension)	das Bezugsrecht
pension scheme, superannuation scheme	die Ruhegeldordnung
pension fund, superannuation fund	die Pensionskasse
pension fund of a professional association	die Berufskasse
cooperative mutual pension fund	die Genossenschaftskasse auf Gegenseitigkeit
promise of a pension	die Ruhegeldzusage
company superannuation scheme, company pension scheme	die betriebliche Altersversorgung
to retire	in den Ruhestand treten (*oder:* versetzen)
to be retired	in den Ruhestand versetzt werden, pensioniert werden
superannuation	die Pensionierung, die Versetzung in den Ruhestand
full superannuation	die Vollversorgung (mittels einer Rente)
retirement pension expectancy	die Anwartschaft auf Ruhegeld
disability pension	die Invalidenrente
premature disability	die vorzeitige Invalidität, die Erwerbsunfähigkeit
old-age pension	die Altersversorgung
dependents' pension	die Rente für Familienangehörige

survivor's pension	die Hinterbliebenenrente
widower's pension	die Witwerrente
widow's pension	die Witwenrente
orphan's pension	die Waisenrente
pension payments	die Rentenzahlung
pension-paying institution	der Versorgungsträger, der Rententräger
non-recurring capital payment	die einmalige Auszahlung des Rentenbetrages
lump-sum settlement	die Abfindung, die pauschale Abfindung
pension increment	der Rentensteigerungsbetrag
maximum pension	die Endrente
benevolent fund	die Unterstützungskasse
emergency relief	die Notstandsbeihilfe
age limit	die Altersgrenze
pensionable income	das ruhegeldfähige Einkommen

7. Vocational Training / 7. Die Berufsausbildung

In Germany the traditional training system with apprentices, journeymen and master craftsmen, and examinations for the various levels, is still preserved and organized by the gilds. (*Cf.* Crafts and Trades). This system is almost extinct in Great Britain and the USA.

In Deutschland ist das traditionelle Ausbildungssystem mit Lehrlingen, Gesellen und Meistern, sowie Prüfungen für die verschiedenen Stufen beibehalten worden, und wird von den Innungen organisiert. (*Vgl.* Handwerk und Gewerbe.) In Großbritannien und in den USA ist dieses System fast nicht mehr zu finden.

vocational guidance	die Berufsberatung
training	die Ausbildung, das Ausbilden
vocational training, vocational education, trade training, industrial training, professional training	die Berufsausbildung
basic training	die Grundausbildung
advanced training	die Weiterbildung, die Fortbildung
special training, specialized training	die Sonderausbildung, die Spezialausbildung, die Fachausbildung

specialist training	die Spezialistenausbildung
technical training	die technische Ausbildung
management training, executive training	die Ausbildung von Führungskräften
day-release training	ein Ausbildungsverfahren, nach dem Beschäftigte wiederholt (meist in regelmäßigen Abständen) zwecks Teilnahme an Lehrgängen von der Arbeit „befreit“ werden
to release	freigeben, von der Arbeit(sstelle) beurlauben
to train	ausbilden, anlernen, schulen
trainee	der Schüler *(das Wort* „trainee“ *kann für fast jeden Teilnehmer an einem Lehrgang verwendet werden sowie für jeden, der seine Ausbildung noch nicht abgeschlossen hat)*
retraining	die Umschulung, das Umlernen
to retrain	umschulen, (jemanden) für einen neuen Beruf ausbilden
course (of instruction)	der Kurs, der Lehrgang
training course	der Ausbildungslehrgang
advanced training course	der Aufbaukurs, der Fortbildungskurs
“sandwich course”	der „Sandwich“-Lehrgang, der Zwischenlehrgang *(ein Fortbildungslehrgang, der zwischen zwei Perioden praktischer Ausbildung eingeschaltet wird)*
“pick-up” method	das „Selbstausbildungsverfahren“, die Methode der selbständigen Einarbeitung *(ohne Anleitung durch einen Lehrmeister; der Arbeiter muß sich die nötigen Kenntnisse durch Beobachtung erfahrener Kollegen aneignen)*
instruction	der Unterricht, die Unterweisung, die Anleitung, die Anweisung, das Lehren
instructional	Unterrichts..., Ausbildungs..., Lehr...

instructor	der Ausbilder, der Lehrer, der Lehrmeister *(schlechthin jeder, der Kenntnisse irgendwelcher Art vermittelt)*
technical instructor	der Fachlehrer, der Gewerbelehrer (*vgl.* „instructor")
to instruct	ausbilden, unterrichten, unterweisen, Anweisungen geben (*oder:* erteilen)
master (of an apprentice)	der Lehrherr, der Lehrmeister
master (school)	der Lehrer
adult education	die Fortbildung für Erwachsene, die Erwachsenen-Fortbildung
continuative education	die Fortbildung, das Fortbildungswesen
continuation school	die Fortbildungsschule
polytechnic, polytechnical institute, technical school, technical institute	das Polytechnikum, die Gewerbeschule, die technische Fachschule
trade school	die Handwerkerschule, die Berufsfachschule
commercial school	die Handelsschule
evening school, night school, evening institute	die Abendschule
vestibule school, shop-training department	die Lehrwerkstätte
apprentice (male)	der Lehrling
apprentice (female)	das Lehrmädchen
commercial apprentice	der kaufmännische Lehrling
office apprentice	der Bürolehrling
student apprentice, student trainee	der Volontär, der Praktikant
apprenticeship	die Lehre, das Lehrverhältnis, die Lehrstelle
period of apprenticeship	die Lehrzeit
indenture, apprenticeship contract, contract of apprenticeship	der Lehrvertrag
compulsory apprenticeship	die Zwangslehre, die obligatorische Lehre
apprenticeship certificate	der Lehrbrief, das Lehrabschlußzeugnis
apprenticeship pay, apprentice's pay	die Lehrlingsvergütung
learner, improver	der Anlernling

learnership	das Anlernverhältnis
upgrading, promotion	die Beförderung
to upgrade (*e. g.* learners)	befördern, höher einstufen (*z. B.* Anlernlinge)
to be upgraded	befördert (höher eingestuft) werden
aptitude	die Eignung
aptitude test	die Eignungsprüfung
special aptitude	der Eignungsschwerpunkt, die besondere Eignung

8. Labour Law — 8. Das Arbeitsrecht

labour law	das Arbeitsrecht
pertaining to labour law	arbeitsrechtlich
labour regulations	die arbeitsrechtlichen Bestimmungen
labour legislation	die arbeitsrechtliche Gesetzgebung, die Arbeitsgesetzgebung
labour court	das Arbeitsgericht
Federal Industrial Relations Court	das Bundesarbeitsgericht
legislation for the protection of labour	die Arbeitsschutzgesetzgebung
act to protect employees against arbitrary dismissal	das Kündigungsschutzgesetz
act to protect pregnant employees and nursing mothers against arbitrary dismissal	das Mutterschutzgesetz
mediation	die Schlichtung
arbitration	die Schiedsgerichtsbarkeit, die Arbitrage
arbitration award	das Schiedsurteil
trade supervisory authority *(Germany)*	die Gewerbeaufsicht
freedom of movement	die Freizügigkeit der Arbeiter
Works Councils Act *(this Act provides for co-determination rights for employees) (Germany)*	das Betriebsverfassungsgesetz
co-determination, worker participation	die Mitbestimmung
right of co-determination	das Mitbestimmungsrecht
employees' (*or:* works) council	der Betriebsrat
personnel representatives	die Belegschaftsvertreter

9. Social Aspects of Labour	9. Soziale Gesichtspunkte der Arbeit
social order	die Sozialordnung
social justice	die soziale Gerechtigkeit
social policy	die Sozialpolitik
social legislation	die sozialpolitische Gesetzgebung
social reform	die Sozialreform
common weal	das Allgemeinwohl
welfare state	der Wohlfahrtsstaat
public welfare (system)	die öffentliche Fürsorge
public social aid (scheme)	das Hilfswerk, das Sozialwerk
social welfare	die Sozialfürsorge
protection of the family	der Schutz der Familie
welfare service for needy mothers *(German institution which provides holiday homes, etc.)*	das Mütterhilfswerk
juvenile welfare service	die Jugendhilfe
old-age welfare service	die Altersfürsorge
war victims welfare service	die Kriegsopferversorgung
disabled serviceman, disabled (war) veteran *(US)*	der Kriegsversehrte
reincorporation of disabled servicemen into the economic process (into economic life)	die Wiedereingliederung der Versehrten in das Wirtschaftsleben
rehabilitation and treatment of severely disabled servicemen	die Heil- und Krankenbehandlung von Schwerbeschädigten
right (claim) to welfare benefits	der Fürsorgeanspruch
vacation colony	die Ferienkolonie
old people's home	das Altersheim
poor house	das Armenhaus
casual ward	das Obdachlosenheim
orphanage	das Waisenhaus
institute for the blind	das Blindenheim, die Blindenanstalt
institute for the deaf and dumb	die Taubstummenanstalt
prohibition of child labour	das Verbot der Kinderarbeit
fit for work, capable of work, able to work	erwerbsfähig, arbeitsfähig

capacity for work, ability to work, fitness for work	die Erwerbsfähigkeit
temporary interruption of ability to work due to:	zeitweise Unterbrechung der Erwerbsfähigkeit durch:
(a) sickness, illness	a) Krankheit
(b) accident	b) Unfall
(c) pregnancy and motherhood	c) Schwangerschaft und Mutterschaft
unfit for work, incapacitated for work	arbeitsunfähig
incapacitation for work	die Arbeitsunfähigkeit
disabled person	der Versehrte
invalid	der Invalide
invalidity, disablement, disability	die Invalidität
complete disablement, total disability	die Vollinvalidität
partial disability	die Teilinvalidität
permanent disability	die Dauerinvalidität
occupational disease	die Berufskrankheit
accident at work, accident on the job	der Arbeitsunfall
prevention of accidents at work	die Verhütung von Arbeitsunfällen
industrial medicine	die Arbeitsmedizin
industrial hygiene	die Arbeitshygiene
unhealthy work, unhygienic work	gesundheitsschädliche Arbeit
dangerous work	gefährliche Arbeit
occupational hazards	die Berufsgefahren

10. Industrial Relations — 10. Die Beziehungen zwischen den Sozialpartnern

(a) *General Terms* — a) *Allgemeines*

industrial relations, labour relations	die Beziehungen zwischen den Sozialpartnern
freedom of association, freedom of coalition	die Koalitionsfreiheit
right of association	das Koalitionsrecht
labour *(collective designation for all workers)*	die Arbeitnehmer
labour movement	die Arbeiterbewegung
labour struggle	der Arbeitskampf

exploitation of workers	die Ausbeutung der Arbeiter
organized labour	die organisierten Arbeitnehmer
management	die Geschäftsführung, die Geschäftsleitung, *(als Sammelbegriff:)* die Arbeitgeber
the parties engaged in labour negotiations, management and labour, the parties to wage agreements, both sides of industry *(there is no English equivalent of the German* "Sozialpartner," *which is a collective designation for employers, employees and the organizations of both)*	die Sozialpartner
employer	der Arbeitgeber
employers' association	der Arbeitgeberverband, die Arbeitgebervereinigung, der Unternehmerverband
employee	der Arbeitnehmer
employees' association	der Arbeitnehmerverband
professional association	der Berufsverband, die Berufsvereinigung
works council (*compulsory in Germany, see* Labour Law)	der Betriebsrat (*siehe* Arbeitsrecht)
joint production committee	der gemeinsame Produktionsausschuß, der gemeinsame Betriebsausschuß
joint committee of management and employees, joint labour-management committee	der gemeinsame Betriebsausschuß
collective bargaining, collective negotiation	die kollektiven Verhandlungen, die Verhandlungen zwischen den Sozialpartnern, die Tarifverhandlungen
collective agreement, wage agreement, wage contract	der Tarifvertrag, das kollektive Übereinkommen
wage dispute, wage controversy, wage conflict	der Lohnstreit, der Lohnkonflikt
industrial dispute (*or:* conflict), labour dispute	die Arbeitsstreitigkeit

wage settlement	der Tarifabschluß
adjustment of wage rates	die Anpassung der Lohnsätze
grievance	die Beschwerde
grievance committee	der Schlichtungsausschuß
grievance procedure	das Schlichtungsverfahren (bei Arbeitsstreitigkeiten)
to air a grievance	sich beschweren, eine Beschwerde anbringen (*oder:* vorbringen)
conciliation committee	der Vermittlungsausschuß, der Schlichtungsausschuß
conciliator	der Vermittler
mediation	die Vermittlung
mediator	der Vermittler
mediation board, mediation committee	der Vermittlungsausschuß, das Vermittlungsgremium
attempt at mediation	der Vermittlungsversuch
National Industrial Relations Court	das britische Arbeitsgericht
Federal Court of Arbitration in Labour matters	das Bundesarbeitsgericht *(BRD)*
consultation	die Beratung
inter-union consultations	die Gewerkschaftsberatungen
to consult (s. b.)	konsultieren, zu Rate ziehen, um Rat fragen, sich (mit jemandem) beraten
coordination	die Koordination, die Koordinierung
to coordinate	koordinieren
coordinating influence	der koordinierende Einfluß
trade (labour) union act	das Gewerkschaftsgesetz
union, trade union, labour union	die Gewerkschaft
craft union, occupational union	die Berufsgewerkschaft
industrial union	die Industriegewerkschaft
union *(adj.)*	Gewerkschafts..., gewerkschaftlich
unionism, union movement	die Gewerkschaftsbewegung
union policy	die Gewerkschaftspolitik
union rights	die Gewerkschaftsrechte
unionist	der Gewerkschaftler
union member	das Gewerkschaftsmitglied
union leaders	die Gewerkschaftsführer
union officials	die Gewerkschaftsfunktionäre
union representatives	die Gewerkschaftsvertreter

the union side argued that ...	die Gewerkschaftsvertreter argumentierten, daß ...
union contribution	der Gewerkschaftsbeitrag
political union group	die politische Gewerkschaftsgruppe
brotherhood *(US)*	die Gewerkschaft *(meist kleinere Berufsgruppen)*
local *(US)*, branch	regionale Zweigstelle einer Gewerkschaft
top (labour) union organizations	die gewerkschaftlichen Spitzenorganisationen
federation of trade (labour) unions	der Gewerkschaftsbund
open shop	der „gewerkschaftsfreie" Betrieb
closed shop	eine Art „gewerkschaftsgebundener" Betrieb, der nur Gewerkschaftsmitglieder einstellen darf
union shop	eine Art „gewerkschaftsgebundener" Betrieb, der Nichtmitglieder einstellen kann, falls sie binnen einer festgesetzten Frist einer Gewerkschaft beitreten
shop steward	der Arbeitnehmervertreter *(meist von den Gewerkschaftsmitgliedern gewählt)*

(b) *National Organizations* — b) *Die Landesorganisationen*

The numerous individual unions of the various countries are not listed here, as their designations should not, as a rule, be translated.

Die zahlreichen einzelnen Gewerkschaften der verschiedenen Länder sind hier nicht aufgeführt, da ihre Bezeichnungen in der Regel nicht übersetzt werden sollten.

Department of Employment *(GB)*, Department of Labor *(US)*, ministry of labour	das Arbeitsministerium
National Labor Relations Board	die höchste (staatliche) Instanz in den USA für Arbeitsstreitigkeiten
AFL/CIO formed in 1955 by the merger of the two parallel organizations: American Federation of Labor (AF of L., AFL)	der Spitzenverband der amerikanischen Gewerkschaften *(1955 durch Fusion der beiden nebenstehend genannten Organisationen gegründet)*

Congress of Industrial Organizations (CIO)	
Confederation of British Industry *(CBI)*	der Spitzenverband der britischen Unternehmerverbände
Trades Union Congress (T.U.C.) *(central organization of the British trade unions)*	der „Gewerkschaftskongreß" *(Spitzenverband der britischen Gewerkschaften)*
trade council *(GB) (local union federation)*	der „Gewerkschaftsrat" *(örtlicher Gewerkschaftsbund)*
Trade Councils Conference *(GB)*	die Konferenz der „Gewerkschaftsräte"
Trade Councils' Advisory Committee (of the T.U.C.)	der Beirat (des T.U.C.) für das Gewerkschaftsratwesen
DGB, German Federation of Trade Unions *(In the German Federal Republic unions are no longer organized on an occupational basis, but on the principle of industrial associations.)*	Deutscher Gewerkschaftsbund *(In der Bundesrepublik sind die Gewerkschaften nicht mehr nach Berufen, sondern nach dem Prinzip der Industrieverbände aufgegliedert.)*
FDGB (Free Federation of German Trade Unions) *(GDR)*	Freier Deutscher Gewerkschaftsbund *(DDR)*
German Labour Front (1933—1945)	Deutsche Arbeitsfront (1933—1945)
DAG (German Union of Salaried Workers)	Deutsche Angestellten-Gewerkschaft
IG (Industrial Union), *e. g.* Industrial Metal Workers Union	Industriegewerkschaft, *z. B.* IG Metall
Confederation of German Employers' Associations	Bundesvereinigung der Deutschen Arbeitgeberverbände
BDI (Federation of German Industries) *(Not strictly an employers' association, but an important federation of entrepreneurs due to the position of its members.)*	Bundesverband der Deutschen Industrie *(eigentlich kein Arbeitgeberverband, durch die Stellung seiner Mitglieder jedoch wichtiger Zusammenschluß der Unternehmer)*

(c) *International Organizations* — c) *Internationale Organisationen*

International Labour Organization (ILO)	Internationale Arbeitsorganisation (IAO)
International Labour Office (permanent secretariat of ILO)	Internationales Arbeitsamt (IAA) (Ständiges Sekretariat der IAO)

International Organization of Employers (IOE)	Internationale Arbeitgeberorganisation
International Confederation of Free Trade Unions (I.C.F.T.U.) (socialist)	Internationaler Bund Freier Gewerkschaften (sozialistisch)
International Federation of Christian Trade Unions	Internationaler Bund Christlicher Gewerkschaften
World Federation of Trade Unions (W.F.T.U.) *(Communist-dominated)*	der Weltgewerkschaftsbund *(unter kommunistischer Beherrschung)*
Catholic Union of Working Youth	Katholische Arbeiterjugend (KAJ)

(d) *Strikes and Lockouts* — d) *Streik und Aussperrung*

stoppage	die Arbeitsunterbrechung *(auch der Deckbegriff für die Arbeitseinstellung, Streiks und Aussperrungen)*
strike	der Streik
organized strike	der organisierte Streik
protest strike	der Proteststreik
sympathetic strike	der Sympathiestreik, der Solidaritätsstreik
general strike	der Generalstreik
official strike	der offizielle Streik
wildcat strike	der wilde Streik
spontaneous strike	der spontane Streik
sit-down strike, stay-in strike	der Sitzstreik
stay-down strike *(mining)*	der Sitzstreik *(Bergbau)*
working to rule	der Dienst nach Vorschrift
go-slow strike, slowdown strike	der Bummelstreik
token strike	der Warnstreik
quickie strike	der Kurzstreik
political strike	der politische Streik
hunger strike	der Hungerstreik
the right to strike	das Recht auf Streik, das Recht zum Streiken, das Streikrecht
strike law	das Streikrecht
anti-strike legislation	die Antistreikgesetzgebung
strike campaign	die Streikaktion

strike movement	die Streikbewegung
strike threat	die Streikdrohung, die Streikandrohung
striker	der Streikende
to strike	streiken
strike leader	der Anführer
ringleader	der Rädelsführer
strike notice	die Streikankündigung *(an den Arbeitgeber)*
strike aims	das Streikziel, das Kampfziel
to call a strike	den Streik ausrufen
to go on strike, to come out on strike	in den Streik treten
to bring on a strike, to trigger a strike, to launch a strike	einen Streik vom Zaune brechen
picket	der Streikposten
strike-breaker, scab, blackleg, knobstick	der Streikbrecher
strike funds	die Streikkasse, der Streikfonds
strike pay, strike benefits	das Streikgeld, die Streikunterstützung
watchword, slogan	die Parole, das Losungswort
strike ballot, strike vote	die Streik-Urabstimmung
to stop work, to down tools	die Arbeit niederlegen
to resume work	die Arbeit wieder aufnehmen
resumption of work	die Wiederaufnahme der Arbeit
lockout	die Aussperrung
sympathetic lockout	die Sympathieaussperrung

B. Translation Exercises

B. Übersetzungsübungen

1. English–German

1. Englisch–Deutsch

1. Three years ago, the free movement of labour was the main bogy of the British unions as they faced the Common Market. 2. Today, boom is soaking up the continent's reserves of labour so fast that the fear is becoming groundless. 3. Despite the continuing influx of workers from the east, and a vigorous recruiting drive in other countries by German firms, the labour market is now so tight that the Bonn government told employed workers that they need pay

no contributions into the national unemployment insurance for six months; the fund is overflowing with cash. 4. Under proposals for the transition period adopted by the Council of Ministers of the European Economic Community, workers will not be able to move from one country to another without a clear offer of a job; once there, they will not be able to switch jobs for at least one year, or change trade or profession for at least three. 5. Migrant workers will have, permanently, the same legal right vis-a-vis employers as the citizens of their adopted countries and must be paid union rates. 6. It is an essential feature of the Common Market that free movement be brought about only in consultation with the unions through collaboration between official employment exchanges. 7. When drafting the Rome Treaty, its creators included various provisions for a rehabilitation fund to retrain workers displaced by free trade, and an economic and social council giving employers and employed a chance to comment on the shaping of policy. 8. The French forced their partners to accept upward "harmonization" of some labour costs, especially equal pay for women, the 40-hour-week and paid holidays. 9. For some years real wages on the Continent have been rising a good deal faster than in Britain. 10. The German industrial employer now pays more for labour (in wages and social contributions combined) than the average British industrial employer does. 11. If European unions get together with the same zest as employers are showing, their bargaining power in a European market could well be strong. 12. Joint six-nation union organizations exist in coal and steel, and British union leaders could be well placed to take a leading role in similar joint organizations in other trades. 13. The President sent to Congress a proposal to train or re-train older workers who cannot find jobs because they are unskilled or have skills which are no longer needed in today's fast-changing labour market. 14. There were signs, chiefly in the continued lengthening of the work-week, that industrial recovery is about to make inroads on the number of unemployed. This fell, though only in tune with seasonal expectations. 15. Obviously it would be better—for the jobless, for the government and for the economy—to spend money on training such people for productive work than on unemployment assistance. 16. The public interest is certainly affected by the costly and time-consuming strikes which have become endemic at missile and space bases and some members of Congress have favoured legislation to outlaw these. 17. Mr. Goldberg has extracted no-strike and no-lockout pledges from both sides. 18. To settle disputes at an early stage, labour relations committees are to be established; when such mediation fails, the issues can be referred to the new Missile Sites Labour Commission. 19. Labour law is a convenient term to include all those rules of law governing the conditions under which persons may work under the control of other persons, their employers. 20. Working conditions are determined not only by direct negotiation between employers and employed, but also by negotiations between their respective representative organizations and also, in most modern countries, by statutory regulations. 21. All union members are required to pay regular contributions to finance the activities of the unions and create a reserve from which strike benefits can be paid.

2. Deutsch–Englisch 2. German–English

1. Den Kampf um den Lehrling beobachten wir heute auf zwei Gebieten: auf dem Arbeitsmarkt und in der rechtlichen Ordnung seiner Berufsausbildung. 2. Der Deutsche Gewerkschaftsbund hat den Entwurf zu einem Berufsausbildungsgesetz vorgelegt, und zwar in der Erwartung, daß er das Interesse von Abgeordneten findet, durch deren Initiative er in den Bundestag gelangen und dort beraten werden wird. 3. Man hat berechnet, daß die Kosten des Arbeitsplatzwechsels einer mittleren Führungskraft bis 30000 DM betragen und bei höchstqualifizierten Kräften sogar bis auf 100000 DM ansteigen. 4. Mit einem Aufwand von 30000 DM kann für einen 45jährigen ein monatliches Ruhegeld vom 65. Lebensjahr an von rund 500 DM einschließlich Witwengeld finanziert werden, für einen 50jährigen ein monatliches Ruhegeld von rund 400 DM. 5. Mißt man den Wert der Versorgung, die ein Arbeitnehmer und seine Hinterbliebenen insgesamt später zu erwarten haben, an seinem letzten Bruttoarbeitseinkommen, so stellt man fest, daß viele der betrieblichen Führungskräfte schlechter versorgt sind als die große Masse der industriellen Arbeitnehmer. 6. Wenn es als Ziel bezeichnet wird, den Lebensstandard der Führungskräfte durch eine betriebliche Altersversorgung wenigstens einigermaßen aufrechtzuerhalten, so sind hiermit Renten in der Größenordnung von zwischen 40 und 60 Prozent der Festgehälter gemeint, die in der Praxis am häufigsten vorkommen. 7. Im Lohnkampf gibt es keine Objektivität, schon gar nicht, wenn Streik und Aussperrung drohen. Ihre Chance ist um so geringer, als es weder einen allgemeingültigen Maßstab für „den" gerechten Lohn noch für „den" richtigen Prozentsatz einer Lohnerhöhung gibt. 8. Die Gewerkschaft strebt unbeirrt dem Ziel nach, den Anteil ihrer Arbeitnehmer am Sozialprodukt zu erhöhen, und feiert den Einbruch in die Gewinne der Unternehmer als einen Erfolg. 9. Die meisten Mißverständnisse und Meinungsverschiedenheiten ergeben sich aus dem Doppelcharakter des Lohnes. Er ist ökonomischer und gesellschaftlicher Faktor zugleich. 10. Der

Appell an die Gewerkschaften, die Löhne im Interesse der Preisstabilität nur im Rahmen der gesamtwirtschaftlichen Produktivitätssteigerung heraufzusetzen, kann nichts fruchten, wenn diese zwei Aspekte des Lohnes nicht gesehen werden. 11. Die Bundesanstalt für Arbeitsvermittlung und Arbeitslosenversicherung hat dank der Vollbeschäftigung ihr Vermögen von Jahr zu Jahr vergrößern können. 12. Nach Überwindung der wirtschaftlichen Depression und nach Ankurbelung des Arbeitsmarktes mit allerlei Arbeitsbeschaffungsmaßnahmen ging die Arbeitslosigkeit ziemlich rasch auf ein normales Maß zurück, um dann sogar in den Arbeitskräftemangel, der Vollbeschäftigung von heute entsprechend, umzuschlagen. 13. Die freie Schlichtung bleibt eine wichtige Ergänzung der freien Tarifverhandlung. Dennoch sollte man sich von dem Glauben freimachen, daß die Schlichtung ein Allheilmittel sei und Zuspitzungen und Sackgassen ausschließe. 14. Die Führung der IG Metall hatte nur die 40-Stunden-Woche vor Augen und vergaß dabei die Vorrangigkeit des Lohns im Bewußtsein des einzelnen Arbeitnehmers. Jetzt stellt man plötzlich fest, daß die Lohnfrage in der Metallindustrie durch diese forcierte Arbeitszeitpolitik etwas in den Hintergrund gedrängt worden ist. Arbeitszeit und Urlaub müssen bezahlt werden, genauso wie der Lohn, nur mit dem Unterschied, daß der „Ausgleich“ nicht so attraktiv ist wie die reine Erhöhung. 15. Die Gewerkschaften können die Verhandlungen als gescheitert betrachten und von Schlichtungsvereinbarungen ungestört gegen einzelne Betriebe, gegen Gruppen von Betrieben oder gegen Tarifbezirke Kampfmaßnahmen einleiten. 16. Die Internationale Arbeitsorganisation, deren Gründung auf den Völkerbund zurückgeht, wurde im Jahre 1946 zu einer sogenannten Sonderorganisation der UNO. Ihr Verwaltungsorgan ist das Internationale Arbeitsamt. 17. Die Belegschaft dieses Werkes ist in den Streik getreten. Vor dem Eingang zum Werk wurden Streikposten aufgestellt. Die Streikbrecher wurden von den Streikenden wiederholt bedroht und vom Aufsuchen ihres Arbeitsplatzes abgehalten. Ein Schlichtungsausschuß bemüht sich gegenwärtig, die Streikenden zur Wiederaufnahme der Arbeit zu bewegen.

XXII. Statistics	XXII. Statistik
A. Terminology	**A. Terminologie**
1. General Terms	1. Allgemeines
subsidiary science	die Hilfswissenschaft
operational statistics, management statistics	die Betriebsstatistik
sociological (*or:* social) statistics	die Sozialstatistik
official statistics	die amtliche Statistik
statistical office	das statistische Amt
statistician	der Statistiker
population (*or:* demographic) statistics	die Bevölkerungsstatistik
transport (*or:* traffic) statistics	die Verkehrsstatistik
foreign trade statistics	die Außenhandelsstatistik
purchasing statistics	die Einkaufsstatistik
inventory statistics	die Lagerstatistik
sales statistics	die Umsatzstatistik
statistic	die statistische Maßzahl
optimum statistic	die beste statistische Maßzahl
inefficient statistic	die unwirksame statistische Maßzahl
Federal Statistical Office	das Statistische Bundesamt
Land Statistical Office	das Statistische Landesamt
municipal statistical office	das städtische statistische Amt
Statistical Yearbook of the Federal Republic of Germany	das Statistische Jahrbuch für die BR Deutschland
government department statistics	die Ressort-Statistik *(im Rahmen eines Ministeriums)*
coordinate system	das Koordinatensystem
x-axis, abscissa	die x-Achse, die Abszisse
y-axis, ordinate	die y-Achse, die Ordinate
2. Statistical Populations	2. Statistische Massen
universe, population, parent population	die statistische Masse, die Grundgesamtheit, die Ausgangsgesamtheit, das Kollektiv

finite population	die endliche Gesamtheit
infinite population	die unendliche Gesamtheit
fractional population, portion	die Teilgesamtheit
size, extent	der Umfang
mass phenomenon	die Massenerscheinung
unit, element	das Element, die Erscheinung
real population	die reale Masse
hypothetical population	die hypothetische Masse
characteristic	das Merkmal
attribute, qualitative characteristic	das qualitative Merkmal, das homograde Merkmal *(z. B. Geschlecht)*
variable, quantitative characteristic	das quantitative Merkmal, das heterograde Merkmal *(z. B. Alter)*, die Variable, die Veränderliche
continuous	stetig
discontinuous	unstetig
group, class	die Ausprägung
category, group, class	die Klasse, die Gruppe, die Kategorie
class interval	die Klassenbreite, das Klassenintervall
class mark, mid-value	die Klassenmitte
upper boundary, upper limit	die obere Grenze
lower boundary, lower limit	die untere Grenze
open-ended class	die einseitig offene Klasse
population of period data	die Bestandsmasse *(z. B. Bevölkerung)*
population of non-cumulative data	die Streckenmasse
population of point data, population of cumulative data	die Ereignismasse, die Punktmasse *(z. B. Sterbefälle)*
homogeneous population	die homogene, einheitliche Gesamtheit

3. Surveys and Data Processing / 3. Erhebung und Aufbereitung

collection of original statistical material	die Gewinnung des statistischen Urmaterials
collection of data for specific statistical purposes	die primärstatistische Erhebung
utilization of existing statistical data	die sekundärstatistische Erhebung
to cover, to reach, to gather, to collect	erfassen

questionnaire, schedule	der Fragebogen, der Erhebungsbogen, die schriftliche Befragung
explanatory note	die Erläuterung
interview	die persönliche Befragung, das Interview
interviewer	der Interviewer
respondent	der (*oder:* die) Befragte
observation	die Beobachtung
experiment	das Experiment
representative cross-section	der repräsentative Querschnitt
table	die Tabelle
programme of tabulations, table program(me)	das Tabellenprogramm
observer	der Ermittler, der Interviewer
census, inquiry, survey	die Erhebung
exploratory survey	die Vorerhebung
partial survey (*or:* census), incomplete census	die Teilerhebung
(complete) census	die Vollerhebung
data processing	die Datenverarbeitung
to process data	Datenverarbeiten
probability control (*or:* check)	die Wahrscheinlichkeitsprüfung
manual processing	die manuelle Aufbereitung
machine tabulation, mechanical processing	die maschinelle Aufbereitung
coding	die Verschlüsselung, das Signieren
decoding	die Entschlüsselung
detailed breakdown	die Aufschlüsselung
last column	die Schlußspalte
last line	die Schlußzeile
tallysheet method	das Strichelverfahren
handsorting method	das Legeverfahren
punch(ed-)card method	das Lochkartenverfahren
counting, sorting	die Auszählung
life table	die Sterbetafel
condensation of data	die Straffung des Urmaterials *(z. B. die Anfertigung einer Häufigkeitstabelle)*
data	das Beobachtungsmaterial

coverage	der erfaßte Bereich, der überdeckte Bereich, die Erfassung
non-response	die Nichtbeantwortung
population census	die Volkszählung
traffic count (*or:* census)	die Verkehrszählung
enumeration	das Zählen, die Zählung
curve	die Kurve
jump in a curve	der Bruch in einer Kurve
chart, graph	das Schaubild, die grafische Darstellung

4. Frequency Distribution — 4. Häufigkeitsverteilung

cumulative frequency distribution	die kumulative Häufigkeitsverteilung, die Summenhäufigkeitsverteilung
cumulative sum distribution	die Summenverteilung
table of totals, cumulative table	die Summentabelle
summation curve	die Summenkurve
cumulative value	der kumulierte Wert
compound frequency distribution	die überlagerte Häufigkeitsverteilung, die zusammengesetzte Häufigkeitsverteilung
relative frequency	die relative Häufigkeit
frequency table	die Häufigkeitstabelle
frequency curve	die Häufigkeitskurve
quantile	das Quantil, die Häufigkeitsstufe
frequency-moment	das Häufigkeitsmoment
block diagram, histogram, bar chart	das Histogramm, die Säulendarstellung, das Säulendiagramm, das Stabdiagramm
measure of frequency	das Häufigkeitsmaß *(z. B. Säulenhöhe bei einer Säulendarstellung)*
occupancy problems	die Besetzungsprobleme
cell frequency	die Besetzungszahl eines Tabellenfeldes
beta distribution	die Beta-Verteilung
concentration curve, Lorenz curve	die Konzentrationskurve, die Lorenz-Kurve

5. Mean Values	5. Mittelwerte
mean, average	das Mittel, der Mittelwert
arithmetic mean	das arithmetische Mittel, der Durchschnitt(swert)
weighted average	das gewogene (*oder:* gewichtete) Mittel
median	der Zentralwert, der Medianwert
mode	der dichteste Wert, der häufigste Wert
antimode	der seltenste Wert
geometric mean	das geometrische Mittel
harmonic mean	das harmonische Mittel
unharmonic mean	das antiharmonische Mittel
quadratic mean	das quadratische Mittel
progressive mean	das fortschreitende Mittel
moving average	das gleitende Mittel
assumed mean	das provisorische Mittel
extreme mean	der größte oder kleinste Mittelwert
mean deviation	die lineare Streuung, die durchschnittliche Abweichung
variance	die quadratische Streuung, die Varianz, das Streuungsquadrat
standard deviation	die mittlere quadratische Abweichung, die Standardabweichung
percentage standard deviation	die prozentuale mittlere Abweichung
deviate	die normierte (Zufalls-)Abweichung
scatter coefficient	der Streuungskoeffizient
intra-class variance	die Varianz innerhalb der Klasse
within-group variance	die Varianz innerhalb der Gruppe
interclass variance	die Varianz zwischen den Klassen
between-groups variance	die Varianz zwischen den Gruppen
to weight	gewichten
weight	das Gewicht
loading, weighting	die Gewichtung
weighting coefficient	der Gewichtsfaktor, der Gewichtskoeffizient
dispersion, variation, variance	die Streuung *(umfassender Ausdruck, wird in verschiedenem Sinne gebraucht)*, das Streuungsmaß, die Dispersion

quartile	das Quartil
quartile deviation	der halbe Quartilsabstand
quartile measure of skewness	das Quartilschiefemaß
Pearson measure of skewness	das Pearsonsche Schiefemaß
range	die Spannweite, die Variationsbreite
mean range	die mittlere Spannweite
semi-range	die halbe Spannweite
coefficient of variation	der Variationskoeffizient
nuisance parameter	der lästige Parameter

6. Indices | 6. Indices

Laspeyres(') index	der Laspeyres'sche Index
Paasche index	der Paaschesche Index
Lowe index	der Lowesche Index
chain index	der verkettete Index
composite index number	der zusammengesetzte Index
index number	die Indexzahl, die Indexziffer, der Index
base period	der Basiszeitraum, die Basiszeit
base year, basic year	das Basisjahr
given period, period under review	der Berichtszeitraum
date of report, key-date	die Berichtszeit, der Berichtszeitpunkt
year under review	das Berichtsjahr
price index	der Preisindex
quantitative index, quantum index	der Mengenindex
sales index	der Umsatzindex
production index	der Produktionsindex
cost-of-living index, consumer price index	der Lebenshaltungsindex
typical average family	die Indexfamilie
shopping basket, shopping bag	der Warenkorb
average quantity	die Durchschnittsmenge
consumed quantity	die Verbrauchsmenge
retail price index	der Einzelhandelsindex
wholesale price index	der Großhandelsindex
share (price) index	der Aktienindex

terms of trade	das reale Austauschverhältnis, die Terms of Trade, die Austauschrelationen im Außenhandel
ratio	das Verhältnis (die Verhältniszahl)
quantity relative	die Mengenmeßziffer

7. Time-Series	7. Zeitreihen
analysis, decomposition	die Analyse, das Zerlegen
linear trend	der lineare Trend
curvilinear trend, non-linear trend	der nichtlineare Trend
trend fitting	die Kurvenanpassung für den Trend
trend component	die evolutionäre Komponente
oscillation component	die oszillatorische Komponente
cyclical movement	die Konjunkturschwankung
seasonal variation	die Saisonschwankung
seasonally adjusted	saisonbereinigt
original values	die Ursprungswerte
non-recurring and random component	der einmalige und zufällige Einfluß
chance factor	das Zufallsmoment
trend determination	die Trendermittlung
trend elimination	die Eliminierung des Trends, die Ausschaltung des Trends
moving-average method	die Methode der gleitenden Mittelwerte
least-squares method	die Methode der kleinsten Quadrate
year-to-year growth ratio	die jährliche Zuwachsrate

8. Sampling	8. Stichprobenverfaheen
inductive statistics	die induktive Statistik
sample	die Stichprobe
sample size	der Stichprobenumfang
balanced sample	die angepaßte (ausgewogene) Stichprobe

purposive sample	die bewußt gewählte Stichprobe, das bewußt gewählte Auswahlverfahren
biased sample	die einseitig betonte Stichprobe, die verzerrte Stichprobe
unbiased sample	die unverzerrte Stichprobe
chunk sampling	die Gelegenheitsstichprobe, die Raffprobe
probability sample	die Wahrscheinlichkeitsstichprobe
random sample	die Zufallsstichprobe
random selection	die Zufallsauswahl
non-random selection	die nicht zufällige Stichprobe
representative selection (*or:* sample)	die repräsentative Stichprobe
judgment sample	die subjektiv ausgewählte Stichprobe
systematic sample	die systematische Stichprobe
defective sample	die unvollständige Stichprobe
quota sample	die Quotenstichprobe
sub-sample	die Unterstichprobe
simple sample	die ungeschichtete Stichprobe
simple sampling	das einfache Stichprobenverfahren
stratified sampling	das geschichtete Stichprobenverfahren, der Schichtungseffekt
cluster sampling, nested sampling	das Klumpenstichprobenverfahren
area sampling	das Flächenstichprobenverfahren
sampling unit	die Auswahleinheit *(z. B. Schulklasse)*, die Untersuchungseinheit *(z. B. der einzelne Schüler)*
unitary sampling	das einstufige Stichprobenverfahren
two-stage sample	die zweistufige Stichprobe
multi-stage sampling	das mehrstufige Stichprobenverfahren
first-stage unit, primary unit	die Einheit der ersten Auswahlstufe
second-stage unit, secondary unit	die Einheit der zweiten Auswahlstufe
sampling distribution	die Stichprobenverteilung
sample unit	die Stichprobeneinheit
sample survey	die Stichprobenerhebung
bulk sampling	die Stichprobenentnahme aus der Masse
chunk sampling	die planlose Stichprobe
sampling with replacement	die Stichprobe mit Zurücklegen

sampling without replacement	die Stichprobe ohne Zurücklegen
sample design	der Stichprobenplan
random number table	die Zufallszahlentafel
random selection	die Zufallsauswahl
systematic selection	die systematische Auswahl
periodic selection	die periodische Auswahl
terminal figure method	das Schlußziffer-Verfahren
sampling fraction, sampling ratio	der Auswahlsatz *(z. B. 13% von N)*
sampling interval	der Auswahlabstand
selection with equal probability	die Auswahl mit gleichen Wahrscheinlichkeiten
to take a sample from, to draw a sample from	eine Stichprobe ziehen aus *(z. B. einer Urne)*
taking of a sample, drawing of a sample	die Entnahme einer Stichprobe
sampling error	der Stichprobenfehler
non-sampling error	der stichprobenfremde Fehler
systematic error	der nicht zufällige Fehler, der systematische Fehler
error band, margin of error	der Fehlerbereich
allowable defects	die fehlerhaften Stücke; die zugelassene Zahl fehlerhafter Stücke
standard error, mean-square error	der mittlere Fehler
computation of errors	die Fehlerberechnung
probable error	der wahrscheinliche Fehler
random (sampling) error	der Zufallsfehler
ascertainment error	der Beobachtungsfehler
degree of randomness	der Zufälligkeitsgrad
random order	die Zufallsanordnung
random event	das Zufallsereignis
random component	die Zufallskomponente
random distribution	die Zufallsverteilung
upward bias	die Verzerrung nach oben
downward bias	die Verzerrung nach unten
pure random process	der reine Zufallsprozeß
probability, likelihood	die Wahrscheinlichkeit
inverse probability	die Gegenwahrscheinlichkeit
normal distribution	die Normalverteilung
Gaussian distribution	die Gaußsche Verteilung

bell-shaped curve	die Glockenkurve
binomial distribution, Bernoulli distribution	die Binomialverteilung
probability surface	die Wahrscheinlichkeitsfläche
acception region	der Annahmebereich
rejection region	der Ablehnungsbereich
quality control	die statistische Qualitätskontrolle
acceptable quality level	das zulässige Qualitätsniveau, das tolerierte Qualitätsniveau
acceptance inspection	die Abnahmeprüfung
attribute inspection	die Abnahmeprüfung an Hand qualitativer Merkmale
variables inspection	die Abnahmeprüfung an Hand quantitativer Merkmale
Bienaymé-Tschebycheff inequality	die Bienaymé-Tschebycheffsche Ungleichung
chi-statistic	die Chi-Maßzahl
balanced differences	die ausgewogenen Differenzen
confidence belt, confidence interval, confidence region	der Vertrauensbereich
confidence limits	die Vertrauensgrenzen
range of inexactitude	der Unschärfebereich
unbiased estimator	die tendenzfreie Schätzungsfunktion
biased estimator	die verzerrende Schätzungsfunktion
strength of a test	die Strenge eines Tests
power of a test	die Trennschärfe eines Tests
most powerful test	der stärkste Test
tolerance limits	die Toleranzgrenzen
hypothesis	die Hypothese, die Annahme
null hypothesis	die Null-Hypothese
test of a hypothesis	die Prüfung einer Hypothese
sampling inspection	die Teilprüfung
plot	das Teilstück
justifiable	vertretbar
estimate	der Schätzwert
significant difference	der signifikante Unterschied, die Signifikanz
significance level	der Signifikanzgrad, die Signifikanzschwelle

probability calculus, calculus of probabilities	die Wahrscheinlichkeitsrechnung
theory of probabilities	die Wahrscheinlichkeitstheorie

9. Interdependence — 9. Zusammenhang

connection, interdependence, correlation, relationship	der Zusammenhang
linear correlation	die lineare Korrelation
curvilinear correlation	die nichtlineare Korrelation
direct correlation	die positive Korrelation
inverse correlation	die negative Korrelation
multiple correlation	die multiple Korrelation
skew correlation	die schiefe Korrelation
nonsense correlation	die sinnlose Korrelation
spurious correlation	die vorgetäuschte Korrelation
illusory correlation	die Scheinkorrelation
coefficient of correlation	der Korrelationskoeffizient (Maß für die Stärke des Zusammenhangs)
coefficient of multiple correlation	der multiple Korrelationskoeffizient
scatter diagram	das Korrelationsbild, Streubild
correlation table	die Korrelationstabelle
attenuation	die Korrelationsschwächung
correlation surface	die Korrelationsfläche
correlation diagram	das Korrelationsdiagramm
correlogram	das Korrelogramm
intimate (*or:* close) relationship	der enge (*oder:* stramme) Zusammenhang
coefficient of nondetermination	das Unbestimmtheitsmaß
Kendall's tau	der Rangkorrelationskoeffizient
causal connection	die kausale Bindung, der Kausalzusammenhang
index of connection	der Zusammenhangsindex
linear regression	die lineare Regression
multiple regression	die Mehrfach-Regression, die multiple Regression
regression surface	die Regressionsfläche
regression coefficient	der Regressionskoeffizient

regression curve	die Regressionskurve
(straight) regression line	die Regressionsgerade
predicted variable, regressor	der Regressor
regression formula	der Regressionsansatz
regression analysis	die Regressionsanalyse
coefficient of association	der Assoziationskoeffizient
coefficient of contingency	der Kontingenzkoeffizient
contingency table	die Kontingenztafel
mean-square contingency	die mittlere quadratische Kontingenz

B. Translation Exercises / B. Übersetzungsübungen

1. English–German / 1. Englisch–Deutsch

1. Statistical method is a technique used to collect, analyze and present numerical data. 2. A frequency curve is a graphical representation of a continuous frequency distribution, the variate being the abscissa and the frequency the ordinate. 3. To obtain the arithmetic mean of a group of items, all items are added together and the total is then divided by the number of items used. 4. As used in statistics, the term "median" signifies the value of the variate which divides the total frequency into two halves. 5. A time series analysis consists of description and measurement of changes or movements in a given series during a specific period of time. 6. From the overall index of productivity growth for a number of producing units it is possible to extract two Laspeyres' and two Paasche indices, and these can be regarded as the average of the productivity index numbers of the individual units. 7. It often appears desirable to test the means of two samples for the purpose of ascertaining whether any significant difference exists between them, or whether such difference is purely fortuitous. 8. The correlation technique serves to determine and measure the relationship, or rather the association, between two or more statistical series. 9. When a statistical hypothesis is rejected on the basis of a statistical test, although in fact it ought to be accepted, such rejection constitutes a type of error which is classified as an error of the first kind.

2. Deutsch–Englisch / 2. German–English

1. Die Statistik ist eine Hilfswissenschaft, die sich mit der Beobachtung und Analyse von Massenerscheinungen befaßt. 2. Das Statistische Bundesamt hat

mit Hilfe von Fragebögen Erhebungen in einer Reihe von Testbetrieben durchgeführt. 3. Die Aufbereitung des statistischen Urmaterials erfolgt entweder manuell (Legeverfahren, Strichelverfahren usw.) oder maschinell (Lochkartenverfahren usw.). 4. Das Histogramm und die Summenkurve veranschaulichen eine Häufigkeitsverteilung. 5. Das in einer Häufigkeits- oder Summentabelle zusammengefaßte Material kann durch die Berechnung der Mittelwerte (arithmetisches Mittel, Median etc.) und durch die Berechnung der Streuungsmaße (Spannweite, mittlerer Quartilsabstand, Varianz etc.) noch weiter gestrafft werden. 6. Der Lebenshaltungsindex sagt uns, wieviel die sogenannte „Indexfamilie" für die Füllung ihres „Warenkorbs" ausgeben muß. 7. Die Analyse von Zeitreihen dient dazu, die evolutionären (Trend), oszillatorischen (z. B. Konjunkturbewegung) und einmaligen und zufälligen (z. B. Krieg) Einflüsse voneinander zu trennen. 8. Im Zeitalter der industriellen Massenfertigung begnügt sich die Betriebsstatistik meist mit dem Stichprobenverfahren. Dabei spielt die Wahrscheinlichkeitstheorie und die Prüfung von Hypothesen naturgemäß eine große Rolle. 9. Die statistische Messung von Zusammenhängen erfolgt mit Hilfe der Korrelationsrechnung.

XXIII. Public Finance and Taxation / XXIII. Öffentliches Finanz- und Steuerwesen

A. Terminology / A. Terminologie

1. General Terms / 1. Allgemeines

finance	das Finanzwesen, die Finanzwissenschaft
functional finance (theory)	die funktionelle Finanzwirtschaft (-slehre)
fiscal theory	die Finanzwirtschaftslehre
public finance	das öffentliche Finanzwesen, die öffentliche (*oder:* staatliche) Finanzwirtschaft
national finance	die staatliche Finanzwirtschaft, das staatliche Finanzwesen
national finances	die Staatsfinanzen
financial, fiscal	finanziell, finanztechnisch, Finanz ..., finanzwirtschaftlich, finanzpolitisch, die Finanzen betreffend
fiscal law, financial law	das Finanzrecht
fiscal administration law	das Finanzverwaltungsrecht
financial legislation, fiscal legislation	die Finanzgesetzgebung
money bill	der Finanzgesetzentwurf
financial initiative (in the legislature)	die Initiative bei Finanzgesetzen (innerhalb der gesetzgebenden Körperschaft)
fiscal sovereignty, fiscal jurisdiction	die Finanzhoheit
financial (fiscal) policy	die Finanzpolitik, die Finanzwirtschaftspolitik
financial (fiscal) orientation	die fiskalische Orientierung
fiscal analysis	die finanztechnische Analyse
analysis of financial (*or:* fiscal) problems	die Analyse finanztechnischer (*oder:* finanzieller) Probleme
fiscal planning	die finanzwirtschaftliche Planung

financial reporting system	die finanzwirtschaftliche Berichterstattung
financial year, fiscal year	das Finanzjahr, das Geschäftsjahr
fiscal period	die Finanzperiode
fiscal machine	der Finanzapparat
financial system, fiscal system	das Finanzsystem
financial (fiscal) authorities	die Finanzbehörden
financial (fiscal) administration	die Finanzverwaltung, der Fiskus
Treasury *(GB)*, Treasury Department *(US)*, ministry of finance	das Schatzamt, das Finanzministerium
Exchequer *(GB)*	das Schatzamt, *(allgemein:)* die Staatskasse
First Lord of the Treasury *(GB)*	Nur dem Titel nach das höchste Amt des britischen Finanzministeriums. Eine Sinekure, die traditionsgemäß immer dem Premierminister zusteht. (*vgl.* Chancellor of the Exchequer)
Chancellor of the Exchequer *(GB)*	der (britische) Schatzkanzler *(formell der Rangzweite im* Treasury, *aber praktisch dessen geschäftsführendes Oberhaupt)*
Secretary of the Treasury *(US)*	der (amerikanische) Finanzminister
Parliamentary Secretary to the Treasury *(GB)*	der stellvertretende Schatzkanzler *(vertritt den Schatzkanzler im Unterhaus; seine Stellung entspricht etwa der eines deutschen Staatsministers)*
Federal Ministry of Finance	das Bundesfinanzministerium
minister of finance	der Finanzminister
finance minister	der Finanzminister
Office of Management and Budget (OMB) *(US)*	das amerikanische Budgetamt
budget committee	der Haushaltsausschuß
Federal Ministry of Finance *(Germany)*	das Bundesfinanzministerium
Federal Minister of Finance *(Germany)*	der Bundesfinanzminister
budget	das Budget, der Haushalt, der Haushaltsplan, der Etat

budget *(adj.)*, budgetary	Haushalts..., Budget..., etatmäßig
national budget	der Staatshaushalt(splan)
federal budget	der Bundeshaushalt
state budget	der Staatshaushalt (eines Einzelstaates der USA)
Land budget *(Germany)*	der Landeshaushalt
cantonal budget	der Kantonalhaushalt, das Budget des Kantons
municipal budget, city budget	der Gemeindehaushalt, der Stadthaushalt, das städtische Budget
overall budget	der Gesamthaushalt, das Gesamtbudget
supplementary budget	der Nachtragshaushalt
ordinary budget	der ordentliche Haushalt
extraordinary budget	der außerordentliche Haushalt
budget(ary) law	das Haushaltsrecht
budget act	das Haushaltsgesetz, das Budgetgesetz
budget(ary) practice(s)	die Budgetpraxis
budget(ary) questions (*or:* problems, matters)	die Haushaltsfragen
"above the line" *(an imaginary line is drawn through the Exchequer's accounts,* above-line expenditures *are met from normal revenue: see* "below the line")	„über der Linie" (zum ordentlichen Haushalt gehörend) *(Der britische Haushalt wird nicht mehr in "above-the-line" and "below-the-line" items gegliedert.)*
"below the line" *(c.f.* "above the line;" *below-line expenditures are covered by government borrowing)*	„unter der Linie" (zum außerordentlichen Haushalt gehörend)
budget speech, budget message *(US)*	die Budgetrede
budget proposal	der Haushaltsvorschlag
proposed budget	der vorgeschlagene Haushaltsplan
financial statement (of Chancellor of Exchequer to House of Commons) *(GB)*	der vorgeschlagene Haushaltsplan
to draft (to draw up, to make) the (a) budget	den (einen) Haushaltsplan aufstellen
to present (to submit, to introduce) the budget	den Haushaltsplan vorlegen

budget debate	die Haushaltsdebatte
to pass the budget	den Haushaltsplan verabschieden (*oder:* billigen)
the budget totals ...	der Haushaltsplan beläuft sich auf ...
parliamentary approval	die Billigung durch das Parlament
parliamentary control	die parlamentarische Kontrolle
budget estimate, financial estimate, estimate of appropriations	der Haushaltsvoranschlag
supplementary estimates	die zusätzlichen Haushaltsvoranschläge, der Nachtragshaushalt
budget funds	die Haushaltsmittel
budgetary receipts	die Haushaltseinnahmen
budgetary expenditures	die Haushaltsausgaben
budgetary debit item, burden on the budget	die Haushaltsbelastung
wartime burden	die Kriegsbelastung
postwar burden	die Nachkriegsbelastung
reconstruction burdens	die Wiederaufbaulasten
budget deficit	das Haushaltsdefizit, der Fehlbetrag
budget surplus	der Haushaltsüberschuß
overall deficit	das Gesamtdefizit
overall surplus	der Gesamtüberschuß
to cover the deficit with bond issues	das Defizit durch Emission von Anleihen decken
to balance the budget	für die Ausgeglichenheit des Haushalts sorgen, das Gleichgewicht zwischen Haushaltsausgaben und -einnahmen herstellen, Haushaltseinnahmen und -ausgaben in Einklang bringen
Finance Act *(GB)*	das Steuergesetz *(jährliches Gesetz zur Festsetzung der Einkommen- und anderer Steuersätze)*
appropriation	die Bewilligung, die bewilligten Haushaltsmittel, die bereitgestellten Haushaltsmittel
to apply for an appropriation	die Haushaltsmittel beantragen (*oder:* anfordern)

to grant an appropriation, to approve an appropriation	Haushaltsmittel bewilligen, die Bereitstellung von Haushaltsmitteln billigen
to apportion budget funds, to allocate budget funds	die Haushaltsmittel zuteilen
transfer of budget funds	die Übertragung von Haushaltsmitteln
to cut (reduce) an appropriation	die (bereitgestellten) Haushaltsmittel kürzen
the defence appropriation has been cut	der Verteidigungsetat ist gekürzt worden
earmarked funds	die zweckgebundenen Mittel
to earmark revenue	Einnahmen für einen Zweck bestimmen
expenditure	die Ausgaben
government expenditure, national expenditure	die öffentlichen Ausgaben, die Staatsausgaben
growth of public expenditure	das Anwachsen der öffentlichen Ausgaben
classification of expenditures	die Gliederung (*oder:* Aufschlüsselung) der Ausgaben
functional break-down (of expenditures)	die Funktionalgliederung (der Ausgaben)
category of expenditure, class of expenditure	die Ausgabengruppe, die Ausgabenkategorie
quota of expenditure	die Ausgabenquote
purpose of expenditure, function of expenditure	der Ausgabezweck, der Zweck der Ausgaben
permanent statutory obligations	die gesetzlichen Dauerverpflichtungen
federal expenditure, expenditure of the federal government	die Bundesausgaben
direct government expenditure	die unmittelbaren Staatsausgaben
amortization	die Amortisation, die Tilgung
servicing of government debt	die Bedienung von Staatsschulden, der Staatsschuldendienst
internal administrative expenditure	die Ausgaben für die innere Verwaltung
health expenditure	die Gesundheitsausgaben, die Ausgaben für das Gesundheitswesen

expenditure for cultural purposes	die Kulturausgaben
public works	die öffentlichen Arbeiten
personnel costs, expenditure on personnel	die Personalausgaben, die Personalkosten
support of prices *(e. g., agricultural prices)*	die Preisstützung *(z. B. landwirtschaftlicher Preise)*
social expenditure(s), social security expenditure	der Sozialaufwand, die Sozialausgaben
asset-creating expenditure	die vermögenswirksamen Ausgaben
defence (*US:* defense) expenditure	der Verteidigungsaufwand, die Verteidigungsausgaben
government capital expenditure, capital expenditure of the administration	die Verwaltungsinvestitionen, die Investitionen der Regierung
subsidy, subvention	die Subvention
grant	der Zuschuß
subsidies (grants) to government-owned enterprises	die Zuschüsse an Staatsbetriebe
investment grants to private industry and commerce (to private business)	die Investitionszuschüsse an den privatwirtschaftlichen Sektor
investment loans to private industry and commerce	die Investitionskredite (Investitionsdarlehen) an die Privatwirtschaft
non-asset-creating subsidy, non-capital-forming subsidy	die nichtvermögenswirksame Subvention
additional expenditure, supplementary expenditure	die Mehrausgaben
waste of public funds	die Verschwendung öffentlicher Gelder (*oder:* öffentlicher Mittel)
national debt, public debt	die Staatsschuld(en), die Nationalschuld
revenue *(see also* Taxation *below)*	die öffentlichen Einnahmen, die Staatseinnahmen, die Einkünfte der öffentlichen Hand *(siehe auch* Besteuerung*)*
source of revenue	die Einnahmequelle
public property	der Staatsbesitz, das öffentliche Eigentum, das Gemeingut
crown land, public domain	die Staatsdomäne
government monopoly	das Staatsmonopol

government industrial enterprises	die Industriebetriebe des Staates, die staatseigenen Industriebetriebe
nationalization	die Verstaatlichung
nationalized industries	die verstaatlichten Industrien

2. Taxation (General Terms) — 2. Besteuerung (Allgemeines)

tax (*for* Types of Tax *see p. 370—373*)	die Steuer (Steuerarten *siehe S. 370—373*)
taxable	steuerpflichtig
levy	die Abgabe
toll	die Straßen- (*oder:* Brücken-) benützungsabgabe
to levy a tax	eine Steuer erheben
to impose a tax	mit einer Steuer belegen
to introduce a tax	eine Steuer (neu) einführen
to raise taxes	die Steuern einbringen (*oder:* einnehmen)
taxation	die Besteuerung
tax law	das Steuerrecht
tax legislation	die Steuergesetzgebung
tax regulations	die Steuerbestimmungen, die steuerrechtlichen Bestimmungen (*oder:* Vorschriften)
under tax law, pursuant to tax law, in accordance with tax regulations	gemäß den Steuergesetzen, laut steuerrechtlichen Bestimmungen, den steuerrechtlichen Bestimmungen entsprechend
tax theory, taxation theory	die Steuerlehre, die Steuertheorie
tax system, system of taxation	das Steuersystem
system of levies	das Abgabensystem
tax(ation) policy	die Steuerpolitik
tax reform	die Steuerreform
tax procedure	das Steuerverfahren
tax burden	die Steuerlast, die Steuerbelastung, der Steuerdruck
tax revenue, revenue from taxation, tax receipts	die Steuereinnahmen, das Steueraufkommen

tax rate	der Steuersatz
tax increase	die Steuererhöhung
to increase taxes, to increase taxation	die Steuern erhöhen (*oder:* heraufsetzen)
increased taxation	die erhöhte Steuerbelastung, der größere Steuerdruck
net profits declined due to increased taxation	auf Grund der erhöhten Steuerlast ging der Reingewinn zurück
tax reduction	die Steuersenkung, das Herabsetzen der Steuer
to reduce taxes (taxation)	die Steuern herabsetzen
net earnings were up thanks to reduced taxation	auf Grund der verminderten Steuerlast lag der Nettoertrag höher
taxpayer	der Steuerzahler
head of household	der Haushaltsvorstand
tax consultant, tax counsellor	der Steuerberater, der Steuerbevollmächtigte
tax return	die Steuererklärung
joint return	die gemeinsame Steuererklärung
declaration of estimated tax	die Erklärung über geschätzte Steuerschulden
to file a tax return	eine Steuererklärung einreichen (*oder:* abgeben)
splitting method, splitting procedure	das Splittingverfahren
tax exemption *(US)*, tax allowance (personal)	der (persönliche) Freibetrag
exemption from taxes	die Steuerfreiheit
tax-exempt, tax-free	steuerfrei
deduction	der abzugsfähige Betrag (*oder:* Posten)
standard deduction *(US)*	der abzugsfähige Pauschalbetrag, der pauschale Freibetrag
deductible	abzugsfähig, absetzbar
tax privileges	die Steuerprivilegien, die Steuerbegünstigungen
tax rebate	der Steuerrabatt
tax remission, tax relief	der Steuererlaß
tax bracket	die Steuergruppe
tax assessment	die Steuerveranlagung
basis of assessment	die Veranlagungsbasis

tax demand	der Steuerbescheid
tax payment	die Steuerzahlung
to pay taxes on something	etwas versteuern
advance tax instalment, advance tax payment	die Steuervorauszahlung
tax instalment	die Steuerrate
tax collection	die Steuereinziehung, das Einbringen von Steuern, das Eintreiben von Steuern
tax administration	die Steuerverwaltung
tax authorities, revenue authorities, Board of Inland Revenue *(GB)*, Internal Revenue Service *(US)*	die Steuerbehörde(n)
back taxes, overdue taxes, tax arrears	die überfälligen Steuern, der Steuerrückstand
tax offence	die Übertretung der Steuerbestimmungen
failure to pay taxes, tax evasion	die Unterlassung von Steuerzahlungen, die Steuerhinterziehung
resistance to taxation (by the population)	der Steuerwiderstand (der Bevölkerung)
tax morale (of the population), attitude to taxation	die Steuermoral (der Bevölkerung)
source of revenue	die Steuerquelle

3. Types of Tax

3. Die Steuerarten

In Germany there are many forms of fee payable to government authorities, which are termed "Steuer," and are therefore included in this section although their English designation does not include the word "tax."

In Deutschland gibt es viele Gebührenarten, die an Behörden zu entrichten sind und als „Steuer“ bezeichnet werden; diese sind deshalb in diesem Abschnitt aufgeführt, wenn auch die englische Bezeichnung das Wort „tax“ nicht enthält.

direct tax	die direkte Steuer
indirect tax	die indirekte Steuer
personal tax	die persönliche Steuer
progressive tax	die progressive Steuer

proportional tax	die Proportionalsteuer
redistributive tax	die redistributive Steuer
pay-as-you-earn tax *(GB)*, withholding tax *(US)*	die einbehaltene Steuer, die Quellensteuer
Federal tax	die Bundessteuer, die bundesstaatliche Steuer *(in den USA)*
state tax	die Staatssteuer, die einzelstaatliche Steuer *(in den USA)*
municipal tax, city tax, local tax	die Gemeindesteuer, die örtliche Steuer
rates	die Gemeindesteuer, die örtliche Steuer *(z. B. auf Grundbesitz in den angelsächsischen Ländern)*
excise, excise tax, excise duty	*(etwa:)* die Verbrauchssteuer *(der Begriff* „excise" *wird vornehmlich in Zusammenhang mit alkoholischen Getränken verwendet, schließt aber Abgaben wie z. B.* entertainment tax *und Gebühren für sogenannte* „local taxation licences" *ein)*
excisable	verbrauchssteuerpflichtig
excise warehouse	das Steuerlager
local taxation licence	eine von den Grafschafts- oder Stadtbehörden erteilte, gebührenpflichtige Genehmigung (*z. B. zum Verkauf von alkoholischen Getränken, zum Halten eines Hundes etc.)*
dog licence fee *(GB)*, dog tax	die Hundesteuer
publican's licence, liquor licence	die Genehmigung zum Verkauf alkoholischer Getränke, die Wirtshausgenehmigung *(die hierfür zu entrichtenden Gebühren ersetzen vielfach die in Deutschland angewandten, nach Getränkeart gestaffelten Steuern)*
on-licence	die Genehmigung zum Verkauf alkoholischer Getränke für den Konsum im Wirtshaus
off-licence	die Genehmigung zum Verkauf alkoholischer Getränke nur „über die Straße"

wireless licence *(GB)*	die Genehmigung für den Betrieb eines Radioempfängers
wireless licence fee *(GB)*, wireless tax, radio tax	die Rundfunksteuer
income tax	die Einkommensteuer, Lohnsteuer
income taxes *(generic term for taxes on all types of income, e. g. personal, corporation, etc.)*	die Einkommensteuern *(Oberbegriff für Steuern auf Einkommen jeglicher Art, z. B. persönliche, Körperschaftssteuern etc.)*
earned income tax	die Arbeitsertragssteuer
payroll tax	die Lohnsummensteuer
federal income tax *(US)*	die Bundeseinkommensteuer
state income tax *(US)*	die einzelstaatliche Einkommensteuer *(in den USA)*
surtax, surcharge	die Zusatzabgabe zur Einkommensteuer
company capitalization tax *(Germany; levied on first acquisition of shares, etc.)*	die Gesellschaftssteuer
profits tax	die Gewinnsteuer
corporation tax *(GB)*, corporation (*or:* corporate) income tax *(US)*	die Körperschaftsteuer
excess profits tax	die Übergewinnsteuer
capital gains tax	die Kapitalgewinnsteuer, die Wertzuwachssteuer
short-term capital gains tax	die Steuer auf kurzfristige Kapitalgewinne
long-term capital gains tax	die Steuer auf langfristige Kapitalgewinne
tax on capital income, capital yields tax	die Kapitalertragsteuer
capital transactions tax	die Kapitalverkehrsteuer
securities tax	die Wertpapiersteuer
transfer stamp *(GB)*, stock transfer tax *(US)*	die Börsenumsatzsteuer
local business tax *(Germany)*	die Gewerbesteuer
death duty	die Erbschaftsteuer
inheritance tax, estate duty *(GB)*	die Erbanfallsteuer

estate tax	die Nachlaßsteuer
taxable estate	die steuerpflichtige Erbschaftsmasse
real estate tax	die Grundsteuer
real estate levy	die Grundbesitzabgabe
property tax	die Vermögensteuer
property levy	die Vermögensabgabe
gift tax	die Schenkungsteuer
turnover tax *(Germany; levied on all commercial transactions and receipts of independent professions)*	die Umsatzsteuer
value-added tax	die Mehrwertsteuer
sales tax *(US)*, purchase tax	die Verkaufsteuer
luxury tax	die Luxussteuer
beverage tax *(Germany)*	die Getränkesteuer
turnover tax on imports (replaced compensatory duty) (*cf.* Customs)	die Einfuhrumsatzsteuer (hat die Umsatzausgleichsteuer ersetzt) (*vgl.* Zollwesen)
insurance tax	die Versicherungsteuer
equalization of burdens levy *(Germany)*	die Lastenausgleichsabgabe
stamp tax	die Stempelsteuer
poll tax	die Kopfsteuer
Community tax (European Economic Community)	die Gemeinschaftsteuer (Europäische Wirtschaftsgemeinschaft)

B. Translation Exercises

B. Übersetzungsübungen

1. English–German

1. Englisch–Deutsch

1. Public finance includes all the financial operations of government bodies both at national and lower levels. 2. Government income, or revenue, is derived from a variety of sources such as crown land, nationalized industries and payment for services provided by government agencies. 3. By far the most important source of revenue in most modern countries is taxation, and among the various types of taxes income tax is doubtless the biggest item on the receipts side of the budget. 4. Fiscal policy may be regarded as part of a govern-

ment's general economic policy and, in fact, overall economic policy is to a great extent determined by it. 5. In setting up a national budget, an attempt has to be made to forecast revenue and expenditure, and to achieve a balance between them. 6. All government departments are required to submit estimates of their financial requirements for the next fiscal year and to apply for appropriations. 7. After all estimates have been received and the various appropriations fixed, a decision has to be reached on the steps to be taken to raise sufficient revenue to cover the necessary expenditure. 8. It is a basic feature of modern fiscal systems in the free world that all government spending and the raising of budget funds are subject to parliamentary approval and control. 9. Obviously the funds obtained from normal revenue sources are not always sufficient to cover expenditures, and so it has become an approved practice to cover deficits by issuing bonds. 10. Absolutely free competition, even within a single national economy, cannot be practiced without hardship to various production sectors, and for this reason it is now customary for governments to protect the economically weak by a system of subsidies or price supports. 11. Taxes may be defined as compulsory contributions by natural persons, corporations and other organizations towards the financing of government and public services. 12. If the assessment of an individual's taxes is to be accurate, great care must be taken in completing the return and in entering all personal and other allowances for which the taxpayer is eligible. 13. Returns must be filed by all persons, including minors, who receive income that is not taxed at its source. 14. In the case of families, the head of the household may submit a joint return for himself and all his dependents, in which case taxes are assessed for the family unit and not separately for each individual.

2. Deutsch–Englisch 2. German–English

1. Unter Finanzpolitik versteht man die Gesamtheit der gesetzgeberischen und verwaltungstechnischen Maßnahmen, die getroffen werden, um die Finanzwirtschaft eines Staates zu regeln. 2. Bevor ein Haushaltsplan aufgestellt werden kann, ist es unbedingt erforderlich, den vermutlichen Finanzbedarf an Hand der Berichte und Haushaltsvoranschläge der verschiedenen Regierungsstellen eingehend zu analysieren. 3. Sind die für das betreffende Finanzjahr erforderlichen Ausgaben mit genügender Genauigkeit festgesetzt worden, kann man dazu übergehen, Mittel und Wege zu finden, entsprechend hohe Einnahmen zu sichern. 4. Besonders in den Nachkriegsjahren hat es sich

immer wieder gezeigt, daß die Berücksichtigung von Krisenerscheinungen, wie z. B. Arbeitslosigkeit, wichtiger ist als das Vermeiden eines Defizits. 5. Das Budget wird in Form eines Gesetzentwurfs dem Parlament vorgelegt und von diesem beraten und verabschiedet. 6. Da die Wohnungsnot in der Deutschen Bundesrepublik nicht durch unmittelbares Eingreifen der Regierung behoben werden konnte, hat man die Bautätigkeit durch Gewährung erheblicher Steuerbegünstigungen angekurbelt. 7. Um wichtige Teilbereiche einer Volkswirtschaft konkurrenz- oder überhaupt lebensfähig zu machen, muß der Staat oft steuerliche Konzessionen oder Subventionen gewähren. 8. Das deutsche Steuerrecht hat sich zu einem derartigen Irrgarten entwickelt, daß man sich ohne Steuerberater kaum durchfindet. 9. Die dringend notwendige Reform des Steuersystems läßt wahrscheinlich nur deswegen auf sich warten, weil selbst die Experten über die Lösung des Problems nicht einig werden. 10. Da die Steuerveranlagung und folglich die Zustellung des Steuerbescheids erst nach verhältnismäßig geraumer Zeit erfolgt, müssen in Deutschland vierteljährliche Steuervorauszahlungen geleistet werden; nach Erhalt des Steuerbescheides hat der Steuerpflichtige eine Abschlußzahlung zu leisten. 11. Bei der deutschen Umsatzsteuer handelt es sich um eine Abgabe, die nicht nur auf den Warenumsatz, sondern gleichfalls auf Umsätze der freien Berufe erhoben wird. 12. Für Einkünfte aus freiberuflicher Tätigkeit wird jedoch ein umsatzsteuerfreier Betrag von 20000 DM gewährt. 12. Die Lohnsteuer ist nicht etwa eine Sonderart von Steuer, sondern lediglich eine Form der Einkommensteuer, die vom Arbeitgeber einbehalten und an das Finanzamt abgeführt wird. 13. Die Verbrauchsteuern sind indirekte Steuern, die bei im Inland hergestellten Waren erhoben werden. 14. Selbst Geschenke, ob unter Lebenden oder durch letztwillige Verfügung, unterliegen der Schenkungsteuer bzw. der Erbschaftsteuer.

XXIV. Customs — XXIV. Zollwesen

A. Terminology — A. Terminologie

1. Tariffs and Duties — 1. Zölle

tariff	der Zoll; der Zolltarif
tariff policy	die Zollpolitik
tariff legislation	die Zollgesetzgebung
tariff system	das Zollsystem
tariff negotiations	die Zollverhandlungen
tariff concessions	die Zugeständnisse auf dem Gebiete des Zollwesens
tariff agreement	das Zollabkommen
tariff war	der Zollkrieg
revenue tariff	der Finanzzoll
protective tariff	der Schutzzoll
educational tariff	der Erziehungszoll
prohibitive tariff	der Prohibitivzoll *(übermäßig hoher Zoll)*
retaliatory tariff	der Vergeltungszoll, der Retorsionszoll, der Kampfzoll *(handelspolitische Maßnahme, durch die auf Staaten, die die Einfuhr durch Zölle sehr erschweren, ein Druck ausgeübt werden soll)*
autonomous tariff	der autonome Zoll, der autonome Tarif
conventional tariff	der Vertragszoll, der Vertragstarif
contractual tariff	der Revokationszoll, der Vertragszoll
general tariff	der Normalzoll, der Normaltarif
differential tariff	der Differentialzoll
maximum tariff	der Maximalzoll
minimum tariff	der Minimalzoll
preferential tariff	der Präferenzzoll, der Vorzugszoll
margin of preference, preference margin	die Präferenzspanne

to enjoy preferential treatment with respect to tariffs, to be accorded preferential tariffs	Präferenz genießen
Community preference, Commonwealth preferences	die Gemeinschaftspräferenz
discriminating tariff	der diskriminierende Zoll
sliding-scale tariff	der Gleitzoll *(variabler Zoll, der die Preisschwankungen des Weltmarkts auffangen soll)*
suspended tariff	der suspendierte (*oder:* ausgesetzte) Zoll
to increase (*or:* to raise) tariffs	Zölle anheben, erhöhen, heraufsetzen
to decrease (*or:* to lower, to reduce) tariffs	Zölle senken, herabsetzen
tariff increase	die Anhebung (*oder:* Erhöhung) der Zölle, die Zollerhöhung
reduction of tariffs	der (unvollständige) Abbau der Zölle
removal of tariffs	die Beseitigung (*oder:* Aufhebung) der Zölle
customs tariff	der Zolltarif
single-column tariff, unilinear tariff	der Einspaltentarif
two-column tariff	der Zweispaltentarif, der zweiteilige Zolltarif
nomenclature	das Zolltarifschema, die Zollnomenklatur
Brussels Nomenclature of 1955	die Brüsseler Nomenklatur von 1955
tariff classification	die Tarifierung
application of tariff classification	die Anwendung einer Tarifierung
statistical code number	die Nummer des statistischen Warenverzeichnisses
tariff item	die Position (des Zolltarifs), die Tarifposition
to classify under a tariff item	unter eine Tarifposition einreihen
tariff rate	der Zollsatz
adjustment of tariff rates	die Angleichung der Zollsätze
preferential rate	der Präferenzzollsatz
most-favoured-nation rate *(cf. p. 391)*	der Meistbegünstigungssatz
tariff-rate quota	das Zollkontingent
tariff information	die Zollauskunft

trial (*or:* test) shipment	die Probeverzollung
duty *(the sum of money required by law to be paid as a tax on the importation of goods)*	der Zoll, die Eingangsabgabe
ad valorem duty	der Wertzoll
specific duty	der spezifische Zoll
duty levied on a weight basis	der Gewichtszoll
compound (*or:* mixed) duty	der Mischzoll, der gemischte Zoll
import duty	der Einfuhrzoll
export duty	der Ausfuhrzoll *(heute sehr selten)*
transit duty	der Durchgangszoll, der Transitzoll *(wird heute nicht mehr angewandt)*
antidumping duty	der Antidumpingzoll
countervailing duty *(a duty on imports designed to offset an export bounty or subsidy paid by the exporting country)*	die Ausgleichsabgabe
compensatory duty *(a duty on imports designed to offset an excise tax imposed on domestically manufactured articles of the same kind)*	die Ausgleichsteuer *(z. B. die frühere deutsche Umsatzausgleichsteuer, die durch die Einfuhrumsatzsteuer ersetzt wurde)*
to impose, to levy	belegen (mit Zöllen, Steuern etc.), erheben (Zölle, Steuern etc.)
dutiable, liable to duty, subject to duty	zollpflichtig
duty-free, exempt from duty	zollfrei
exemption from duty	die Zollbefreiung
duty-paid	verzollt
duty for consignee's account	der Zoll geht zu Lasten des Empfän[gers
remission of duty	der Zollerlaß

2. Customs Administration	2. Zollverwaltung
customs authorities (*Great Britain:* Board of Customs and Excise; *USA:* Bureau of Customs, Treasury Department)	die Zollbehörde (*Bundesrepublik:* Zollverwaltung, Bundesministerium der Finanzen)
customs jurisdiction	die Zollhoheit
customs territory	das Zollgebiet

customs frontier	die Zollgrenze
customs collection district	der Zollbezirk
customs official (*or:* officer), collector of customs	der Zollbeamte
customs office, customhouse	das Zollamt
customs shed	der Zollschuppen
interior customs port *(US)*	die Binnenzollstelle
customs road	die Zollstraße
customs laws and regulations	die Zollgesetze und -bestimmungen
to carry out the customs laws, to implement the customs laws	die Zollgesetze ausführen
failure to comply with customs regulations, non-compliance with (*or:* nonobservance of) customs regulations	die Nichtbeachtung der Zollvorschriften
violation (*or:* infringement) of the customs laws, offense against the customs laws	die Übertretung der Zollgesetze
marking requirements	die Kennzeichnungsvorschriften
sanitary regulations	die Gesundheitsvorschriften
customs procedure	das Zollverfahren
simplification of customs procedure	die Vereinfachung des Zollverfahrens
customs formalities	die Zollformalitäten
to attend to the customs formalities	die Zollformalitäten erledigen
completion of customs formalities	die Erledigung der Zollformalitäten
not subject to certain formalities, exempt from certain formalities	von gewissen Formalitäten befreit
customs supervision	die Zollaufsicht
customs custody	der Zollgewahrsam
to secure the release of goods from customs custody	die Freigabe von Waren aus dem Zollgewahrsam erwirken
customs (lead) seal	die Zollplombe
to seal	plombieren

3. Customs Clearance / 3. Zollabfertigung

3. Customs Clearance	3. Zollabfertigung
(customs) entry	die Zollanmeldung, der Antrag auf Zollabfertigung
entry for consumption	der Antrag auf Abfertigung zum freien Verkehr
to enter for customs clearance, to file a customs entry, to make an entry	zur Verzollung anmelden, einen Antrag auf Zollabfertigung stellen
to enter (import goods) for consumption	die Abfertigung (von Einfuhrwaren) zum freien Verkehr beantragen
place (*or:* point) of entry, port of entry *(US)*	der Eingangsort, der Zollhafen
airport of entry	der Zollflughafen
customhouse broker *(an agent who acts for merchants in the business of entering and clearing goods and vessels)*	der Zollmakler, der Zollagent
customs power of attorney	die Zollvollmacht
customs clearance	die Zollabfertigung, die Verzollung
to clear through the customs	zollamtlich abfertigen, verzollen
uncleared goods, goods in the process of clearance	die zollhängigen Waren
clearance charges	die Zollabfertigungsgebühren
customs inspection	die Zollinspektion, die Zollrevision
checking	die Überprüfung
spot checking	die stichprobenweise Überprüfung
the documents to be furnished	die beizubringenden Dokumente (Unterlagen)
to furnish documents	Dokumente (Unterlagen) beibringen
to tender documents, to present documents	Dokumente (Unterlagen) vorlegen
commercial invoice	die Handelsfaktura
customs invoice	die Zollfaktura
consular invoice	die Konsulatsfaktura
customs declaration	die Zollinhaltserklärung *(Paketversand ins Ausland)*
certificate of origin	das Ursprungszeugnis
Combined Certificate of Value and Origin *(for exports to Commonwealth countries)*	kombiniertes Wert- und Ursprungszeugnis

assessment of duty	die Zollfestsetzung
method of assessment	die Art der Erhebung der Zölle
appraisement, valuation	die Wertermittlung, die Bewertung
foreign value	der Auslandswert
export value	der Ausfuhrwert
fair market price (*or:* value) *(the price which would induce a willing seller to sell and a willing buyer to buy)*	der Normalpreis
the actual value of the imported goods	der wirkliche Wert der eingeführten Ware
dutiable value	der Zollwert
assessment of the dutiable value	die Festsetzung des Zollwertes
customs tare	die Zolltara
legal weight *(usually the weight of goods with immediate wrappings)*	das Legalgewicht
declaration of origin (on the invoice)	die Ursprungserklärung (auf der Rechnung)
marks of origin	die Ursprungszeichen
deceptive (*or:* misleading) marks	irreführende Kennzeichen
marking inducing a false belief of origin	irreführende Ursprungsangaben
to misrepresent the true origin	unrichtige Angaben bezüglich des Ursprungs machen
indication of origin, indication of the country of origin	die Ursprungsbezeichnung
origin of a product	der Ursprung einer Ware
country of origin	das Ursprungsland
to originate in a country	aus einem Land stammen
customs receipt	die Zollquittung
abandonment	die Zollabandonnierung *(Verzicht des Empfängers auf Waren zugunsten des Staates, wenn der zu entrichtende Zoll höher wäre als der Wert der zu verzollenden Ware)*
to abandon	abandonnieren
bonded warehouse	das private Zollager
customs warehouse, customs bonded warehouse	das öffentliche Zollager, die Zollniederlage

bonded warehouse *(a privately owned warehouse under customs supervision in which goods subject to excise taxes or customs duties are temporarily stored without the taxes or duties being paid; the owner of the warehouse has to give a bond as security)*	das private Zollager
bonded factory, bonded manufacturing warehouse *(US)*	eine Fabrik, wo Einfuhrwaren unter Zollaufsicht be- oder verarbeitet werden
in bond	unter Zollverschluß
warehouse period, bonded period *(period of time for which merchandise may remain in bonded warehouse)*	die Zollagerfrist
goods withdrawn from a bonded warehouse for consumption (to be entered into the channels of distribution)	Waren, die einem Zollager zum Zwecke der Überführung in den freien Verkehr entnommen werden
free port	der Freihafen
foreign trade zone *(US)*	das Außenhandelsgebiet

4. Miscellaneous Terminology — 4. Verschiedenes

toll	der Straßen-, der Brückenzoll
levies	die Abgaben
border traffic	der Grenzverkehr
transit traffic	der Durchgangsverkehr, der Transitverkehr
goods (*or:* merchandise) in transit, transit goods	die Transitwaren, das Transitgut, das Durchfuhrgut
Community Transit Procedure	das gemeinschaftliche Versandverfahren
returned goods	die Rückwaren
temporary admission	die vorübergehende (zollfreie) Einfuhr
carnet	das Carnet
exportation and importation of goods for the purpose of processing, processing traffic	der Veredelungsverkehr
to process	bearbeiten

to process into an article, to process together with, to incorporate in	verarbeiten
goods subject to further processing	Waren, die eine weitere Bearbeitung erfahren
processing in bond	die Zollveredelung
drawback *(a refund made for customs and excise duties collected on goods which are re-exported or used in the manufacture of exports)*	die Zollrückvergütung
undeclared goods	Waren, die beim Zoll nicht angegeben wurden, Schmuggelware
to evade	(Zoll, Steuer) hinterziehen
defraudation (*or:* evasion) of customs	die Zollhinterziehung
to smuggle	schmuggeln
smuggle	der Schmuggel
smuggler	der Schmuggler
smuggled goods, contraband	die Schmuggelware
warning	die Verwarnung
customs fine	die Zollstrafe
imposition of customs fines and penalties	die Verhängung von Zollstrafen
seizure	die Beschlagnahme
forfeiture	der Einzug (durch den Zoll)
revenue cutter	das Zollboot
customs union	die Zollunion
formation of a customs union	die Bildung einer Zollunion
to enter into a customs union	einer Zollunion beitreten
constituent territories of a customs union	die an einer Zollunion teilnehmenden Gebiete
For EEC, EFTA, GATT, *etc.* *see* International Cooperation	EWG, EFTA, GATT *etc.* *siehe unter* Internationale Zusammenarbeit

B. Translation Exercises | **B. Übersetzungsübungen**

1. English–German | 1. Englisch–Deutsch

1. An autonomous tariff is a tariff fixed by a country independently and not in negotiations with other countries. 2. The law relating to countervailing duties is concerned with payments or bestowals of bounties or grants on any articles or merchandise exported to the United States from a foreign country. 3. The principle of Imperial Preference had been introduced into the United Kingdom customs tariffs in 1919 and, as a result of the Ottawa Conference in 1932, agreements were concluded with independent Commonwealth countries providing for reciprocal preferential tariff treatment over a wide range of goods. 4. An ad valorem rate of duty is a percentage which is applied to the dutiable value of the imported goods. 5. The schedule of customs duties also shows the statistical code number corresponding to each tariff item. 6. When an entry is made by an agent (customhouse broker) a customs power of attorney given by the person or firm for whom the agent is acting must be filed with the collector of the customs unless the entry is made in the name of the agent as a consignee. 7. The value to be declared on customs entries is the price which the goods would fetch on a sale in the open market between buyer and seller independent of each other, with delivery to the buyer at the port or place of importation, the seller bearing freight, insurance, commission and all other costs, charges and expenses incidental to the sale. 8. Foreign value is the market value or price at which the imported goods are freely offered for sale for home consumption in the principal markets of the country of exportation in the usual wholesale quantities and the ordinary course of trade; export value is the market value or price at which the imported goods are freely offered for sale for exportation to the United States in the principal markets of the country of exportation in the usual wholesale quantities and in the ordinary course of trade. 9. Most countries require a declaration of origin either on a special document (certificate of origin) or by way of a declaration on the invoice. 10. The goods may be entered for consumption or for warehousing at the port of arrival, or they may be transported in bond to another port of entry and be entered there under the same conditions as at a port of arrival. Arrangements for transporting the goods in bond may be made by the consignee, by the carrier or by a custumhouse broker. 11. While the goods are in the bonded warehouse they can be cleaned, sorted, graded and repacked under customs supervision. 12. Certain goods, when not imported for sale or sale on approval, may be admitted into the United States without the payment of duty

under bond for their exportation within one year from the date of importation. 13. A number of foreign-trade zones have been established in the United States to encourage the consignment and re-export trade. 14. All unclaimed and abandoned merchandise is sold by the customs authorities at a public sale. 15. Any person who attempts to obtain any drawback in excess of that which is lawfully payable is liable to heavy penalties, in addition to forfeiture of the goods and loss of the drawback involved.

2. Deutsch–Englisch — 2. German–English

1. Der Vertragstarif räumt bestimmten anderen Staaten günstigere Zollsätze ein, die in Verhandlungen mit diesen Staaten vereinbart worden sind. 2. Sogenannte Dumpingpraktiken haben zwangsläufig Kampfmaßnahmen der betroffenen Staaten, wie die Einführung von Antidumpingzöllen, zur Folge. 3. Der neue jugoslawische Zolltarif ist ein auf der Brüsseler Nomenklatur aufgebauter Wertzolltarif. Als Zollwert gilt der Warenwert frei jugoslawische Grenze, der dem Fakturenwert zuzüglich Fracht und Versicherung entspricht. 4. Am 1. 9. 1961 wurde vom ungarischen Außenhandelsministerium bekanntgegeben, daß für die Länder, die Ungarn gegenüber das Prinzip der Meistbegünstigung anwenden, ein Minimalzolltarif eingeführt wird, während für alle anderen Staaten ein höherer Zolltarif angewendet werden soll. 5. Sendungen an Diplomaten, diplomatische oder konsularische Dienststellen sowie an die ausländischen Mitglieder amtlicher internationaler Organisationen, die ihren Sitz in dem betreffenden Land haben, können zollfrei eingeführt werden. 6. Das Warenkontingent, das US-amerikanische Touristen bei ihrer Rückkehr aus dem Ausland in die Vereinigten Staaten zollfrei einbringen können, wurde im September 1961 von bisher 500 auf 100 US-$ herabgesetzt. 7. Die Zollverwaltung kann von der zu verzollenden Ware Proben entnehmen. 8. Die Verzollung kann unmittelbar durch den Zollschuldner oder durch Einschalten eines Zollagenten erfolgen. 9. Werbedrucksachen und Muster ohne Wert sollen deutlich als solche gekennzeichnet und einfach verpackt sein, damit eine schnelle zollamtliche Prüfung möglich ist. 10. Jede Zollrechnung über einzuführende Waren soll detaillierte Angaben über den Inhalt jedes einzelnen Packstückes einer Sendung aufweisen. Dadurch soll bei der Zollabfertigung vermieden werden, daß die ganze Sendung untersucht werden muß. 11. Die Zollbestimmungen mancher Länder verlangen für jede Sendung ein separates Ursprungszeugnis. 12. Waren, deren Abandonnierung von der Zollverwaltung bewilligt wurde, sind nicht zollpflichtig. Sie werden öffentlich versteigert.

13. Nach den türkischen Bestimmungen ist der Rücktransport von Waren, die sich im Zollager befinden, nur mit besonderer Genehmigung möglich. 14. Im Jahre 1961 wurde die International Trade Fair Chicago erstmals auf dem Zollausschlußgebiet des McCormick Place durchgeführt. 15. Geringfügige Zollvergehen werden nicht strafrechtlich verfolgt.

XXV. International Cooperation — XXV. Internationale Zusammenarbeit

A. Terminology — A. Terminologie

1. General Terms — 1. Allgemeines

cooperation, collaboration	die Zusammenarbeit, die Kooperation
coordination	die Koordination, die Koordinierung
country, state	der Staat, das Land, der Einzelstaat *(der USA)*
"Land" *(Germany)*	das Land *(der Bundesrepublik)*
hegemony	die Hegemonie
common system	das gemeinsame System
supranational	supranational, übernational, überstaatlich
community	die Gemeinschaft
world-wide trading community	die weltweite Handelsgemeinschaft
community of free nations, community of free peoples	die Gemeinschaft freier Völker
Atlantic Community	die Atlantische Gemeinschaft
free-trade area of the entire free world	eine Freihandelszone der gesamten freien Welt
entente cordiale	die Entente Cordiale
establishment of a community	die Errichtung einer Gemeinschaft
membership	die Mitgliedschaft, die Zugehörigkeit
full member	das Vollmitglied
founder member	das Gründungsmitglied
member country	der Mitgliedstaat, das Mitgliedsland
partnership	die Partnerschaft
equal partner	der ebenbürtige Partner
partner countries	die Partnerstaaten
friendly nations	die befreundeten Nationen
Commonwealth countries	die Commonwealth-Staaten
overseas territories	die Überseegebiete
possessions	die Besitzungen (eines Landes)
preferential position	die Vorzugsstellung, die Präferenzstellung

Commonwealth preference	die Commonwealth-Präferenz
neutrality	die Neutralität
third countries	die Drittstaaten, die Drittländer
low-price countries	die Billigpreisländer
formation of groups	die Gruppenbildung
to join	beitreten
joining (of a country)	der Beitritt (eines Landes)
application to join (*or:* for membership)	der Beitrittsantrag, der Antrag auf Aufnahme
to associate, to become an associate member	assoziieren
association	die Assoziierung, die Assoziation
realization of a community	die Verwirklichung einer Gemeinschaft
equilibrium, balance	das Gleichgewicht
right of co-determination	das Mitspracherecht
institutions (of a supranational community)	die Institutionen (einer supranationalen Gemeinschaft)
international organs, international executive bodies	die internationalen Organe
central organ, central institution, central executive body	das zentrale Organ
administrative committee	der Verwaltungsausschuß
advisory committee	der Beirat
power of decision, authority to decide	die Entscheidungsbefugnis
national freedom of action	die nationale Handlungsfreiheit
intervention *(e. g. if the market is adversely affected)*	der Eingriff *(z. B. im Falle einer Störung des Marktes)*
reorientation	die Umstellung
adaption, adaptation	die Anpassung
structural change, change of structure	die Strukturänderung, die Strukturwandlung
interim solution	die Übergangslösung
initial period	die Anlaufzeit
transition period, interim period	die Übergangszeit, die Übergangsperiode
development	
development aid	die Entwicklung

foreign aid	die Entwicklungshilfe, die Auslandshilfe
technical aid	die technische Hilfe, die technischen Hilfeleistungen
reconstruction	der Wiederaufbau

2. Negotiations and Agreements — 2. Verhandlungen und Verträge

negotiation	die Verhandlung
to negotiate	verhandeln, aushandeln
to negotiate a treaty	einen Vertrag (durch Verhandlungen) zustande bringen, einen Vertrag abschließen
by negotiation	auf dem Verhandlungsweg, durch Verhandlungen
talks	die Gespräche, die Besprechungen
exploratory talks	die Sondierungsgespräche
consultations	die Beratungen
conference	die Konferenz
intergovernmental conference	die Regierungskonferenz
summit conference	die Gipfelkonferenz
conference table	der Konferenztisch, der Sitzungstisch, der grüne Tisch
session	die Sitzung, die Tagung
marathon session	die Marathonsitzung
participants	die Beteiligten
statesman	der Staatsmann
politician	der Politiker
delegate	der Delegierte, der Abgeordnete
chief delegate	der Chefdelegierte
delegation	die Delegation, die Vertretung
representative	der Vertreter
expert	der Sachverständige
committee of experts	der Sachverständigenausschuß
exchange of ideas	der Gedankenaustausch, der Meinungsaustausch
differences, differences of opinion	die Differenzen, die Meinungsverschiedenheiten

misunderstanding	das Mißverständnis
compromise	der Kompromiß
concession	das Zugeständnis, die Konzession
reservation	der Vorbehalt
motion	der Antrag
proposal	der Vorschlag
resolution, decision	der Entschluß, der Beschluß
to vote	abstimmen, die Stimme abgeben
unanimity	die Einstimmigkeit
majority	die Mehrheit
minority	die Minderheit
abstention	die Stimmenthaltung
the motion was passed by 50 votes to 23 with 14 abstentions	der Antrag wurde mit 50 gegen 23 Stimmen bei 14 Stimmenthaltungen angenommen
agreement	das Übereinkommen, die Vereinbarung, das Abkommen, der Vertrag
convention	die Konvention, das Abkommen
pact	der Pakt
treaty	der Vertrag
bilateral treaty	der bilaterale (zweiseitige) Vertrag
multilateral treaty	der multilaterale (mehrseitige) Vertrag
commercial treaty	der Handelsvertrag *(bedarf der Ratifizierung)*
trade agreement, commercial agreement	das Handelsabkommen *(bedarf keiner Ratifizierung)*
international convention	das internationale Abkommen
authors of an agreement (*or:* treaty)	die Verfasser eines Vertrages
basic idea	der Grundgedanke
leitmotif, basic theme, basic pattern	die Grundlinie, der Leitfaden, das Leitmotiv
general conception	die allgemeine Konzeption
spirit of an agreement	der Geist eines Vertrages
aim, objective, goal	das Ziel, die Zielsetzung
final aim, ultimate goal	das Endziel
terms	die Bedingungen
provisions	die Bestimmungen
establishment provisions	die Niederlassungsbestimmungen
commitments, obligations	die Verpflichtungen

to conclude an international agreement	ein internationales Abkommen (ab-)schließen
signing	die Unterzeichnung
to sign	unterzeichnen
signatory	der Unterzeichnende
signatory country	das Unterzeichnerland
contracting party	die Vertragspartei
ratification	die Ratifikation, die Ratifizierung
to ratify	ratifizieren
performance (of an agreement)	die Erfüllung (eines Vertrages)
to exclude (from an agreement)	ausklammern, ausschließen (aus einem Vertrag)
clause	die Klausel
parity clause	die Paritätsklausel
protective clause	die Schutzklausel
reciprocity clause	die Reziprozitätsklausel
most-favoured-nation clause	die Meistbegünstigungsklausel
(un)conditional most-favoured-nation clause	die (un-)bedingte Meistbegünstigungsklausel
(un)restricted most-favoured-nation clause	die (un-)beschränkte Meistbegünstigungsklausel
most-favoured-nation principle	das Meistbegünstigungsprinzip
most-favoured-nation treatment	die Meistbegünstigung
discrimination	die Diskriminierung
to discriminate against	benachteiligen
non-discrimination	die Nichtdiskriminierung
treaty of friendship, commerce and navigation	der Freundschafts-, Handels- und Schiffahrtsvertrag
trade and payments agreement	das Handels- und Zahlungsabkommen
tariff agreement	das Zollabkommen
clearing agreement	das Clearingabkommen, das Verrechnungsabkommen
navigation agreement, shipping agreement	das Schiffahrtsabkommen
fishing agreement	das Fischereiabkommen
double-taxation agreement	das Doppelbesteuerungsabkommen
to eliminate double taxation	die Doppelbesteuerung beseitigen
unit of account	die Verrechnungseinheit

3. International Institutions	3. Die Internationalen Institutionen
United Nations (Organization) (UNO)	die (Organisation der) Vereinten Nationen (UNO)
Economic and Social Council (ECOSOC)	der Wirtschafts- und Sozialrat
Economic Council	die Wirtschaftskommission
~ for Africa (ECA)	~ für Afrika
~ for Europe (ECE)	~ für Europa
~ for Asia and the Far East (ECAFE)	~ für Asien und den Fernen Osten
~ for Latin America (ECLA)	~ für Latein-Amerika
Technical Assistance Board (TAB)	das Amt für technische Hilfeleistung
Food and Agriculture Organization (FAO)	die Ernährungs- und Landwirtschaftsorganisation (FAO)
World Health Organization (WHO)	die Weltgesundheitsorganisation (WHO)
International Bank for Reconstruction and Development (IBRD)	die Internationale Bank für Wiederaufbau und Entwicklung
World Bank	die Weltbank
International Development Association (IDA)	die Internationale Entwicklungs-Agentur (IEA, IDA)
International Finance Corporation (IFC)	die Internationale Finanzkorporation
International Monetary Fund (IMF)	der Internationale Währungsfonds (IWF, IMF)
European Payments Union (EPU)	die Europäische Zahlungsunion (EZU)
European Monetary Agreement	das Europäische Währungsabkommen
International Trade Organization (ITO)	die Internationale Handelsorganisation
International Chamber of Commerce (ICC)	die Internationale Handelskammer (IHK)
Inter-American Development Bank (IADB)	die Interamerikanische Entwicklungsbank
General Agreement on Tariffs and Trade (GATT)	das Internationale Zoll- und Handelsabkommen (GATT)

Union for (Convention for) the Protection of Industrial Property	Union für (Abkommen über) den Schutz des gewerblichen Eigentums
Berne Copyright Convention, Berne Copyright Union	die Berner Übereinkunft über das Urheberrecht
International Civil Aviation Organization (ICAO)	die Internationale Zivilluftfahrt-Organisation
Eurocontrol (institution for control of the upper atmosphere)	Eurocontrol (Institution zur Kontrolle des oberen Luftraumes)
International Union of Railways	der Internationale Eisenbahn-Verband (IEV)
Intergovernmental Maritime Consultative Organization (IMCO)	die Zwischenstaatliche Beratende Schiffahrtsorganisation
International Chamber of Shipping (ICS)	die Internationale Schiffahrtskammer
International Inland Shipping Union (continental Europe only)	die Internationale Binnenschiffahrts-Union (nur Kontinentaleuropa)
International Telecommunications Union (ITU)	die Internationale Fernmelde-Union
Universal Postal Union (UPU)	der Weltpostverein
International Organization for Standardization	der Internationale Normen-Ausschuß
Organization for European Economic Co-operation (OEEC) *(now* OECD, *q.v.)*	die Organisation für Europäische Wirtschaftliche Zusammenarbeit (OEEC) *(jetzt* OECD, *q.v.)*
Organization for Economic Co-operation and Development (OECD)	die Organisation für wirtschaftliche Zusammenarbeit und Entwicklung (OECD)
European Recovery Plan (ERP)	das Europäische Wiederaufbauprogramm (ERP)
Marshall Plan	der Marshall-Plan
Economic Cooperation Administration (ECA)	die Verwaltung für europäische wirtschaftliche Zusammenarbeit
Interparliamentary Union	die Interparlamentarische Union
Organization of American States (OAS)	die Organisation der Amerikanischen Staaten (OAS)
Organization of Central American States	die Organisation der Zentralamerikanischen Staaten
Central American Free Trade Area (CAFTA)	die Zentralamerikanische Freihandelszone

Latin-American Free Trade Association (LAFTA)	die Lateinamerikanische Freihandels-Assoziation
Inter-American Development Bank (IADB)	die Interamerikanische Entwicklungsbank
South-East Asia Treaty Organization (SEATO)	die Organisation zum Süd-Ost-Asien-Pakt (SEATO)
Council for Mutual Economic Aid (COMECON)	der Rat für gemeinsame Wirtschaftshilfe (COMECON)

4. Science and Technology / 4. Wissenschaft und Technik

(a) *Nuclear Research and Development* / a) *Die Kernforschung und -Entwicklung*

International Atomic Energy Agency (IAEA)	die Internationale Atomenergie-Organisation (IAEO)
Board of Governors (IAEA)	der Rat der Gouverneure (IAEO)
Director General (IAEA)	der Generaldirektor (IAEO)
General Conference (IAEA)	die Generalkonferenz (IAEO)
European Nuclear Energy Agency (ENEA) *of the OECD*	die Europäische Kernenergie-Agentur (ENEA)
European Atomic Energy Community (EURATOM)	die Europäische Gemeinschaft für Atomenergie, die Europäische Atomgemeinschaft (EURATOM)
European Organization for Nuclear Research (CERN)	die Europäische Organisation für Kernforschung (CERN)
European Atomic Forum (FORATOM)	das Europäische Atomforum (FORATOM)
European Institute for Transuranium Elements	das Europäische Institut für Transurane
European Corporation for the Chemical Processing of Irradiated Nuclear Fuels (EUROCHEMIC)	die Europäische Gesellschaft für die chemische Aufbereitung bestrahlter Kernbrennstoffe (EUROCHEMIC)
nuclear research community	die Kernforschungsgemeinschaft
advancement and co-ordination of research	die Förderung und Koordinierung der Forschung
peaceful purposes	die friedlichen Zwecke
peaceful utilization	die friedliche Nutzung
peaceful use	die friedliche Benützung (*oder:* Verwendung)

research budget	der Forschungshaushalt, der Forschungsetat
research programme	das Forschungsprogramm
research agreement	das Forschungsabkommen
research contract	der Forschungsvertrag, der Forschungsauftrag
research institution	die Forschungsanstalt, die Forschungseinrichtung
research institute	das Forschungsinstitut, die Forschungsanstalt
nuclear research centre	das Kernforschungszentrum
nuclear research plant	die Kernforschungsanlage
research staff (*or:* personnel)	das Forschungspersonal
fissionable material	das spaltbare Material
nuclear fuel	der Kernbrennstoff
fuel element	das Brennelement
reactor	der Reaktor
experimental reactor	der Versuchsreaktor
power reactor	der Kernkraftreaktor
reactor project, reactor scheme	das Reaktorprojekt
atomic (*or:* nuclear) power station	das Kernkraftwerk
nuclear	nuklear, Kern...
nuclear capacity	die Kernkraftkapazität
nuclear energy	die Kernenergie
nuclear power	die Kernkraft

(b) *Space Flight* — b) *Die Raumfahrt*

International Astronautic Federation (IAF)	die Internationale Astronautische Föderation (IAF)
International Astronomical Union (IAU)	die Internationale Astronomische Union (IAU)
European Space Research Organization (ESRO)	die Europäische Organisation zur Erforschung des Weltraums (ESRO)
European Space Technology Centre (ESTEC)	das Europäische Zentrum für Raumtechnologie (ESTEC)
European Space Data Evaluation Centre (ESDAC)	das Europäische Zentrum für die Auswertung von Raummeßdaten (ESDAC)

European Launcher Development Organization (ELDO)	die Europäische Organisation für die Entwicklung und den Bau von Raumfahrzeugen (ELDO)
Eurospace *(association of firms and groups to promote cooperation in European space programmes)*	Eurospace *(Vereinigung von Firmen und Firmengruppen zur Förderung der Zusammenarbeit bei der Durchführung europäischer Raumfahrtprogramme)*
space	der Weltraum
space programme	das Raumfahrtprogramm
exploration of space, space research	die Erforschung des Weltraums

5. European Integration / 5. Die europäische Integration

(a) *General Terms* / a) *Allgemeines*

integration	die Integration
to integrate	integrieren
basis of integration	die Integrationsbasis
integration process	der Integrationsprozeß
pause in integration	die Integrationspause
economic union	der Wirtschaftszusammenschluß
political union	der politische Zusammenschluß
customs union	die Zollunion
unification	die Einigung
unification efforts, unification endeavours	die Einigungsbemühungen
unification movement	die Einigungsbewegung
political unification work	das politische Einigungswerk
European movement, pan-European movement	die Europabewegung
the growing together of Europe	das Zusammenwachsen Europas
united-Europe policy	die Europapolitik
all-European course	der gesamteuropäische Kurs
to think in terms of Europe	europäisch denken
community-conscious	gemeinschaftsbewußt
solidarity	die Solidarität
European character, European nature	der europäische Charakter, die europäische Natur

federation	die Förderation
federalism	der Föderalismus
confederation	die Konföderation
confederative	konföderativ
United States of Europe *(aim of political integrationists)*	die Vereinigten Staaten von Europa *(Ziel der Anhänger einer politischen Integration)*
European political community *(planned, but not implemented)*	die Europäische Politische Gemeinschaft *(geplant, aber nicht durchgeführt)*
European Defence Community *(planned, but not implemented)*	die Europäische Verteidigungs-Gemeinschaft *(geplant, aber nicht durchgeführt)*
Western European Union (WEU) (EEC and Great Britain)	die Westeuropäische Union (WEU) (EWG und Großbritannien)
Brussels treaty organization	die Brüsseler Vertragsorganisation
Green Pool	die Grüne Union
"Green Bible" *(scornful term for proposals for a common agricultural policy submitted by the EEC Commission in 1960)*	die „Grüne Bibel" *(spöttische Bezeichnung für die im Jahre 1960 von der Kommission der EWG gemachten Vorschläge für eine gemeinsame Agrarpolitik)*
common agricultural policy	die gemeinsame Agrarpolitik
"little Europe" solution *(limited to the Six)*	die kleineuropäische Lösung *(auf die Sechs beschränkt)*
"Europe des Patries"	das „Europa der Vaterländer"
continent	der Kontinent
continental	kontinental
continental European countries	die kontinentaleuropäischen Länder
western Europe	Westeuropa
western Europeans	die Westeuropäer
European status	der europäische Status
citizen of Europe	der Europabürger, der europäische Bürger
European concept	der Europagedanke
European integrationist, pro-integrationist, proponent of a united Europe, proponent of the European concept	der Europaanhänger, der Verfechter eines vereinten Europas, der Anhänger des Europagedankens

opponent of the European concept, anti-integrationist	der Europa-Gegner, der Gegner eines vereinten Europas
European civil servant, Eurocrat	der Europabeamte
bureaucracy of European organizations	die Europabürokratie
European executive bodies	die Europäischen Exekutiven
merger of executive bodies (*or:* executives)	die Verschmelzung (*oder:* Fusion) der Exekutiven
European commission	die Europäische Kommission
joint commission	die gemeinschaftliche Kommission
coordination functions	die Koordinationsaufgaben, die Koordinationsfunktionen
statute(s)	das Statut, die Statuten
personnel statutes	das Personalstatut
liberalization code	der Liberalisierungskodex
Council of Europe	der Europarat
Conference of the Ten	die Konferenz der Zehn
Committee of Ministers	das Ministerkomitee
Council of Ministers	der Ministerrat
Consultative Assembly	die Beratende Versammlung
consultative committee	der beratende Ausschuß
Secretariat General	das Generalsekretariat
secretary general	der Generalsekretär
Official Gazette of the European Communities	das Amtsblatt der Europäischen Gemeinschaften
statutes for the political union	das Statut für die politische Union
Schuman Plan	der Schuman-Plan
Treaty on the Establishment of the European Coal and Steel Community	Vertrag über die Errichtung der Europäischen Gemeinschaft für Kohle und Stahl (Montanvertrag)
Coal and Steel Pool	die Montanunion
High Authority	die Hohe Behörde
Joint Office of Scrap Users	das gemeinsame Büro der Schrottverbraucher
Committee of Presidents, presidential committee	der Ausschuß der Präsidenten
Scientific and Engineering Committee (advisory committee)	der Ausschuß für Wissenschaft und Technik (Beirat)

European Parliament, European Parliamentary Assembly	das Europäische Parlament, das Europa-Parlament
assembly	die Versammlung
European Court of Justice	der Europäische Gerichtshof

(b) *EEC and EFTA* — b) *EWG und EFTA*

European Community	Europäische Gemeinschaft (EWG, Montanunion und Euratom)
European Economic Community (EEC)	die Europäische Wirtschaftsgemeinschaft (EWG)
Community of the Six	die Gemeinschaft der Sechs, die Sechsergemeinschaft
Common Market	der Gemeinsame Markt
Common Market territory, territory of the EEC	das Gebiet der EWG
within (the framework of) the EEC	im Rahmen der EWG
Rome Treaty, Treaty of Rome	der Vertrag von Rom, der Römische Vertrag
treaty establishing (*or:* on the establishment of) the EEC	der Vertrag zur Gründung der EWG, der EWG-Vertrag
Community institutions	die Gemeinschaftsorgane
Council of Ministers	der Ministerrat
Commission	die Kommission
European Social Fund	der Europäische Sozialfonds
Economic and Social Committee	der Wirtschafts- und Sozialausschuß
Agricultural Guidance and Guarantee Fund	der Ausrichtungs- und Garantiefonds für die Landwirtschaft
European Investment Bank	die Europäische Investitionsbank
(a) board of governors	a) der Rat der Gouverneure
(b) administrative board	b) der Verwaltungsrat
(c) directorate	c) das Direktorium
Advisory Monetary Committee	der Beratende Währungsausschuß
member country, member state	das Mitgliedsland, der Mitgliedsstaat
association	die Assoziation, die Assoziierung
association council	der Assoziationsrat
association agreement	das Assoziationsabkommen
associate member, associate	das assoziierte Mitglied
overseas association	Assoziierung überseeischer Gebiete

associated overseas territories	die assoziierten überseeischen Gebiete
Associated African States and Madagascar (EAMA)	die Assoziierten Afrikanischen Staaten und Madagaskar
third countries, non-member countries	die Drittländer
entry into the Common Market	der Beitritt zum Gemeinsamen Markt
to apply for admission to the EEC	die Aufnahme in die EWG beantragen
stage	die Stufe
preliminary stage	die Vorstufe
transition phase	die Übergangsphase
transition(al) period	die Übergangszeit
harmonization	die Harmonisierung, die Anpassung
harmonization of taxes	die Steuerharmonisierung
EEC tax, Community tax	die Gemeinschaftssteuer
free movement of goods	der freie Warenverkehr
free movement of workers	die Freizügigkeit der Arbeitnehmer
free movement of capital	der freie Kapitalverkehr
freedom of establishment	die Niederlassungsfreiheit
free supply of services	der freie Dienstleistungsverkehr
common agricultural policy	die gemeinsame Agrarpolitik
common commercial policy	die gemeinsame Handelspolitik
common transport policy	die gemeinsame Verkehrspolitik
common rules on competition	die gemeinsame Wettbewerbspolitik
Common Market anti-trust law	das Kartellrecht der EG
formation of a customs union	die Bildung einer Zollunion
elimination of customs duties	die Abschaffung der Zölle
internal tariff	der Binnenzoll
common external tariff	der gemeinsame Außenzoll
basic duty	der Ausgangszollsatz
granting of aids	die Gewährung von Beihilfen
(variable) levy (on agricultural imports from third countries)	die Abschöpfung
compensatory payments	der Grenzausgleich
price alignment	die Preisannäherung
price support	die Preisstützung
basic target price	der Grundrichtpreis
target price, guide price	der Richtpreis
threshold price	der Schwellenpreis

intervention price, support price	der Interventionspreis
reference price	der Referenzpreis
guaranteed price	der Garantiepreis
fixed price	der Festpreis
minimum price	der Mindestpreis
European Free Trade Association (EFTA)	die Europäische Freihandelsvereinigung (*oder:* Freihandelsassoziation) (EFTA)
Community of the Seven	die Gemeinschaft der Sieben, die Siebener-Gemeinschaft
the Outer Seven	die äußeren Sieben
free trade area	die Freihandelszone
Convention (or Treaty) of Stockholm	die Stockholmer Konvention, der Stockholmer Vertrag
EFTA Council	der EFTA-Rat
EFTA Secretariat	das EFTA-Sekretariat
dichotomy of Europe	die Zweiteilung Europas
economic division of Europe	die wirtschaftliche Teilung Europas

B. Translation Exercises — B. Übersetzungsübungen

1. English–German — 1. Englisch–Deutsch

1. International organizations, which are institutions comprising members from at least two countries, are usually subdivided into nongovernmental organizations and intergovernmental organizations, although in many instances such a subdivision is not strictly possible. 2. The International Labour Organization is an example of a mixed international organization, and its annual conferences are attended by government delegates and representatives of the workers' and employers' organizations in the member countries. 3. In Great Britain, those who have spoken out against the Common Market are the genuine protectionists, the ardent planners, and the little Englanders who just happen to dislike foreigners. ("The Economist.") 4. M. Spaak, father of the Rome Treaty, once remarked that most of its economic safeguards would probably never be used. 5. Any European State may apply to become a member of the Community. It shall address its application to the Council which, after obtaining the opinion of the Commission, shall act by means of a unanimous vote. The conditions of admission and the amendments to this Treaty necessitated thereby shall be

the subject of an agreement between the Member States and the applicant state. Such agreement shall be submitted to all the contracting states for ratification in accordance with their respective constitutional rules. (Article 237 of the EEC Treaty.) 6. The Organization for European Economic Cooperation, which was established in 1948, functioned as a co-ordinating agency for the European Recovery Programme; in 1960 this organization was transformed into the Organization for Economic Cooperation and Development, the United States and Canada being admitted as full members. 7. The Council of Europe consists of the Committee of Ministers and the Consultative Assembly; the former is made up of government delegates, while the latter comprises representatives of the peoples and parliaments of European countries. It is not a legislative body or a supranational authority, but formulates recommendations. 8. The Schuman Plan formed the basis for the foundation of the European Coal and Steel Community, the first European institution to depart from mere international cooperation and adopt a form of federal integration. 9. The next milestones along the road towards a United States of Europe were the constitution of the European Economic Community and the European Atomic Energy Community. 10. Apart from laying down a plan for a European common market without tariffs or other trade barriers, the EEC treaty also provided for a European investment bank, which has its seat in Brussels. 11. The recent negotiations and conferences between leading statesmen of the Common Market countries and Great Britain regarding Britain's full membership in the EEC make it seem probable that, despite Commonwealth objections, the British government has decided that integration into Europe is, in the long run, more desirable than the preservation of Commonwealth ties. 12. Whether economic integration on a federal basis with supranational organizations and authorities can be reconciled with politically independent national governments is a question that only the future can answer. 13. Under a bilateral clearing agreement a clearing account is opened in each of the two countries into which importers pay, in local currency, amounts due creditors in the other country, and from which exporters receive payment, in local currency, of the amounts due from persons in the other country. 14. "The Nationals of either High Contracting Party within the territory of the other shall not be subjected to the payment of any internal charges or taxes other or higher than those that are exacted of and paid by its Nationals." (Treaty of Friendship, Commerce and Navigation between the Federal Republic of Germany and the United States of America.)

1. Die Wirtschaftspartnerschaft zwischen den Vereinigten Staaten und Europa, d. h. die wirtschaftliche Zusammenarbeit von zwei führenden Kontinenten, kann sich auf keine Vorbilder in der Wirtschaftsgeschichte berufen. 2. Die euroamerikanische Partnerschaft zeichnet sich seit 1961 auf den vier Hauptgebieten der modernen Wirtschaftspolitik, der Währungs-, Konjunktur-, Handels- und Entwicklungspolitik, bereits deutlich, wenn auch noch in verstreuten Organisationen, ab. 3. Zwischen der Regierung der Bundesrepublik und der Republik Niger haben Verhandlungen stattgefunden, die am 14. 6. 1961 in Niamey zur Unterzeichnung eines Wirtschaftsabkommens und eines Abkommens über wirtschaftliche Zusammenarbeit geführt haben. Von der Aufstellung von Warenlisten zu dem Wirtschaftsabkommen wurde im Hinblick auf den vereinbarten Grundsatz der Nichtdiskriminierung und die weitgehende Einfuhrliberalisierung in der Bundesrepublik abgesehen. 4. Der deutsch-italienische Freundschafts-, Handels- und Schiffahrtsvertrag, der am 19. 11. 1961 in Kraft trat, beruht auf den Grundsätzen der gegenseitig gewährten Inländerbehandlung und der unbedingten Meistbegünstigung. 5. Auf der Tagung der Außenminister der Montanstaaten in Messina (vom 1. bis 3. Juni 1955) wurde beschlossen, die Wiederbelebung des Europagedankens zu fördern und eine neue Etappe auf dem Wege zur europäischen Integration zurückzulegen. Damit begann eine neue Phase der europäischen Integrationspolitik. 6. Nachdem innerhalb der Montanunion bereits im Jahre 1953 der gemeinsame Markt für Kohle, Eisenerz, Stahl und Schrott errichtet wurde, sieht der EWG-Vertrag die Errichtung eines gemeinsamen Marktes vor, der alle Wirtschaftszweige, einschließlich des freien Personen-, Dienstleistungs- und Kapitalverkehrs, umfaßt. 7. Im Jahre 1952 trat der Montanvertrag in Kraft, und die verschiedenen Organe der Montanunion nahmen ihre Tätigkeit auf, zuerst die Hohe Behörde, dann der Ministerrat, die Gemeinsame Versammlung und schließlich der Gerichtshof. 8. Für die Schaffung des Gemeinsamen Marktes ist eine Übergangszeit von 12 Jahren mit drei Stufen von je vier Jahren vorgesehen, vor allem um die aufeinanderfolgenden Zollsenkungen durchzuführen. 9. Der EWG-Vertrag sieht unter anderem vor: Abschaffung der Zölle und mengenmäßigen Beschränkungen zwischen den Mitgliedstaaten, eine gemeinsame Agrarpolitik, Angleichung der innerstaatlichen Rechtsvorschriften, Umgestaltung der einzelstaatlichen Handelsmonopole, eine gemeinsame Verkehrspolitik, die Abstimmung der Sozialordnung der Mitgliedstaaten etc. 10. Mit dem Beginn der zweiten EWG-Stufe soll auch die Verkehrswirtschaft dem europäischen Integrationsgedanken verstärkt Tribut zollen, denn

von diesem Zeitpunkt an ist das in Artikel 80 des Vertrages zur Gründung der Europäischen Wirtschaftsgemeinschaft verankerte Verbot von sogenannten Unterstützungsfrachten formell wirksam geworden. 11. Der Ministerrat der Europäischen Wirtschaftsgemeinschaft (EWG) hat am 30. 12. 1961 einstimmig die Kartellverordnung verabschiedet. Sie wird am zwanzigsten Tage nach ihrer Veröffentlichung im Amtsblatt der Europäischen Gemeinschaften in Kraft treten und dann als unmittelbar geltendes Recht in allen Mitgliedstaaten verbindlich sein. 12. Erst die Zukunft wird entscheiden, ob das politische Einigungswerk aus der Integration hervorgehen oder ob es sich parallel dazu auf Grund besonderer Regierungsinitiative als Staatenbund entwickeln wird. Auch der EWG letztes Ziel bleibt die Schaffung einer politischen Union, wobei die Form, ob Föderation oder Konföderation, in Brüssel als nicht so wichtig angesehen wird wie die Befugnis der Union, europäisches Recht zu setzen. 13. Die wichtigsten Aufgaben des EURATOM sind: Schaffung eines gemeinsamen Marktes auf dem Kerngebiet, Entwicklung einer mächtigen europäischen Kernindustrie, Förderung der Atomforschung und der friedlichen Verwendung der Kernenergie, Sicherung der Versorgung mit spaltbarem Material. 14. Die USA und die Europäische Wirtschaftsgemeinschaft schlossen kürzlich auch als erste in dieser Runde ein Abkommen, das weit über den Rahmen eines gewöhnlichen GATT-Zollabkommens hinausgeht und die Grundlagen zu einem System handelspolitischer Konsultationen, vor allem auf dem so wichtigen Agrarsektor, schafft. 15. Das Weiterbestehen der leblos gewordenen Europäischen Freihandelsassoziation (EFTA) rechtfertigte Mr. Heath mit der Notwendigkeit, die legitimen Interessen aller EFTA-Mitglieder zu schützen.

Appendix: Office Equipment and Supplies

Anhang: Büroausstattung und Bürobedarf

accounting machine *see* bookkeeping machine	
adding machine	die Addiermaschine
full-keyboard adding machine	die Addiermaschine mit Volltastenfeld (*oder:* Volltastatur)
ten-key adding machine	die Addiermaschine mit Kleintastenfeld (*oder:* mit Zehntasten-Einstellung)
electric adding machine (*or:* electrically operated adding machine)	die elektrische Addiermaschine
hand-operated adding machine	die Addiermaschine mit Handbetrieb
pocket adding machine	die Kleinaddiermaschine
adding listing machine	die schreibende Addiermaschine, die Addiermaschine mit Schreibwerk
addressing machine, addresser, Addressograph *(sometimes not capitalized)*	die Adressiermaschine („Adrema")
airmail envelope	das Luftpostkuvert
all-purpose cabinet	der Allzweckschrank
art paper	das Kunstdruckpapier
automatic pencil *(US)* *see* propelling pencil	
automatic typewriter *(a master roll is punched—player piano system—which types letters automatically)*	die Schreibmaschine mit Lochstreifensteuerung
ball-point pen, ball pen	der Kugelschreiber
billing machine	die Fakturiermaschine
blotter	der Löscher
blotting pad	der Löschblock
blotting paper	das Löschpapier
blue pencil	der Blaustift
blueprint	die Blaupause
bond paper	die Bankpost, das feste Schreibmaschinenpapier

book ends	die Bücherstützen
bookkeeping machine	die Buchungsmaschine
bow compasses (*US:* bow compass)	der Federzirkel
box	die Schachtel
broadside, broadsheet	der Planobogen
bullet desk lamp	die Trichterlampe
calculating machine, calculator	die Rechenmaschine
carbon (paper)	das Kohlepapier
cardboard	der Karton *(Material)*
card index	die Kartei
card-index cabinet	der Karteischrank
card-index tray	der Karteitrog
carton	der Karton *(Behälter)*
cellophane tape, "Scotch" tape	der Zellophan-, der Filmklebestreifen
China ink, Chinese ink *see* India ink	
clipboard	der Manuskripthalter
clothes tree	der Kleiderständer
coloured pencil	der Farbstift
(a pair of) compasses (*US:* compass)	der Zirkel
compasses with interchangeable pen and pencil parts	der Einsatzzirkel
contact printing machine, contact printer	das Lichtpausgerät
copy block	der Notizblock
copying ink	die Kopiertinte
copying pencil	der Kopierstift
correction fluid	der Korrekturlack
crayon	der Kreidestift
curve	das Kurvenlineal
dater, date stamp	der Datumsstempel
desk	der Schreibtisch
desk with automatic lock that controls all drawers, desk with centre drawer locking system	der Schreibtisch mit Zentralverschluß
desk with dropwell (*or:* drop compartment)	der Versenktisch
desk dispenser *(for cellophane tape, etc.)*	der Tischabroller
desk lamp	die Schreibtischlampe

desk pad	die Schreibtischunterlage
desk tray	der Briefkorb
diary	die Agenda, das Merkbuch, der Vormerkkalender
dictating machine, Dictaphone *(sometimes not capitalized)*	das Diktiergerät
dividers (*US:* divider)	der Stechzirkel
drafting board *(US)* *see* drawing board	
drafting instruments *(US)* *see* drawing instruments	
drawing board	das Reißbrett
drawing instruments	das Zeichengerät
drawing pad	der Zeichenblock
drawing paper	das Zeichenpapier
drawing pen	die Zeichen-, die Reißfeder
drawing pin	der Reißnagel, die Reißzwecke
drawing set, set of drawing instruments	das Reißzeug, der Zirkelkasten
duplicator	der Vervielfältiger
liquid (spirit) duplicator	der Umdruckvervielfältiger
dust cover	die Schreibmaschinenhülle
electronic computer	die elektronische Rechenmaschine
envelope	das Kuvert, der Briefumschlag, -hülle
electronic data processing equipment	die Datenverarbeitungsanlage, die EDV-Anlage
envelope moistener	der Anfeuchter
envelope sealer *see* letter-sealing machine	
eraser	der Radiergummi
eraser knife	das Radiermesser
executive desk	der Chefschreibtisch
felt pad	die Filzunterlage
file signal	der Kartenreiter
filing cabinet	der Aktenschrank
filler paper	die Ersatzeinlagen für Ringbücher
fire-resisting steel cabinet	der feuerfeste Sicherheitsschrank
flat duplicator	der Flachvervielfältiger
flimsy paper	das (dünne) Durchschlagpapier
franking machine	die Frankiermaschine

folding machine	die Falzmaschine
folding rule	der Gliedermaßstab
folio	das Folioblatt (Papierformat)
fountain pen	der Füll(feder)halter
garment rack *(US)*	die Kleiderablage
glue	der Leim
glue dispenser	der Gummierstift
gooseneck desk lamp	die Schlauchleuchte
guide card	die Leitkarte
gummed tape	der Klebestreifen
gummed tape sealer	der Klebeapparat
hectograph	der Hektograph
hole puncher *see* paper punch	
Hollerith machine *see* punched-card machine	
horizontal files	die Horizontal-, die Flachregistratur
indelible ink	die urkundenechte Tinte
indelible pencil	der Tintenstift
index card	die Karteikarte
India ink, Indian ink	die Tusche
ink (for stamp pads)	die Stempelfarbe
ink bottle	das Tintenglas
ink pad *see* stamp pad	
inkpot	das Tintenfaß
inkstand	die Schreibgarnitur
ink-well	das *(in das Pult eingelassene)* Tintenfaß
intercom(munication) system	die Haussprechanlage
two-unit intercom system	die Sprechanlage mit zwei Apparaten
iridium-pointed pen	die Feder mit Iridiumspitze
lead	die Mine
lead tube, lead box	die Minenbüchse
letter balance *see* letter scales	
letter file	der Briefordner, der Schnellhefter
letterhead	a) der Briefkopf b) der Geschäftsbriefbogen
letter opener	der Brieföffner

letter-opening machine	der automatische Brieföffner, die Brieföffnermaschine
letter punch	der Locher
letter scales (*US:* letter scale)	die Briefwaage
letter-sealing machine	die Briefverschlußmaschine
lighting fixture	der Beleuchtungskörper
lightweight stationery	das dünne Briefpapier
long-carriage typewriter	die Breitwagenmaschine
loose-leaf binder	die Sammelmappe
magnetic sound recorder	das Magnettongerät
mailing bag	der Musterbeutel
mailing carton	der Versandkarton
mailing clasp *(US)* *see* paper fastener	
mailing tube	die Versandrolle
Manila folder	der Aktendeckel aus Manilakarton
Manila paper	der Manilakarton
marking crayon	die Signierkreide
marking pencil	der Signierstift
master paper	das Umdruck-Originalpapier (Umdruck-Vervielfältigungsverfahren)
memo pad	der Notizblock
memo calendar	der Vormerkkalender
mimeograph ink	die Druckfarbe (für den Vervielfältigungsapparat)
mimeograph paper, manifold paper	die Saugpost, die Abzugpost
mucilage *(US)*	der flüssige Leim
mushroom desk lamp	die Pilzlampe
note book *(a book in which notes and memoranda are recorded)*	das Notizbuch
note pad	der Notizblock
note paper *(paper for private correspondence)*	das Schreibpapier, die Privatpost
numbering stamp	der Numerierungsstempel
octavo	das Oktavblatt *(Papierformat)*
office typewriter	die Büroschreibmaschine
onion-skin paper *(US)*	ein dünnes, festes Durchschlagpapier
pantograph	der Storchschnabel
paper clip	die Büro-, Brief-, Aktenklammer

paper cutting machine	der Papierschneider
paper fastener	die Musterklammer
paper punch	der Locher
paper reinforcements	die Lochverstärker
paper scissors	die Papierschere
paper weight	der Briefbeschwerer
pasteboard	die Pappe
pen desk set	der Füllhalterständer
pencil	der Bleistift
pencil cap	der Bleistiftschoner
pencil holder	der Bleistiftverlängerer, der Bleistifthalter
pencil sharpener	der Bleistiftspitzer, die Bleistiftspitzmaschine
pencil-sharpening machine	die Bleistiftspitzmaschine
pencil tray	die Bleistiftschale
perpetual calendar	der Dauerkalender
phone-side directory	das Telefonregister
Photostat *(sometimes not capitalized)*, photo-copying machine	die Photokopiermaschine
photostat, photostatic copy, photographic copy	die Photokopie
pigeonhole	das Ablegefach, das Brieffach
pocket calendar	der Taschenkalender
portable typewriter	die Reiseschreibmaschine
postage meter machine *(US)* *see* franking machine	
postage stamp	die Briefmarke
postal scale *(US)*, *see* letter scales	
posture chair	der Schreibmaschinenstuhl mit Rückenstütze
propelling pencil	der Drehbleistift
protractor	der Winkelmesser
punched card	die Lochkarte
punched-card machine	die Lochkartenmaschine, die Hollerithmaschine
punching machine	die Lochmaschine *(für Lochkarten)*
push pencil	der Druckstift *(mit automatischer Minenfolge)*

quarto	das Quartblatt (Papierformat)
red pencil	der Rotstift
refill cartridge	die Nachfüllmine, die Ersatzmine *(für Kugelschreiber)*
retractable ball-point pen	der Druckkugelschreiber
revolving chair	der Drehstuhl
ribbon	das Farbband
single-coloured ribbon	das einfarbige Farbband
two-colour ribbon	das zweifarbige Farbband
ring binder	das Ringbuch
rocker blotter	der Wiegelöscher
roll-front cabinet	der Rollschrank
roll-top desk	der Rollschreibtisch
rotary duplicator	der Drehvervielfältiger
rotary file	die Drehkartei
rubber	der Radiergummi
soft rubber	der Speckgummi, der weiche Gummi
rubber bands	die Gummiringe
rubber stamp	der Gummistempel
ruler	das Lineal
ruling pen	die Reißfeder *(zum Linienziehen)*
scratch pad *(US)* *see* scribbling block	
scratch paper *(US)*	das Notiz-, das Schmierpapier
scribbling block	der Notiz-, der Schmierblock
sealing wax	der Siegellack
second sheet	der Zweitbogen
self-seal envelope *(an envelope with a special adhesive that is sealed by pressure alone, without moisture)*	der Selbstklebeumschlag
sheet calendar	der Abreißkalender
shorthand notebook, shorthand pad	der Steno(gramm)block
side-arm chair	der Bürostuhl mit Armstützen
slide rule	der Rechenschieber
sorting machine	die Sortiermaschine *(für Lochkarten)*
spiral-bound stenographer's notebook	der Spiral-Stenoblock
stamp pad	das Stempelkissen
stamp rack	der Stempelständer

stamp type set	die Typendruckerei
staples, bar of staples	die Heftklammern, der Klammernstab
stapling machine, stapler	die Büro-Heftmaschine, der Heftapparat
stationery	a) der Schreibbedarf *(allgemein)* b) das Briefpapier
steel furniture	die Stahlmöbel
steel (measuring) tape	das Stahlbandmaß
stencil (wax stencil)	die Schablone, die Matrize (Wachsmatrize)
stencil duplicator	der Schablonenvervielfältiger
stenotype machine	die Stenographiermaschine
storage cabinet	der Büroschrank mit Fächern
storage cabinet with secret vault	der Büroschrank mit Sicherheitsfach
storage filing cabinet	der Kombinations-Akten- und Büroschrank
storage rack	das Regal, das Gestell
string	die Schnur
suspended pocket filing	die Hängeregistratur
suspense file	die Terminmappe
suspension filing cabinet	der Hängeregistraturschrank
swivel chair *(US)* *see* revolving chair	
tab	der Tab(ulator), *pl.* die Tabe; der Kartenreiter
table calendar	der Tischkalender
tabulating machine	die Tabelliermaschine (für Lochkarten)
tape recorder	das Tonbandgerät
telephone set	der Telefonapparat
telephone stand	das Telefontischchen
teleprinter (teletypewriter, teletype)	der Fernschreiber
thread	der Bindfaden
thumbtack *(US)* *see* drawing pin	
tickler	die Kartei etc. zur Terminüberwachung
tracing paper	das Pauspapier

tray	der Ablagekorb
triangle	der Dreieckswinkel
triangular scale	das Kantellineal
T-square	die Reißschiene
tubular steel furniture	die Stahlrohrmöbel
tweezers *(pl.)*	die Pinzette
typewriter	die Schreibmaschine
typewriter-bookkeeping machine	die kombinierte Schreib-Buchungsmaschine, die rechnende Schreibmaschine
typewriter desk, typist's desk	der Schreibmaschinentisch
typewriter pad	die Schreibmaschinenunterlage
typist's chair	der Schreibmaschinenstuhl
wall calendar	der Wandkalender
waste paper	das Abfallpapier, das Altpapier
waste-paper basket (*US also:* wastebasket)	der Papierkorb
water-colour pencil	der Farbstift
window envelope	der Fensterumschlag
wooden furniture	die Holzmöbel
writing ink	die Tinte
writing paper	das Schreibpapier
writing table	der Arbeitstisch

English Index

Deutsches Register

Weitere Terminologie-sammlungen im Bereich Wirtschaft und Recht:

Günther Haensch–Rüdiger Renner
Wirtschaftssprache französisch/ deutsch – deutsch/französisch
Terminologie économique français/ allemand – allemand/français
Hueber-Nr. 6202

Günther Haensch–Francisco Casero
Wirtschaftssprache spanisch-deutsch
Terminología económica español-alemán
Hueber-Nr. 6203

Albert Schmitz–Edith Schmitz
Englisch-deutsches Lernwörterbuch Wirtschaft
Hueber-Nr. 6.2167

Albert Schmitz–Edith Schmitz
Englischer Aufbauwortschatz Wirtschaft
Hueber-Nr. 2166

Clemens Gruber
Wörterbuch der Werbung und des Marketing
Dictionary of Advertising and Marketing
English-German, German-English
Englisch-deutsch, deutsch-englisch
Hueber-Nr. 6312

Edeltrud Lawatsch/Günther Haensch/ Francine Gaudray
Taschenwörterbuch des Fremdenverkehrs
Dictionnaire du tourisme
Deutsch-französisch, französisch-deutsch
Hueber-Nr. 6254

Annemarie Schick-Wagner
Spanischer Grundwortschatz Wirtschaft
Hueber-Nr. 4040

Alexandre Bonnefoi
Dictionnaire de droit du travail et de droit social allemand-français
Wörterbuch des Arbeits- und Sozialrechts deutsch-französisch
Hueber-Nr. 6293

Rüdiger Renner/Jeffery Tooth
Rechtssprache englisch-deutsch
Legal Terminology English-German
Hueber-Nr. 6280

MAX HUEBER VERLAG ISMANING BEI MÜNCHEN